TORSTEN KROL

Callisto

Un intrigo americano

Traduzione
Francesco Pacifico

Isbn Edizioni

Isbn Edizioni
via Melzo 9
20129 Milano
Direttori editoriali: Massimo Coppola, Giacomo Papi
Redazione: Silvia Sartorio, Mario Bonaldi
Comunicazione: Cristina Gerosa, Serena Bellinello
www.isbnedizioni.it
info@isbnedizioni.it

First published in Australia in 2007 by Picador, an imprint
of Pan Macmillan Australia Pty Limited, Sydney.
First published in Great Britain in 2007 by Atlantic Books Ltd.

Titolo originale: *Callisto*

uno

Il mio nome è Odell Deefus. E sono bianco, non un nero come pensa chi non mi conosce e sente dire il mio nome. Se poi mi incontrate, la mia faccia ve la scordate subito, è troppo anonima, chi se la ricorda, semmai vi rimango impresso perché sono alto. Sono un metro e novanta, quindi attraggo le donne, che poi però scoprono che non faccio discorsi che gli piacciono, e a quel punto addio storia d'amore prima ancora che comincia. Da qualsiasi parte vuoi arrivare devi saper parlare. Io, mi tocca pensare un bel po' prima di aprir bocca, solo che nel frattempo, sapete com'è, hanno cambiato discorso, per cui tanto peggio. È un problema che ho da sempre, e non ci ricavo niente di buono.

Compirò ventidue anni il 21 novembre del 2007. Per quel giorno non ci sarò, sono su un autobus diretto lontano da qui. Finora non ho scambiato parola con gli altri passeggeri. Al momento dormono tutti, mentre sfrecciamo nella notte. Penseranno che sono un bifolco grosso e scemo ma se lo pensano sbagliano. Lo so perché ho letto *Il cucciolo* già sedici volte, ed è un Premio Pulitzer, non lo puoi leggere se sei scemo. Se non avete letto la storia, parla di un bambino che adotta un cerbiatto che sua mamma è stata abbattuta nel bosco, lo alleva fino a farne il suo animaletto ma la situazione precipita quando il cerbiatto compie un anno ed è diventato un bel disturbo nella fattoria, mangia il raccolto di granturco e tutto il resto, per cui alla fine va abbattuto, che mi bagna le ciglia ogni volta quanto è triste. Prova ulteriore che non sono scemo, perché uno scemo non proverebbe tutta quell'emozione.

Scrivo queste pagine in pullman dentro a un quaderno da scuola con fogli a righe e la Sirenetta in copertina. Ne ho dietro una pila perché ho una lunga storia da raccontare. C'è il Re Leone e gli Incredibili, la famiglia al completo, e c'è Nemo&Amici più Shrek e il suo amico Ciuchino parlante, e tutti i personaggi di *Toy Story*. Avrei preferito copertine a tinta unita ma al negozio c'erano solo a cartoni animati. Sopra al mio posto c'è una piccola lampadina con cui si può scrivere. Devo assolutamente mettere tutto per iscritto, le cose che mi sono successe, finché dormono tutti, mettere ogni cosa per iscritto prima che mi accade dell'altro. Ci penserò dopo a cosa fare di questa storia, magari la mando al *New York Times*, è l'unico modo per raccontare la verità quando c'è chi non vuole che si racconta la verità. Non ci fermeranno, né me né il *NY Times*.

E allora cominciamo.

Un po' di tempo fa mi trovavo ad attraversare il Kansas al volante di una Chevy Monte Carlo del '78, che aveva un rumore che sembrava uno di quei cosi per piantare i pali nel fiume per farci i ponti. Me ne andavo ad arruolarmi nell'Esercito visto che ormai hanno un bisogno così disperato di gente che non gli importa troppo se non hai il certificato di maturità, e io non ce l'ho, ma non perché sono stupido. L'ultimo anno di scuola non ero nel mio stato mentale ideale, pessima conseguenza non ho la maturità, peraltro all'epoca neanche me ne fregava qualcosa. In seguito me ne fregò eccome visto che il lavoro migliore che sono riuscito a trovare è stato in un silo di grano. Quel lavoro quasi mi uccise, era mal pagato e pericoloso con tutto quel grano che vorticava in silos alti sessanta metri. L'Esercito era alla ricerca disperata di reclute perché la guerra in Iraq aveva fatto crollare le domande di arruolamento. Ormai pagavano perfino un bonus, avevo sentito dire, da cui il mio piano, arruolarmi e incassare il bonus e fare del mio meglio per essere un buon soldato contro i cani pazzi islamici di quelle parti che fanno esplodere tutto ciò che toccano compresa la propria gente. Non sono uno assetato di sangue ma quel genere di follia deve finire subito. Nel mondo io non ero ancora nessuno, però magari se rimediavo qualche medaglia al valore da esibire diventavo qualcuno.

A Callisto, giù nella Callisto County, c'era un ufficio arruolamenti, è lì che andavo, fisso a settanta miglia orarie, velocità ottimale per il motore della Chevy. Mi mancavano meno di quaranta miglia quando comincia a fare rumori terribili, quasi stesse per sputar fuori una sbarra o simili, mi tocca rallentare o rischiavo di mandare ogni cosa in fumo. Non puoi guidare piano sull'interstatale, per cui la abbandonai, e proseguii pianissimo e attentissimo per strade secondarie, non sapendo precisamente dove mi trovavo ma diretto grosso modo dalla parte giusta per arruolarmi. Ma poi il motore si spompa completamente lasciandomi a terra, mi toccò accostare e spegnerlo proprio. Restai lì seduto per un po' a guardare la polvere sollevata dal vento, poi scesi e tirai su il cofano. Là sotto ogni cosa era ben collegata, non vedevo tubi staccati o fuori posto, non è che sono un esperto in materia però. Il problema doveva essere in qualche punto dentro al blocco motore, probabilmente una cosa di molto tempo fa, il contachilometri segnava novantottomila miglia ed era al secondo giro dopo aver totalizzato le prime centomila. Il rumore del motore erano tanti tic tic come una bomba a orologeria, e mi sparava addosso vapore e tanfo di benzina, così mi tirai indietro pensando se lascio che si raffredda magari si sistema da solo. A quel punto era già metà pomeriggio e avevo guidato più o meno l'intero giorno, una pausa mi andava bene comunque.

Lì non c'era niente che vale la pena vedere, la Callisto County è piatta e vuota come gran parte del Kansas tranne all'Est, dove hanno quelle belle colline piccine piccine loro sì vale la pena vederle. Mi appoggiai contro la portiera e guardai l'orizzonte lontanissimo, cercando di non infuriarmi per come il motore mi aveva tradito. Non fa niente bene infuriarsi a quel modo, è solo una perdita di tempo. Vedi certa gente che sbraitano insulti alla loro macchina, la prendono pure a calci se sono incavolati neri, ma non aggiunge mai nulla alla soluzione del problema, allora a che scopo sprecare energie. E poi mi è già successo prima, sono abituato. Penso che quando lascerò l'Esercito la prima cosa che mi comprerò con lo stipendio sarà una macchina con meno di cinquantamila sul contachilometri e nessunissimo problema.

Era caldo sotto il sole e senza quasi nuvole, mi piazzo sul sedile di dietro e apro la valigia che conteneva in pratica tutti i miei averi, il che dimostra in che triste stato la mia vita era precipitata a quel punto. Non è bene che una vita possa starci così facilmente in una valigia. Dentro c'erano vestiti a cui serviva una gita alla lavanderia, una bottiglia piena per tre quarti di Captain Morgan, per cui ho un debole, e la mia copia del *Cucciolo*, messa molto male con la costina che si stava aprendo che ormai ce l'ho da un pezzo. Studiai a lungo il Capitano nella sua tenuta da pirata chiedendomi se non dovessi farmi un goccio o conservarlo per dopo, considerato che avevo solo venticinque dollari nei jeans. Dovevano prendermi nell'Esercito o ero fregato, a livello finanziario. Alla fine posai la bottiglia sentendomi perciò un uomo forte e ragionevole, e presi in mano il libro. Ho questa filosofia: se puoi scegliere tra buttarti su una bottiglia o buttarti su un libro, buttati sul libro. È quasi sempre la cosa più giusta e ragionevole da farsi. Certi vivono per bere, o si fanno le canne come non fosse mai abbastanza, e questo comportamento è una distrazione dalla vita vera. Non era il mio stile e non lo sarà mai. Perciò ero fiducioso sul test fisico e che non si sarebbero fatti grossi problemi per il certificato di maturità. D'altronde che c'entrano le cose che fai a scuola con lo sparare ai cani pazzi islamici?

Cominciai la mia lettura, per passare il tempo. Ero alla scena in cui il ragazzo, Jody, fa una visita al suo amico zoppo, Icaro, per sapere come va. Ho letto le riviste con le zinnone e le riviste di macchine e armi e non possono bastare a una mente che ha bisogno di una storia. Direte che io mi comporto con *Il cucciolo* come fanno con la Bibbia certi in fissa con la religione, da cima a fondo e di nuovo da capo. Ho scoperto che c'è qualcosa di nuovo da scoprire ogni volta.

Una volta una persona che conoscevo, ma non un amico, si mise a prendermi in giro perché leggevo quel libro. Disse che era un libro per ragazzini piccoli perché aveva un'immagine in copertina di Jody col cerbiatto in braccio. Gli dissi che era un Premio Pulitzer, dice così sotto Judy e il cerbiatto, ma non me la dava vinta, continuava con i suoi commenti su quanto devi essere ritardato per leggere un libro da ragazzini come facevo io, probabile che non aveva mai sentito nominare il Premio Pulitzer, per cui alla fine mi toccò posare il libro e dargli una lezione. Non faccio spesso così, che divento violento dico, ma se l'è voluta lui da come l'ha chiesto. Sono alto come ho detto, ma non uno spilungone pelle e ossa da abbindolare. Questo sciocco che si prendeva gioco di me non è piccolo neanche lui, ma ebbi la meglio io, sono bastati uno zigomo e le nocche graffiate per trionfare nel merito. A volte c'è solo un modo per sistemare le cose. Non è che lo preferisco, ma non hai scelta e devi ergerti e fare il giusto o altrimenti vieni deriso. Come succedeva alla mia scuola, la Kit Carson High di Yoder, Wyoming. Dettero la colpa a me e mi toccò passare tre giorni in sala sospensione anche se non era stata colpa mia quel che era successo. È uno dei motivi per cui a scuola non ho fatto bene, risultato niente certificato e una sfilza di lavori come quello al silo di grano, ma l'Esercito americano avrebbe cambiato la situazione, speravo io.

Così mi misi a leggere, ma poi faceva un caldo anche coi finestrini tirati giù che non riuscivo a concentrarmi e mi toccò mettere via il libro e sonnecchiai per un poco, forse un'ora. Mi svegliai che avevo sete, ma non di Captain Morgan ma di Coca ghiacciata. Nel frattempo non era passato neanche un mezzo di trasporto, pareva insomma che di soccorsi da quella strada non ne sarebbero arrivati tanto presto. Provai a far partire il motore. Si riprese, ero di nuovo in marcia, ma il suono del motore non era migliorato. Moderai la velocità e caracollai così facendo per trentasette minuti esatti e lì mi morì proprio come prima, solo che stavolta il fato fu benevolo e mi fermai a pochi metri dal cancello di una casa, ma non c'era il cancello, solo i due pali di recinzione a sinistra e a destra di dove sta di solito un cancello e un lungo vialetto curvo in terra battuta che conduceva a una fattoria ben distante dal vialetto, l'unica in tutta la zona, proprio isolata.

Mi avvio a piedi su per il vialetto. Era in stato di abbandono e a metà era interrotto da un piccolo avvallamento della terra e si vedeva che il deflusso degli acquazzoni di primavera aveva fatto bei danni. Mi aspettavo un cane, tre cani, vedermeli correre incontro come fanno sempre nei giardini delle fattorie e invece niente cani da nessuna parte. Un posto fatiscente, in degrado come il vialetto, una casa a due piani di legno, con veranda sui tre lati, tutti e tre bisognosi di una riverniciata urgente, e un serbatoio di propano con la vernice crepata che pareva un sottomarino in miniatura. Si trovano posti simili in tutti gli Stati delle grandi pianure, un po' di grossi alberi da ombra sovrastano la casa e minacciano di danneggiare il tetto al passaggio del primo tornado, e un vecchio fienile molto grande con una Dodge scassata parcheggiata dentro.

Salii i pochi gradini imbarcati del portico e bussai alla porta a zanzariera. La porta d'ingresso era aperta così posso dare una guardata al lungo corridoio. Da dentro non veniva suono a parte il battito regolare del pendolo, che svettava a metà del corridoio come una bara messa in piedi. Bussai di nuovo e domandai «Ehilà? C'è nessuno?». No, non c'era nessuno. Bussai più forte senza ottenere risposta e riprovai con gli Ehilà, più forte di prima, e ancora nessuna risposta. Erano tutti via ed erano il genere di persone che non ha paura dei ladri e lascia la porta aperta. Esiste ancora questa gente di campagna, ma il loro numero diminuisce in frettissima con la criminalità diffusa che si sperimenta oggigiorno.

Adesso avevo più sete di prima. Magari nel cortile c'era un rubinetto ma non lo trovavo. Volevo l'acqua, bene gratuito diverso che rubare, anche se l'avessi presa in cucina e non in cortile. Così aprii la porta, di nuovo chiamando a gran voce, ed entrai in casa. C'era quel vecchio odore di casa colonica col pavimento crepato di linoleum. E la carta da parati sbiadita, ogni cosa era da ricomprare. L'orologio batteva rintocchi gravi e annoiati, come se misurasse il tempo da un secolo fa, quando tutto era molto più lento che oggi.

La cucina era proprio dove me la immaginavo. Casino ovunque sulle mensole e il lavandino era ricolmo di piatti sporchi. Non uno splendore. Sentivo l'odore di cibi marci da qualche parte, forse dalla credenza vecchio stile, o dal cestino della spazzatura che aveva bisogno di una svuotata. Serviva che qualcuno si presentasse con secchio e spazzolone e pure una spazzola di quelle ruvide, non che sono affari miei come la gente sceglie di vivere. Sopra al lavandino c'era un rubinetto e i bicchieri dritti come soldati in parata sulla mensola sopra. Anche alla mensola le ci voleva una bella pulita. Fosse stata casa mia non avrei permesso quel sudiciume. Presi uno dei bicchieri e lo riempii, lo bevvi tutto in una lunga sorsata, lo riempii ancora, stavolta per sorseggiarlo.

«Posalo dov'era» fa una voce alle mie spalle. Non una voce impaurita, neppure arrabbiata come potreste pensare considerato che nessuno mi aveva invitato a entrare. Mi volto lentamente con grazia, il bicchiere ancora in mano. Il tipo all'altro capo della cucina era poco più grande di me. La sua t-shirt diceva *Bastardo dentro – e fiero di esserlo*. Aveva in mano una mazza da baseball. Non si radeva da uno o due giorni e aveva un'aria nervosa molto poco piacevole. Fossi stato un uomo più piccolo di quello che sono, un po' avrei avuto paura davanti a quella mazza e come la teneva. Pensai, Almeno non è una pistola.

«'sera» dissi.

«Posalo dov'era.»

Poso il bicchiere sul bancone senza togliergli gli occhi di dosso. I suoi capelli erano selvaggi e aveva gli occhi strani. Aspetto che dice qualcosa ma continuava a fissarmi e a tenere la sua mazza in posizione per colpirmi se mi avvicinavo.

«Ho avuto problemi alla macchina» provo a spiegare. «Ero in strada. Ho bussato ma non mi ha aperto nessuno. Grazie per l'acqua. Avevo sete.»

Tace ancora.

«Mi chiamo Odell Deefus, vengo dal Wyoming.»

«È un nome da negro.»

«A scuola conoscevo un ragazzino nero che si chiamava Alan White. Non si può giudicare dal nome.»

L'orologio batteva i suoi colpi mentre il tipo mi guardava che lo guardavo.

Poi abbassò la mazza.

«La prudenza non è mai troppa» disse, ancora non del tutto tranquillo, ma nemmeno scattoso e agitato come prima.

«Ho bussato, poi ho pensato che non c'era nessuno. Avevo bisogno dell'acqua.»

«Fa' pure.»

Prendo il bicchiere e lo bevo d'un fiato e continuo a guardare il tipo e mi provo a darmi un'aria rilassata. Portava scarpe da ginnastica, ecco perché non l'avevo sentito arrivare. Poso il bicchiere sul bancone. «Grazie. Ora posso tornare alla macchina.»

Uscendo dalla cucina gli restai dietro. Si fece da parte per farmi passare. Fanno così quando sei alto uno e novanta. Se ero alto uno e settanta a quest'ora mi starebbe scocciando per l'acqua minacciando magari di chiamare la Polizia, ma era più basso di me di quindici centimetri buoni per cui gli bastava vedermi fuori di casa sua, cosa in fin dei conti comprensibile. Mi segue lungo il corridoio oltre l'orologio a pendolo e fino alla porta con la zanzariera.

Quando fui oltre la porta sembrò finalmente ricordarsi delle buone maniere, mi fa «Surriscaldato il radiatore?».

«È un catorcio. Può essere stato di tutto.»

«Gli do un'occhiata. Le macchine me le sono sempre riparate da solo.»

«Ok.»

Accostò la mazza da baseball contro il muro accanto all'entrata, poi uscì fuori. Scendemmo dal portico per i gradini traballanti e attraversammo il cortile diretti al vialetto.

«Brutto giorno per rompere la macchina, col caldo che fa.»

«Lo so. Il motore ha fatto rumori orrendi per le ultime trecento miglia. Sono fortunato di essere arrivato fin qui.»

«Dove vai?»

«Callisto. Firmo per lo Zio Sam.»

«Eh?»

«L'Esercito. C'è un ufficio reclutamento.»

«L'Esercito?» La fece sembrare una cosa brutta.

«Ho provato con gli altri lavori. Non vanno da nessuna parte.»

«L'Esercito ti manda in Iraq. Vuoi combattere contro i jihadisti?»

«Qualcuno deve pur farlo.»

«Sono affari dell'Iraq, non nostri. Non gli servono interferenze esterne. Dovremmo tenerne il naso fuori.»

Avevo già sentito dire questa precisa frase molte volte. È quello che pensano più o meno tutti, e capisco perché, ma quando devi prendere una decisione su cosa fare della tua vita, questo genere di discorso non se la può cavare contro il più elevato tema del servire la nazione e migliorare la vita di chi non vive in America.

«Se lo fai sei pazzo» dice.

«Voglio una paga regolare e una carriera. Ed è quello che offrono.»

«Uno grosso come te, dovresti entrare in una squadra di football. Sei veloce?»

«No.»

«Però scommetto che a difendere saresti bravo.»

«Non mi è mai fregato molto del football.»

È vero, non sono mai entrato nelle squadre scolastiche, nemmeno quando l'allenatore insisteva che entrassi a far parte di qualcosa di bello e fiero. È difficile andar fieri di qualcosa quando vieni da Yoder, Wyoming, 2774 anime. E il mio vecchio, lui voleva che entravo nella squadra per aver qualcosa di cui andar tronfio. Magari proprio per quello io non volevo farlo. Io e il vecchio non eravamo mai d'accordo su niente di niente, ragione per cui lasciai casa subito finita la scuola. Mi disse Che liberazione, proprio queste precise parole, a me. Mi fece male quando me lo disse, ma non glielo feci mai capire. Presi la mia rivincita partendo senza aggiungere parola, mi misi su un pullman diretto in Colorado e lavorai per un po' là in un autolavaggio di Denver con una manica di mentecatti senza uno scopo nella vita. Non gli ho mai scritto una lettera né mai ho telefonato. Fosse stata viva mia madre l'avrei fatto, ma non per lui, quel figlio di puttana fallito.

Tutto ciò che riuscì a diventare, dopo che lo buttarono fuori dalla Polizia giù a Cheyenne per ragioni che non rivelò, insomma è stato tornare a vivere a Yoder e per lavoro incassare il resto alla pompa di benzina sull'interstatale. Un uomo di successo.

Arrivammo alla macchina, lui guardò sotto il cofano e mi disse di accendere. Il motore si risvegliò con uno scossone poi lasciò perdere poi ripartì. «Dal rumore che fa si direbbe una merda» disse. «Prova a guidarla fino al granaio. Sotto questo sole non ci posso lavorare.»

«Ok.»

La tenni in vita fin su in cima al vialetto e in cortile, dove si spense di nuovo. Mi raggiunge a piedi scuotendo la testa. La spingemmo insieme dentro al granaio fino accanto al suo furgone. Sulla porta della Dodge c'era scritto *Dean Tosaerba* con un numero di telefono.

«Sei tu?»

«Sono io. Dean Lowry. Riapri il cofano.»

Prese degli attrezzi e si mise a guardare nel vano motore, chiedendomi di tanto in tanto di farlo riaccendere, cosa che puntualmente non avveniva. Dopo un venti minuti circa mi fa «Non capisco dove sta il problema. Ti servirà una revisione completa per una roba così vecchia, rifare il motore, la trasmissione. Mi sa ti costa più di quanto vale la macchina. Quanto pagheresti?».

«Settecento.»

«Ehi, portala allo sfasciacarrozze, ti danno cinquanta sacchi per le parti di ricambio, se vuoi un consiglio.»

«Il problema è arrivarci.»

Guardai il retro del suo furgone e vidi la barra di rimorchio. Vide che la guardavo, mi fa «Ti ci porto io domani, oggi è tardi».

«Dean, grazie.»

Quando usi il nome di qualcuno per la prima volta le cose si trasformano, si rompe il ghiaccio. A essere sinceri io volevo piacergli abbastanza da convincerlo a invitarmi a restare per la notte. D'altronde con la macchina andata non potevo andare da nessuna parte. Guardammo entrambi la Monte Carlo, lui con disapprovazione, io con qualcosa di simile alla vergogna, ci chiedevamo entrambi a quale livello successivo portare il nostro rapporto. Alla fine fa «Qui non possiamo far altro. Vieni a casa. Hai mangiato oggi?».

«Pancake a colazione, da Denny's.»

«Odio cucinare, ma puoi prendere tutto quello che trovi in cucina.»

«Perfetto, grazie.»

«Meglio che porti la tua roba dentro, per oggi hai finito di girare.»

Poco più tardi mi ritrovo a rompere uova e affettare prosciutto con Dean seduto alle mie spalle su una sedia, che mi guarda. «Ne vuoi anche tu?» proposi. «Faccio una omelette niente male.»

«Non mangio carne di maiale. Ho smesso.»

«Te la faccio senza.»

Scosse la testa e si mise in bocca una sigaretta. «È ora di queste, e di birra. C'è un pacco da sei nel frigo se lo vuoi.»

«Sei a dieta?»

«Possiamo metterla così.» Fece schioccare l'accendino e mi guardò strizzando gli occhi, attraverso il fumo che spirava dalla bocca. Mi concentrai sulla padella facendo saltare le uova di qua e di là, la fame mi strizzò le viscere quando il profumo mi arrivò al naso. Finito di preparare misi i piatti in tavola e andai a sedermi di fronte a lui. Mi guardò mentre divoravo la cena come uno che muore di fame.

«Uno grosso come te, avrai bisogno di un bell'apporto calorico.»

«Nella media.» Mastico e ingurgito e mi sento percorso da onde di piacere. Niente più della fame ti fa apprezzare l'esser vivo solo per soddisfare la tua fame. All'improvviso Dean mi piaceva molto più di prima, anche se soffiava il fumo verso di me, quello mi piaceva poco. Io, mai fumato, mai avuto voglia.

«Qui ci vivi solo?»

«Sì, a parte mia zia. È casa sua.»

«Oggi non c'è?»

«No. È andata a trovare gente.»

«A Callisto?»

«In Florida. Starà lì per un pezzo.»

Il cucciolo è ambientato in Florida, giù fra le paludi e i boschi di pini. Provai un po' di invidia. «Va a vedere le foreste già che è lì?»

«Per farsi azzannare il culo dagli alligatori? Quando va lì le piace la spiaggia. Fort Lauderdale, Miami, posti così con l'aria condizionata, questo le piace.»

Terminai l'omelette e rimpiansi di non averla fatta più abbondante.

La birra era una buona idea. «Mi prendo una birra?»

«Prego.»

Presi una lattina dal frigo e tornai a sedere. Mi guardò stapparla e cominciare a bere, quindi si alzò e se ne prese una per sé. Addio dieta.

«Domani smetto» disse, facendomi l'occhiolino. Risi. Non era così male. Potevamo andare d'accordo finché non mi levavo dai piedi e firmavo per l'Esercito. Soffiò dalla bocca un anello di fumo tutto storto che ammirai. «Allora» fece, «vuoi andare ad ammazzare i musulmani.»

«Voglio solo un lavoro fisso. Non te ne capitano molti se non hai la maturità.»

«Ma per entrare nell'Esercito il pezzo di carta ti serve.»

«No, hanno un bisogno disperato di reclute, ti siedi, così ho sentito, fai un test semplicissimo solo per far vedere che non sei un idiota.»

«Be' a vederti sembri tagliato, ti prenderanno come reclutatore magari.»

«Mi starebbe benissimo.»

«Insomma non ti preoccupano i musulmani e tutto il casino che c'è laggiù?»

«Abbiamo cominciato noi, e noi dobbiamo finire il lavoro, io la vedo così.»

«Però lo sai che non dovevamo proprio cominciare.»

«Questo lo sanno tutti.»

«Tranne Bush.»

«Scommetto che lo sa, solo non lo può dire troppo ad alta voce.»

«Qualcuno dovrebbe ammazzarlo quello» mi fa, e sono discorsi sediziosi di questi tempi, soprattutto se li fai a uno sconosciuto. «Ma in quel caso ci beccheremmo l'altro tizio, il vicepresidente che ha le mani in pasta nell'economia di guerra e nel petrolio. Fanculo a tutti loro dico io. Ogni volta che aprono bocca esce fuori un bello stronzo fumante. Non puoi fidarti di un accidente di quello che dicono, non più.»

Probabile che aveva ragione. Io per me, non mi sono mai fidato di un politico, guerra o non guerra, ma non volevo ficcarmi in una discussione politica con Dean. Ero sotto il suo tetto, mangiavo il suo cibo, domani il suo furgone avrebbe trascinato la mia Chevy al robivecchi. Alzai la bottiglia: «Alla vittoria in Iraq» dissi, mi sentii scemo ma neanche mi fregava visto il cibo e la birra che avevo in corpo.

«Come vuoi» rispose Dean, mezzo ridacchiando.

Ripeto, rimanere in tema quando si parla è sempre stato un enorme problema per me, ma volevo che Dean non smettesse di chiacchierare così il resto della giornata poteva scorrere facile e piacevole. Che è sempre preferibile ai silenzi sforzati di quando non parla nessuno.

«Ci vivi bene tagliando prati?» gli chiesi.

«Me la cavo. Ho clienti per cinque giorni a settimana. Oggi è domenica perciò non ho clienti.»

Mandò giù un gran sorso di birra. Mi guardava attentamente, cercava di capire chi ero come fa la gente una volta accettata la mia altezza e il modo in cui le mie spalle amano a volte strapparmi in due la camicia, come quando l'Incredibile Hulk dà di matto per qualcosa e diventa grosso e verde. Cosa che in effetti mi è capitata, strappare in due la camicia, ma era una vecchia camicia lavata mille volte e la stoffa era lisa. Non voglio tirarmela, ma andava detto. Dean stava cercando di capire se ero scemo o no. Lo fanno tutti e ci sono abituato.

«Comunque» disse «l'hanno chiuso.»

«Cosa?»

«L'ufficio reclutamenti. L'hanno chiuso un anno fa quando nessuno aveva voglia di andare fin laggiù a morire per della gente che nemmeno ci vuole tra i piedi.»

«No, offrono un bonus, l'ho sentito al telegiornale.»

«In un'altra città forse. L'ufficio di Callisto l'hanno chiuso.»

«Be', voglio vedere coi miei occhi. Se è vero è una bruttissima notizia. La mia macchina, mica mi ci porta in un'altra città ancora.»

«Vacci in pullman.»

Il biglietto del pullman si sarebbe mangiato i cinquanta dollari che mi aspettavo di avere dal robivecchi per la Chevy. Non ho mai badato troppo al fatto che non sono ricco, fintantoché ho abbastanza contanti in tasca per quello che mi serve in quel minuto preciso e alla settimana prossima non ci penso, il futuro se la sbriga da solo. Me la sono sempre cavata con questa filosofia, quel che si dice una filosofia che funziona. Finora ha funzionato, perciò tengo lontani dalla mente i problemi fino a domani.

Dean prende altre due birre dal frigo e le stappiamo. La giornata finora era andata bene a parte i problemi alla macchina e ora quest'altra tegola dell'ufficio reclutamenti che ha chiuso. Con la seconda birra in corpo Dean pareva più rilassato, come stesse decidendo che mi sopportava. Lo capisci quando raggiungi questo livello con qualcuno, è una cosa che passa tra i due con parole invisibili.

Un po' cominciava a piacermi, Dean. Lui aveva più cose di me, una casa in cui vivere con la zia, che costituiva una compagnia, e aveva la sua piccola impresa di tosaerba, ma percepivo che non era soddisfatto del suo posto nel mondo, un qualcosa nel suo sguardo e il modo nervoso di cambiare tutto il tempo posizione sulla sedia. Si stava chiedendo, mi pareva, come sarebbe stato essere me, alto e grande di spalle e libero come un fringuello di andare ovunque mi pareva, soldi o non soldi. Voleva la stessa cosa, lui, lo capivo solo guardandolo, e mi accorsi che lui sapeva che io sapevo, e la sua faccia si rabbuiò. Dovevo stare attento dove mettevo i piedi con questo tipo, era molto più complicato di quanto non direste, ma tanto si può dire lo stesso di me, no?

«Meglio che non ci vai laggiù» disse puntandomi addosso un dito. Dean era già un po' sbronzo, e siccome era piccoletto il suo tasso di alcol per peso corporeo era già alto. «Hanno il loro modo di vedere le cose laggiù, e la loro religione. Lo so perché ho letto dei libri in materia. Hanno la loro Bibbia, si chiama Corano c'è dentro molta saggezza. E però qui nessuno lo legge. Per questo non gli piacciamo, perché non ci proviamo nemmeno. Si può capire cosa pensano. Magari sono pure persone migliori di noi, ci hai mai pensato?»

«Sì certo, ci ho pensato» risposi, per compiacerlo più che per onore di verità, perché non credo malgrado tutto che una squadra sia meglio dell'altra. La gente è sempre gente, stessa accozzaglia di buono e cattivo e intelligente e scemo eccetera, qualunque lingua parlano, se volete la mia opinione sincera. Preferisco comunque vivere in America che ovunque altro, il che fa di me un patriota, mi pare. Su Dean invece non sapevo dire, visto come parlava. Magari era solo la birra, per cui decisi di non prendermela.

«In ogni caso» dice, e dà un altro gran sorso, «a nessuno frega un accidente di quello che penso io o pensi tu o chiunque altro che non sia ricco e potente. Siamo la terra sotto le ruote, per loro.»

«Su questo ci siamo» dissi, e anche lui ci stava. Il pianeta è dei ricchi e potenti, non per questo ho mai perso tempo a odiarli perché primo è una gran perdita di tempo e sentimenti, odiarli, tanto il tuo odio non lo sentono, gli rimbalza addosso come gocce di pioggia, questa è la vera verità sulla questione. E un altro motivo per cui non li odio è che non sanno nemmeno che esisto, il che per me è una protezione in qualche modo. Io so chi sono loro perché i loro nomi e volti e quello che pensano e decidono sono in mostra alla tv perché tutti vedano e sappiano, ma non io, nossignore io non sono in un posto dove mi si può trovare o nemmeno sapere che esisto e allora come possono farmi del male? Non possono, proprio come io non posso far male a un topo dietro al muro perché nemmeno so che è lì a vivere la sua piccola vita topesca malgrado tutto.

Ci diamo dentro con la seconda lattina a testa, poi a Dean si accigliò lo sguardo. «Ce n'è ancora una a testa poi gli alcolici sono finiti.»

«Nessun problema, ho in macchina una bottiglia di rum.»

Dissi bottiglia quando in verità è uno di quei fiaschi con la maniglia di vetro per portarsela appresso. Gli si illuminarono gli occhi e sorrise per la prima volta dal nostro incontro. Aveva certi denti storti per cui sorridere per Dean non era una cosa che poi lo faceva sembrare più bello, ma pure così è sempre meglio veder sorridere qualcuno che no, perché una persona che sorride è più facile starci insieme ho scoperto.

«Da paura» disse, «Corri a prenderla!»

Obbedii e di lì a poco ci ritroviamo a guardare il sole scivolare dal cielo seduti sul dondolo del portico con in mano bicchierini di Captain Morgan. Il mio aveva il bordo dorato e la scritta *Souvenir of Kansas City*, su quello di Dean c'era scritto *Colorado Springs*, quindi c'era qualcuno in quella famiglia che aveva lasciato Callisto County una volta o l'altra. A Dean il Capitano era di gradimento e gli spiegai che erano le spezie speciali dei Caraibi a dargli quel buon sapore, vero rum da pirati, scherzai. Quando in cortile cominciò a scendere la sera già ci scambiavamo esperienze di vita e roba simile, storie di sfiga se devo essere sincero, con problemi familiari e padri schifosi e quel genere di cose, ma mica ci scazzavamo e lamentavamo, no, le facemmo sembrare cose divertenti da pisciarsi addosso e tutte le cose che non andavano la facevano da padrone. Arrivata la notte quando cominciammo a scorgere le lucciole che svolazzavano intorno agli alberi io e Dean eravamo già diventati come vecchi amici cresciuti insieme nella stessa via, quasi.

Alla lunga bere ti mette fame così proposi che avrei cucinato delle altre omelette o magari toast alla francese perché in cucina avevo notato del pane in cassetta, ma Dean mi fa Scordatelo, ha giù in cantina un freezer pieno di cene surgelate, dice che sua zia ne compra a carrellate ogni volta che le mettono a prezzo speciale. Scese giù a prendere un paio di pasti precotti a base di rosbif e crocchette di patate piselli e sugo, un pasto completo e facile da preparare in forno o microonde, l'uno o l'altro, ma non avevano il microonde così ci impiegammo qualcosa di più ad aspettare che si cuocevano. Questa roba precotta è il massimo fa Dean, la parte migliore è che non devi nemmeno guardare la tv per gustarne il sapore. La cosa ci fece scoppiare a ridere come pazzi Oh oh oh, a quel punto devo ammettere eravamo belli sbronzi, il che non è un crimine se non sei al volante.

Beviamo per cinque o sei ore poi la bottiglia di Captain Morgan rimane vuota sul tavolo della cucina, a quel punto eravamo entrambi impeditissimi, soprattutto Dean il cui peso minore influiva sugli effetti complessivi della bevuta. Mi fa «Ok, fine dei giochi, amico mio, vado al granaio...». Solo che non andava veramente lì, era una figurina retorica, se ne andava a letto, che però il mio si scordò di dirmi dov'era, e mi toccò ficcanasare al piano di sopra per individuarne uno. Ma un secondo letto lo trovai soltanto in una stanza che era sicuramente una stanza da donna con sovraccoperte merlettate e robe femminili sul comò per cui è la stanza di zia Bree e non avevo nessun diritto di stare là. Torno di sotto, quasi inciampo per le scale, desideravo dormire come una droga, affondai nel divano del soggiorno che per me era ultra soffice, credetemi.

due

Dicono che da giovani si soffre meno la mattina dopo una sbronza, ma è una bugia. Mi sveglio con un'ascia piantata fra le orecchie e per un minuto non riesco a capire dove mi trovo. Poi l'alto soffitto all'antica mi si palesa e allora ricordo che è a casa di Dean che stavo. Mi metto a sedere e mugugno a voce alta, tanto male stavo, e solo dopo lunghe riflessioni mi riesco ad alzare in piedi e a entrare in cucina per prendere un bicchier d'acqua seguito da altri due sempre d'acqua, il che mi diede un parziale sollievo da tutto quel bombardamento che avevo nel cranio.

I vassoi del pasto precotto erano sul tavolo, giganti blatte d'argento accartocciate. Pensare al cibo mi diede la nausea, mi voltai e uscii fuori, un errore visto che di fuori mi attendeva l'accecante brillantezza del mattino. La tollerai quel tanto che bastava per una pisciata gialla malefica e interminabile in cortile, poi rientrai e mi diressi a tentoni fino al divano, dove mi sdraio come prima, rimpiangendo di essermi alzato.

Questo fu il primo risveglio. Il secondo fu varie ore più tardi e non fu altrettanto doloroso. Stavolta a svegliarmi è il suono sordo dei passi di Dean, che scendeva le scale un lento gradino per volta ubriaco com'era. Si fermò in cucina e sedette al tavolo, poi lasciò cadere la testa fra le mani mugugnando. Gli presi un bicchiere d'acqua e glielo sistemai davanti ma nemmeno lo guardò, continuò a gemere e mugugnare, faceva compassione. «Bevilo, Dean» gli dissi, ma non riuscì a rispondermi, niente da fare. Dopo un po' notai che il pendolo batteva l'ora ma non riuscivo a tenere il tempo per cui mi avvicino alle lancette per leggere bene. Allora dissi «Dean, sono le nove. Non hai detto che avevi da fare oggi, erba da tosare, no?».

«Fanculo...» gracchia. Non aveva ancora toccato l'acqua. Era messo male, il viso tutto aggrinzito come un vecchio alle soglie della morte. Notai per la prima volta che già perdeva i capelli sulla chierica, ora che si era accasciato sul tavolo. Mi dispiaceva per lui. Era stata colpa del mio rum per cui ero corresponsabile delle sue condizioni pietose, potreste perciò dire che fu il senso di colpa e nulla più che mi portò a offrirgli di tosare l'erba al posto suo per quel giorno mentre lui riposava e si rimetteva in sesto. Dovetti ripetergli la mia proposta due volte prima che capisse, e solo dopo che feci un caffè per entrambi che rispose Ok, di andare se mi andava, la tabella degli orari era sul cruscotto e c'è una cartina stradale di Callisto nel vano portaoggetti. Non mi aspettavo che accettasse sul serio la proposta, francamente, ma va bene perché avevo bisogno di distrarmi dalla mia testa, che ancora pulsava a un buon ritmo come una trivella.

«Le chiavi sono sul gancio» mi fa indicando il muro. Le presi. La targhetta aveva un teschio con due tibie incrociate incisi nella plastica chiara. Uscii diretto al granaio. Sul furgone sono già caricati due tosaerba, uno per la pacciamatura uno no, più qualche latta di benzina e un estirpatore, tutto alla perfezione se si esclude il mal di testa. Salii in cabina e misi in moto. Dean è il genere di pilota che non pulisce mai la cabina e infatti è piena di spazzatura, per lo più contenitori e tazze di carta da fast food a galla sul pavimento, in quantità tali che manco si vedevano i tappetini di gomma. La Dodge era un vecchio modello ma il motore pareva buono. Feci marcia indietro e scesi per il vialetto con le marce basse. C'era un paio di begli occhiali da sole a goccia sul cruscotto, me li misi per alleviare il dolore. Giunto sulla strada voltai a destra e mi diressi verso Callisto.

Mi fermai a un certo punto alla Casa Internazionale dei Pancake per una colazione che sapevo avrei molto apprezzato nel prosieguo della mattinata anche se al momento dovevo cacciarmela in gola con la forza. Ordinai cialde al mirtillo coperte di crema e un succo d'arancia. Il cibo mi fece subito sentire meglio. Avevo portato con me la tabella e la mappa di Dean e mi accorsi subito che si trattava di un piano variabile settimana per settimana, nel senso che con il grosso dei suoi clienti passava da loro una settimana sì una no o una sola volta al mese. Ci misi poco a capire quale cliente cercare e dove, il primo era alle dieci per cui dovevo smettere la colazione e rimettermi in marcia, ma in virtù del sano pasto incamerato mi sentivo molto meglio.

Il 1123 di Tarrant Street fu il primo lavoro. Lo trovai, parcheggiai e barcamenandomi scaricai a terra uno dei tosaerba. Il prato mi pareva a posto, fosse stato mio non l'avrei tosato, ma la gente coi soldi la propria erba la vuole sempre perfetta e sono pronti a pagare se per l'età avanzata o la cattiva salute o quello che è non lo possono fare da soli. Non mi sorprese perciò veder uscire dalla porta un'anziana signora dai capelli d'argento e benissimo vestita che voleva sapere dov'era Dean. Le dissi che oggi stava male e che lo sostituivo e se voleva che cominciassi dal retro o dall'entrata. Non le importava perciò cominciai dall'entrata e lavorai tutto intorno fino al cortile sul retro, mi ci volle un'ora circa. La tabella aveva i prezzi per cliente segnati accanto all'indirizzo, di solito quaranta cinquanta dollari a seconda delle dimensioni del prato, per cui una volta finito e rimesso sul furgone il tosaerba sapevo quanto aspettarmi al momento di bussare alla porta. La signora dai capelli d'argento venne fuori e mi pagò quaranta dollari e disse che sperava Dean si rimettesse in sesto, le risposi che avrei riferito.

Quel primo lavoro in buona sostanza mi indicò la direzione da seguire per i cinque altri prati della casella del lunedì. Nella tabella c'era scritto se un cliente voleva che gli sfalci li risputavamo sul prato o li raccoglievamo nel tosaerba per portarli via coi sacchi di plastica grandi che Dean teneva pronti nel furgone. Il giorno scorre via tutto uguale, per lo più si trattò di percorrere a piedi, per dritto o curvando, tutto il tempo necessario. E alla fine il pagamento, di solito in contanti salvo un vecchio scorreggione che dice che paga solo in assegni perché non puoi mai sapere se «tipi senza scrupoli» non stiano denunciando al fisco meno di quello che incassano, il che è molto male per il sistema democratico che abbiamo noi qui negli Stati Uniti. Mi diede praticamente del truffatore, ma la cosa strana è che a differenza degli altri non mi chiese dov'era Dean, si limitò a darmi l'assegno come fosse d'oro.

Mi fermai a pranzo da McDonald's e ordinai due hamburger perché a quel punto ho una gran fame con tutto quel camminare dietro al tosaerba sotto il sole cocente. La testa mi si era surriscaldata, la nuca cominciò a bruciare per quella pioggia di raggi di sole. Sul furgone c'era un vecchio cappellino da baseball di Dean ma era sporco sudicio e io il cappello di un altro non l'ho mai voluto portare come del resto nemmeno le mutande. E in quanto a vestiti non mi aspettavo di tosare prati per cui mi sono accaldato un sacco e quanto ho sudato nei jeans e nella camicia che portavo da ieri e non mi ero tolto la notte. Meno male che tosare prati è un'attività che si fa all'aperto perché puzzavo di brutto alla fine del pomeriggio ora che me ne tornavo a casa di Dean, col cibo cinese per due, che scommetto non ce l'ha mica nel freezer della cantina.

In tasca avevo trecento dollari e passa e un assegno e la sensazione di aver fatto un buon lavoro per quel giorno. Sensazione che a fine giornata in quei lavori di merda come il silo di grano non avevo mai, per me era una sensazione nuova. Magari di per sé non era chissà che lavoro, voglio dire, che interesse ci può essere nel tosar prati tutto il giorno, ma lo avevo fatto per aiutare un amico. Così pensavo a Dean, in termini di amicizia, anche se ci conoscevamo solo da un pomeriggio e una notte e pochi minuti quella mattina. Anche questa era una sensazione nuova.

Dean era sul dondolo del portico a fumarsi una sigaretta quando risalii il vialetto e parcheggiai nel granaio. Aveva l'aria esausta e sudicia quasi fosse lui quello che aveva lavorato tutto il giorno e non io. Pareva ancora un po' malmesso, gli chiesi come stava. «Sto bene» risponde con aria poco simpatica. Gli mostrai il cibo cinese e si illuminò. Mi sedetti accanto a lui sul dondolo e mangiammo tutto lì sul posto. Il cibo operò su di lui come speravo e mi ringraziò di averlo aiutato con il lavoro. Contò i contanti e staccò un centone per me.

«Offre la casa» gli feci. «Vitto e alloggio sono sistemati.»

«Balle, prendili.»

Li presi, non volevo provocare una lite tra amici. Si accese un'altra sigaretta e restammo in silenzio per un po'. Fu diverso dalla sera prima che eravamo entrambi pieni d'alcol e loquaci. Lui oggi era silenzioso e sfinito. Gli dissi del vecchio scorreggione fissato con le tasse. «Gli altri erano a posto, hanno pagato in contanti.»

«Già, a volte danno perfino la mancia. Te l'hanno data?»

«No.»

Mi squadrò a lungo come non si fidasse. La cosa mi mise a disagio ma non lo diedi a vedere, lui distolse lo sguardo. Questo suo modo di fare mi fece ricordare che partivo domani. Dean mi avrebbe trascinato la macchina fino al robivecchi e fine dei giochi. Oggi non avevo avuto tempo di controllare se l'ufficio reclutamenti era chiuso o meno, tempo ne avrei avuto a sufficienza domani dopo essermi sbarazzato della Monte Carlo. Ero determinato a sorvolare sui limiti caratteriali di Dean perché il resto della serata scorresse liscia anche se per lisciarla non c'erano alcolici. La nostra amicizia era già finita, se volete metterla così.

«Ho cinque sacchi di sfalci. Dove li butto, sul retro?»

«No, lascia perdere il retro! Buttali dall'altra parte» mi fa indicando un posto. «C'è una pila. Il grosso lo porta via il tempo, alla lunga.»

«Ok, chiedevo solo.»

«Là dietro ci ho visto un serpente a sonagli, prima. C'è poco da scherzare con quegli stronzi.»

«Ricevuto.»

Andai a trascinare i sacchi giù dal Dodge per svuotarli dove aveva detto. Il lavoro poteva aspettare ma era già tardi e oltretutto accanto a Dean mi sentivo a disagio. Era ridiventato strano e nervoso con me. Non si era offerto di aiutarmi a buttare i sacchi, era rimasto sul portico a farsi un'altra sigaretta.

Una volta finito tornai in casa. Lui era già rientrato e stava fissando l'orologio del corridoio che batteva il tempo tutto solenne e sereno, lo guardava come si guarda un cucù aspettando che sbuchi, ma non è quel genere di orologio. Salii al bagno di sopra per farmi una doccia poi mi infilai nell'ultimo cambio di vestiti puliti che avevo in valigia e infine scesi sotto e trovai Dean che guardava i cartoni per bambini prima del telegiornale. Sedeva così calmo e svagato che pensai magari si è drogato, il che nel caso era una pessima notizia visto che quasi tutti quei tipi che prendono droghe è inquietante starci accanto se non sei un fattone anche tu, e ho già detto che io non lo sono. Insomma la serata non stava mettendosi bene.

Quando cominciò il telegiornale Dean si mise a cercare altri cartoni animati, ma erano tutti finiti per cui doveva scegliere fra il tg e i giochi a premi con concorrenti urlanti che si pisciano nei pantaloni per la lavapiatti e il televisore e un coupé nuovo di zecca. Scelse il tg. La notizia principale erano le elezioni dell'anno prossimo e chi correva contro chi. Bush è un gonzo imbranato al secondo mandato e il suo vice si ritirerà per ragioni mediche dopo l'ennesimo problema al cuore e in più quella storia della caccia alla quaglia per cui ora il concorrente numero uno per i repubblicani pare sarà il senatore Ketchum. Uno di quei tizi nato per fare il politico, ricco figlio di un uomo ricco saltato giovane nello stagno della politica di Washington e da allora costantemente presente. Ha una testa piena di capelli brizzolati che lo fa sembrare un giudice, qualcosa di nobile e saggio, in più ha quel profilo che hanno le statue antiche, tutto naso e mascella prominente. Sembra un leader ecco cosa sembra, quindi è a metà dell'opera per vincere. La sua voce è un altro dei punti di forza, ha un suono profondo e simpatico. Il senatore si presenta con un programma politico preso dalla strategia di Bush, conservare il livello elevato di sicurezza che abbiamo dappertutto e non mollare la presa con Al Qaeda per impedire che torni ad attaccare di soppiatto e a distruggere vite americane. Quando il senatore Ketchum parlò di sorvegliare le coste e rendere il mondo più sicuro per la Libertà e la Democrazia, le sue parole suonavano vere, più vere di molte altre.

«Qualcuno dovrebbe sparargli a quello stronzo» fa Dean.

«Perché?»

«Così sarebbe morto e io non dovrei starlo a sentire mentre spara cazzate a getto continuo da oggi a novembre dell'anno prossimo.»

«Non è peggio degli altri.»

«Credi? Pensa gli altri come stanno.»

Scrollai le spalle. «E che ne so.»

«Sei un profondo pensatore, Odell.»

«Della politica mi frega poco.»

«Buono, perché non sai cosa succede. Non sai proprio niente, amico mio. Come gran parte della gente: all'oscuro di tutto. E riescono a stare all'oscuro di tutto perché si infilano la testa su per il culo così a fondo che poi pensano che è notte fonda.»

«Il grosso della gente non è come dici, secondo me.»

«Merda, sei pronto per andare votare.»

«Che vuoi dire?»

«Voglio dire... mah, lascia perdere.»

Quel genere di discorsi sarcastici mi irritano proprio. Odio quando uno come Dean mi tratta come fossi un idiota che non capisce il significato di quello che dice, soprattutto quando chi parla non è più intelligente di me di una tacca, e nel caso di Dean non è così, assolutamente. Ma non dir nulla è meglio che ficcarsi in una discussione da imbecilli completi su qualcosa di cretino come la politica, per cui lasciamo stare.

Nella stanza ora regnava un disagio dovuto alle cattive maniere di Dean, peraltro coperto da luci e rumori provenienti dal televisore. Nella pausa pubblicità dissi a Dean «Va bene se lavo le mie cose in lavatrice?».

«Prego.»

Portai i miei panni giù alla lavatrice e li ficcai nel carrello, sopra a una camicia e un paio di pantaloni che Dean aveva portato giù scordandosi di lavarli. Erano sporchi di brutto, sembrava che ci aveva lavorato in giardino, solo che a vedere lo stato del suo giardino non sembrava un tipo tutto casa e prato, ma il genere di persona che non alza un dito per dare un'aria pulitina e splendente al giardino per salvare le apparenze e il valore di mercato della proprietà. Dean era un pigro, su questo mi ero già fatto un'idea precisa, ed era l'ennesima ragione per non rimpiangere un'amicizia che non andava da nessuna parte. Aggiunsi il detersivo e chiusi il coperchio, poi cercai di capire quale bottone spingere. Non ci misi molto ed ecco che la lavatrice si riempiva d'acqua.

La stanza della lavanderia era sul retro della casa, con la sua porta che dava in cortile dove stava pure la corda per asciugare i vestiti. Non ne potevo già più di stare con Dean a guardare la tele così uscii da quella porta per vedere il sole che cominciava a tramontare e a prendere un po' d'aria per una volta senza fumo di sigaretta. La corda del bucato era a carrucola, a sinistra si afflosciava un po' ma funzionava lo stesso. Ci girai intorno e la feci mulinare così forte che la colonna centrale scricchiolò e cigolò. La cosa si aggiudicò il mio interesse per cinque secondi, poi però andai al pollaio. Era del tipo senza pavimento, che bastano due persone a sollevarlo e spostarlo dove si vuole per fertilizzare i vari appezzamenti del terreno. Quasi nessuno al giorno d'oggi alleva polli, le uova e perfino le cosce di pollo se le prendono al supermercato. C'erano nove forse dieci polli che razzolavano in libertà e un paio nel punto più nascosto del pollaio dove credo andavano tutti quando il sole tramontava.

Poi vidi una montagnola di terra dietro al pollaio e mi ci avvicinai per guardarla meglio, pensando che era qui che Dean si era inzaccherato i vestiti a furia di scavare. Era un cumulo abbastanza grande e accanto aveva una buca. Non una buca rotonda né una buca quadrata, piuttosto di forma allungata, come per una sepoltura. Guardai dentro, chiunque l'avrebbe fatto, non c'era né un cadavere né una bara, solo la buca profonda e vuota pronta e in attesa di un corpo. Non poteva avere altro scopo, con quella forma, era troppo profonda. Una fossa da cimitero, ecco cos'ha scavato Dean oggi, ma per chi? Non voleva che venissi qui a vedere, ha detto che è pericoloso, che ci ha visto un serpente a sonagli, ma non era vero, non l'aveva visto, voleva che non vedessi la fossa ecco il motivo vero.

Ora io non sono certo un codardo, pochi uomini uno e novanta lo sono, ma devo ammettere che a starmene lì sopra la fossa mi venne un brivido per tutto il corpo. Mi si intirizzì la pelle anche se faceva ancora caldo. Dean, lui non voleva che vedevo il buco perché ha intenzione di piazzarmici dentro. Evidente che il suo progetto era questo, il problema era capire il motivo. Che gli avevo fatto per fargli venire il bisogno di progettare la mia morte e sepoltura a quel modo? Non era un colosso perciò aveva dovuto lavorare un giorno intero per scavare la fossa mentre ero via a tosare l'erba e a soddisfare i clienti. Ci credo che mi ha dato i cento sacchi, se li riprenderà dalla mia tasca dopo avermi ammazzato.

Mi ha fatto proprio dare di matto, non mi scoccia ammetterlo. Il modo ambiguo in cui si comportò fu una lezione sulla natura umana che è per lo meno imprevedibile. Il che non mise freno alle mie riflessioni su quale poteva essere il motivo di tutti quei preparativi per farmi secco senza un buon motivo che fosse uno. E scommetto che una volta riempita la fossa intendeva spostarci sopra il pollaio per evitare che qualcuno ficcanasando notasse la terra rovesciata di fresco. Ma nessuno sarebbe venuto a ficcare il naso perché se nessuno sapeva che ero qui come poteva sentire la mia mancanza da morto e sepolto sotto un pollaio? Aveva un piano ben studiato e da malati non c'è dubbio, ma adesso l'ho scoperto, condizione ottimale per impedire che si realizzi. Un bel colpo di fortuna, uscire in cortile prima del tramonto come avevo fatto.

Mi allontanai dalla fossa e rientrai in casa per la stanza della lavatrice, tornai in soggiorno dove Dean se ne sta ancora seduto davanti alla tv che dà il listino della borsa. Mi fa «Hai preso mica altra birra giù in città?».

«Non me l'avevi chiesto.»

«Be', non fai mai cose che non ti vengono chieste?»

«Certo che sì.»

«Ma non oggi, vero?»

«Ho messo i panni a lavare.»

«Bene, Odell. Un giorno scoprirai che il tempo scorre più svelto quando si aspetta il ciclo lavaggi se hai in mano una Coors, ma per me è uguale.»

«Ok.»

Non diceva cose sensate, ma se anche le avesse dette non ne avrei sentite la metà, avevo il cervello scatenato in congetture su cosa stava succedendo. Non sembrava pazzo anche se di tanto in tanto sembrava un po' nervoso, ma qual era il movente per quel suo piano? Non avevo fatto una sola cosa che poteva ferirlo tanto da dargli un motivo per ammazzarmi. Magari è uno di quei pazzi assassini che lo fanno senza una ragione tranne che una parte malata del loro cervello gli dice di farlo. Dicono sempre che i più efferati pazzi assassini e serial killer e cannibali eccetera non sembrano tanto diversi da voi o da me. Mica sbavano o fanno risolini isterici o strabuzzano gli occhi, niente di simile, no, vanno in macchina a fare spese e tornano a casa con le sporte e pagano le bollette e si fermano col rosso. Fino al giorno in cui gli scatta l'interruttore che hanno in testa e si trasformano in altre persone, ma restano camuffati dalla persona che erano prima se capite cosa voglio dire. Per cui forse Dean era in uno stato del genere e sta lì a guardare la tv come non avesse in testa omicidi ma solo birra.

«Non devo restare qui a dormire anche stanotte, Dean, se ci sono problemi.»

«Eh?»

«Dico, posso andare da qualche altra parte.»

«E con che mezzo? La macchina è andata, bello.»

«A piedi.»

«Non dire cazzate, siediti e guarda la tele. E usa l'asciugatore automatico.»

«Scusa?»

«Usa l'asciugatore automatico per asciugare i panni. Non usare la corda per il bucato che sta in cortile, c'è quel cazzo di serpente. I serpenti si attivano la notte. Non voglio la responsabilità di far mordere uno a casa mia che poi mi becco una denuncia.»

«Non denuncerei mai qualcuno per un morso di serpente. Al limite denuncerei il serpente visto che è stato lui a mordermi.»

Dean se la rise. Un riso malvagio, non divertito. Ora stava giocando con me, era sicuro che poteva uccidermi e farla franca lasciando la vittima sotto il pollaio per sempre.

Mi risedetti in poltrona e cercai di pensare a un modo per non farmi ammazzare. Primo, deve avere in programma di farlo mentre dormo, si sarà reso conto che non può attaccare uno della mia stazza mentre sono sveglio. Il che significa che dovevo restare sveglio per impedire il fatto. Vedendo che non dormivo gli sarebbe passato di mente, non gli restava altra scelta. A meno che non avesse una pistola o un fucile. In quel caso non fa differenza se lo spariere è grosso o piccolo, lo sparatario si ritrova morto in ogni caso.

«Perché non vai e gli spari?»

«Eh?»

«Spara al serpente, così stiamo a posto.»

«Sì, certo, me lo trovo lì tutto attorcigliato per bene ad aspettare che lo faccio secco.»

«Ce l'hai una pistola o un fucile per ammazzarlo?»

«Ho un fucile, calibro dieci. Ma non ho le cartucce.»

Bugiardo! Nessuno tiene con sé un fucile senza cartucce, dice solo stronzate ma le diceva con aria tranquillissima per darmi a credere che era vero. Un assassino dal sangue gelido non c'è dubbio, stava lì a guardare le previsioni del tempo come se la sua mente non stesse progettando come farmi esplodere il cervello e sotterrarmi e poi mettermi sulla testa il pollaio invece che una lapide. Che dignità c'è a finire così.

«Ehi, Dean.»

«Che c'è.»

«Le uova di ieri, sono di supermercato?»

«Le hai prese dalla confezione, no?»

«Be', sì, ma chi alleva galline di solito usa scatole di cartone perché più comodo, non si rompono. Ho notato che hai delle galline.»

«Zia Bree ne tiene qualcuna. Quelle coglione lasciano le uova in giro dove non riusciamo a trovarle perché zia le lascia libere nel cortile. Sono queste stronze di galline che hanno portato il serpente. I serpenti amano le uova da morire.»

«Non raccoglie le uova dici?»

«Senti, Bree è una vecchia pazza che non vive nello stesso mondo della gente normale. Si comporta come se quelle galline fossero i suoi cagnolini. Voglio dire... ci parla.»

«Ma è folle.»

«Puoi giurarci. Se non fossi sicuro che alzerebbe un casino staccherei la loro testa di merda a tutte quante e fine dei giochi. Non sopporto il casino che fanno, capisci?»

«Quando torna le puoi dire che il serpente se le è mangiate.»

«Bel piano, Odell. Quanto grande pensi che debba essere un serpente per mangiarsi una dozzina di galline, eh? Magari uno di quei pitoni della giungla lunghi cinque metri, be', la sai una cosa? Non ce l'abbiamo quella razza qui da noi.»

«Ok.»

Mi guarda, ancora sorride quel suo sorriso malvagio. «Ti hanno mai detto che sei strambo, Odell?»

«No, mai.»

Una bugia bella e buona. Quando andavo alla Kit Carson High School di Yoder c'era una ragazza, Feenie Myers, unica persona che conosco diplomata con lode e poi andata al college a Durango, Colorado, lei mi disse che sono strambo. Sapete, alla Kit Carson High c'erano tre tipi di ragazzi. I Reggipalle che giocano a football e rimorchiano, gli Skater che portano il cappellino all'indietro e i pantaloni larghi e scorrazzano in giro sulle loro tavole, e poi i Buzzurri, ossia i tizi che portano jeans e stivali e cappelli da cowboy. Io il cappello da cowboy non ce l'avevo ma venivo chiamato Buzzurro uguale. Comunque, questa Feenie Myers dice che sono un Buzzurro con alcune caratteristiche da Sfigato. Altra cosa che si può essere, uno Sfigato, ma è raro quanto essere un Secchione. Alla Kit Carson High non c'è mai stato un Secchione tranne forse Feenie Myers. Nel Wyoming sono molto rari, credo. Lo sono a Yoder, per lo meno.

Guardammo un altro po' di tv. Fanno solo quattro tipi di serie. Serie sugli Sbirri, Serie sugli Avvocati, Serie sui Dottori e

Serie sugli Adolescenti. Guardammo una Serie sugli Adolescenti con dentro questi adolescenti che parlano come nessuno mai incontrato fuori Hollywood. Questi tipi dicono solo cose brillanti e pungenti e non hanno mai l'acne né fanno cose stupide che mettono in imbarazzo. Alla Kit Carson High personaggi così avrebbero dominato se esistevano, ma tutti sanno che non esistono. Ecco perché non sono un patito della tv, è la falsità che mi scoccia. Non sono un genio ma fin qui ci arrivo. È per questo che ho scoperto *Il cucciolo*, che dentro ha gente vera e niente glamour che lo rende falso e non credibile. Dopo un po' mi allontanai ben volentieri dalla tv per mettere i vestiti nell'asciugatore come Dean mi aveva detto di fare.

Dopo la Serie sugli Adolescenti guardammo una Serie sugli Avvocati e poi una Serie sui Dottori, poi verso le dieci Dean si alza e spegne la tele senza chiedere se volevo magari continuare, e la risposta è no quindi va bene così, e mi fa «Domani sveglia presto se vogliamo lasciare la tua macchina al robivecchi».

«Già.»

Salì a passi pesanti le scale senza una Buonanotte o un Sogni d'oro o niente formule educate del genere. Direte che anche un efferato assassino potrebbe conservare un po' di educazione. Non Dean, lui non ci si sprecava nemmeno a quanto pare. Sgattaiolai per il corridoio fino alla porta di casa dove la mazza da baseball di Dean era ancora appoggiata al muro, la portai con me e la posai a terra accanto al divano, per averla a portata in caso di bisogno. Poi spensi le luce e restai lì sdraiato sul divano come la notte prima senza manco una coperta, che peraltro Dean non mi aveva offerto, e fissai l'alto soffitto domandandomi quand'è che sarebbe venuto quatto quatto per fare quello che era sua intenzione: uccidere.

Il pendolo batté un dolce e suadente *bong* sul quarto poi alla mezz'ora e poi a tre quarti e intanto io aspettavo. Suonerà da pazzi, io che aspetto là che mi si ammazzi, ma una parte di me ancora non credeva che sarebbe accaduto per davvero, una parte del mio cervello diceva all'altra parte, Hai frainteso Tutto e la buca in cortile è per individuare il tubo del sistema settico che perde e va sostituito. Perché cavolo Dean dovrebbe voler uccidere un completo estraneo che non gli ha fatto mai del male? E potevo andarmene quando volevo, per cui che senso aveva aspettare il colpo, uno sparo di fucile che risplende nell'oscurità?

Ma è proprio ciò che feci, e mi dissi che se fosse sceso in punta di piedi al piano di sotto con un fucile lo avrei sentito arrivare. E non mi avrebbe mai sparato così sul divano, straziandomi e facendomi schizzare sangue dappertutto nel suo soggiorno. Dean non era uno che ci teneva alla casa ma non avrebbe gradito un casino del genere tra i piedi. Avrebbe fatto quello che si fa in guerra, ossia portare la vittima sotto tiro davanti alla futura tomba e farlo stare lì in piedi, poi spargli da dietro in modo che ci ruzzoli dentro senza fare troppo casino che poi si deve pulire. Avrei dovuto prevalere nella fase tra il momento in cui mi avrebbe malmenato ficcandomi la canna del fucile contro il lato del collo per svegliarmi e il momento in cui mi avrebbe piazzato accanto alla fossa.

Bong bong bong e così via. Le undici, e ancora non si presentava. Visto che non lo farà, mi dissi infine, sono solo le cazzate che ho in testa, il che era un sollievo enorme. Che idiota ero stato a pensare tutte quelle cose di Dean, che se anche non era il tipo più in gamba del mondo di certo non era manco un killer psicopatico a sangue freddo. Stabilii questa cosa nel giro di un quarto d'ora e mi accorsi che stavo prendendo il largo per il mondo dei sogni. Il divano non era tra i più puliti su cui avevo dormito, ma era parecchio soffice e il cuscino su cui poggiavo la testa ci stava a pennello. Mi sentii scivolare nell'oscurità come sempre quando arriva il sonno, che pare di scendere con un paracadute di velluto in una pozza profonda di calma e silenzio...

«Odell?»

Dean vagava con me nella pozza profonda. Come ci era arrivato?

«Odell?»

Mi svegliai. Dean era acquattato accanto a me e mi sussurrava nell'orecchio!

Il mio braccio era caduto dal divano e lì stava, i polpastrelli delle dita sfioravano la mazza da baseball. Ci si aggrapparono per puro istinto di sopravvivenza e stavano per sollevarla, e allo stesso tempo io mi ritraevo al rallentatore tutto campanelli d'allarme e sirene squillanti nella testa e questa voce che mi diceva a ripetizione *Acchiappalo acchiappalo acchiappalo...* e Dean mi guarda strano nell'oscurità, c'è solo uno spiraglio di luce che entra dalla finestra... *E per quale cazzo di motivo è qui accovacciato accanto al divano e mi sussurra praticamente dentro l'orecchio?*... era quella la cosa più inquietante, non il fucile, che teneva vicino posato sul pavimento, e non in mano, il che mi dava un vantaggio mentre mi ritraggo e lui fa «Pensavo di aver sentito un rumore...». La mazza era ormai alta pronta a chiudere la bocca da cui usciva quella sua vocina da bambino fingendosi tutto inerme che ha sentito l'uomo nero che si aggirava al piano terra, veramente scusa più squallida non la poteva trovare...

La mazza scese dall'alto come un fulmine e fece un orrendo *tonk* quando lo colpì in testa. Aveva il volto sollevato per guardarmi – ora sono in piedi – e su quel viso c'è un'espressione di totale sorpresa perché non si aspettava che fossi prearmato come sono con la mazza e ora si rende conto che è troppo tardi per un attacco a sorpresa perché ha fatto l'errore di sussurrare il mio nome quando ciò che doveva fare era svegliarmi ficcandomi la canna del fucile nel collo come avevo immaginato io. Be', ormai era troppo tardi per riuscire nell'impresa criminale perché sta cadendo all'indietro via da me con gli occhi ancora spalancati... e tocca terra con un tonfo.

Mi alzai e gli fui sopra con la mazza di nuovo pronta a colpire. Il sangue mi martella in testa e il cuore mi fa *budumbu-dumbudum* così veloce che pensavo ora mi esplode fuori dal petto. Dean non si muove, devo averlo pestato per bene. Sembrava morto tanto era immobile. Aveva addosso solo i pantaloni del pigiama, senza il sopra, gli vedevo il torace scheletrico che si sollevava per ispirare ed espirare quindi era vivo, solo aveva perso i sensi, cosa plausibile perché l'avevo colpito una volta sola e non poi così forte visto che mentre lo colpivo allo stesso tempo mi stavo alzando dal divano, non era la posizione più comoda per brandire una mazza. Il fucile era vicino a lui. Lo raccolsi e lo apersi. Dentro non c'erano le cartucce. E allora che cazzo si scendeva al piano di sotto a uccidermi senza cartucce dentro? Aveva detto, prima che lo colpissi, aveva detto di aver sentito qualcosa, credeva, e voleva dire un malintenzionato immaginavo, ma a maggior ragione come poteva minacciare degli intrusi con un fucile scarico, insomma a meno che non volesse bluffare? O per bluffare con me, per convincermi a uscire verso la buca dove mi toccava l'esecuzione. Ma con cosa poi? Niente di tutto ciò aveva senso.

Ascoltai per un po' il suo respiro irregolare, aspettavo che si avvicinasse per chiedergli cosa stava succedendo. Dopo un po' il mio cuore rallentò e cominciai a pensare di averlo colpito troppo duro anche se non avevo avuto uno swing perfetto per il massimo impatto. Cominciavo perfino a provare dispiacere che lo avevo colpito, ma voglio dire, che cosa si aspettava, sussurrarmi nell'orecchio a quel modo e con un fucile appresso? Era il modo più idiota possibile di svegliare qualcuno, per cui la colpa è tutta sua, io la vedevo così. Non era possibile che tornassi a dormire, non con Dean sdraiato accanto al divano a quel modo con l'aria che gli fischiava per il naso, allora me ne andai a prendere un bicchier d'acqua e tornai indietro. Ed ecco una cosa strana – ho quasi avuto voglia di piangere, sul serio. Non avevo mai colpito nessuno se non con un pugno e solo quando se l'erano voluta punzecchiandomi per questo o quel motivo.

tre

Mi sveglia una gallina. Ero bello addormentato sul dondolo e quello stupido uccello mi sale sul petto starnazzando e mi fa quasi venire un infarto. Saltai in piedi così in fretta che fece un verso e scappò via per i gradini del portico. Aspettai un minuto di calmarmi poi entrai dentro mentre l'orologio batteva le cinque. Su per le scale, stanza di Dean, lo trovai ancora privo di sensi o forse solo addormentato, difficile dirlo. Si era orinato nel cavallo dei pantaloni del pigiama ma non glieli avrei sfilati per infilargliene un paio pulito, metti che si svegliava nel mezzo dell'operazione si immaginava che stavo facendo chissà che roba strana da froci mentre lui non poteva accorgersene. Per cui lo lasciai com'era e gli guardai la testa, poi la tastai con la mano. C'era un bel bernoccolo dove la mazza aveva impattato ma niente sangue, segno che non l'avevo colpito troppo duro. Ciò mi fece sentire meglio così scesi a prepararmi la colazione. Ero prontissimo a perdonare Dean per il suo numero da cazzone nel mezzo della notte e a preparare la colazione anche per lui appena era pronto.

Col cibo in corpo tutto mi parve più chiaro e luminoso. Uova e pancetta più toast, c'è di meglio? Pancetta e prosciutto è ciò che Dean chiama «carne di maiale» e non la mangiava, dovevano essere per la zia Bree. Mi chiesi quando sarebbe tornata dalla Florida. Dean non l'aveva detto. Magari tornava oggi! La cosa mi portò a pensare intensamente al da farsi. Salii di sopra a vedere se Dean era sveglio e pronto per mangiare ma non lo era, ancora ci mancava, allora tornai sul portico a valutare la situazione.

In base alla tabella di lavoro Dean oggi aveva quattro clienti, ma era chiaro che non sarebbe stato in grado di occuparsi della questione lavoro più di ieri. Dean continuava ad avere i suoi problemi alla testa che lo tenevano lontano dal lavoro, e in qualche modo ero io la causa in entrambi i casi per cui ero obbligato a occuparmi degli affari anche oggi. È il minimo che potevo fare per riparare dopo avergli dato una mazzata, anche se se l'era voluta lui col suo comportamento stupido, così la vedevo io, per cui dopo aver rassettato la cucina salii sul Dodge e me ne tornai a tosare prati. Lasciai un biglietto per Dean sul tavolo della cucina in cui gli spiegavo le cose per quando si svegliava e si domandava che diavolo era capitato.

A metà mattina mi fermai da Wal-Mart e comprai un cappello di vimini come quelli che portano alle Hawaii, per proteggermi il capo dal sole e dei pantaloncini per tener fresche le gambe durante la tosatura, più delle scarpe da ginnastica economiche perché gli stivali da cowboy ti danno un'aria ridicola se sei in pantaloni corti a meno che tu non sia una modella in topless che porta dei microshorts. Spesa complessiva meno di quaranta dollari. Sbrigai in fretta il lavoro e in mezzo feci una pausa per tornare a pranzo da McDonald's, poi trovai un elenco del telefono in una cabina pubblica e cercai l'indirizzo del centro di reclutamento, che si trovava a Lincoln Avenue.

Vado là direttamente, ma la facciata aveva le finestre coperte di vernice bianca dall'interno, pareva che Dean aveva visto giusto, il che significa pure che l'elenco del telefono non era più valido e lo dovevano sostituire ma nelle cabine telefoniche non lo si fa mai come si dovrebbe. Per conferma entrai nel negozio là accanto, un ferramenta, e domandai. Il tizio lì mi dice che il centro di reclutamento è stato dislocato a Manhattan, che è molto più grande di Callisto. Manhattan, Kansas, non New York. Un grosso dolore, dunque, che non l'avevo calcolato nel mio piano lavorativo militare. E però se Dean mi lasciava lavorare qualche altro giorno potevo comprarmi un biglietto e andare a Manhattan in pullman per arruolarmi lo stesso.

Guidando verso casa fui superato da una Cadillac beige che andava molto sopra i limiti. Devo alzare il finestrino per non far entrare la polvere. Non pensai più alla Cadillac finché non accostai arrivato a casa di Dean e la trovai parcheggiata in cortile e c'era un tizio in piedi sul portico accanto alla porta d'ingresso. Parcheggiai nel granaio e ci misi un po' a scendere pensando che a quel punto avrei trovato Dean che parlava col tizio, ma non c'era. Il tizio si volta e guarda verso di me. Dov'era Dean? A quest'ora doveva essere bello che sveglio, o magari era di pessimo umore per quello che era successo la notte scorsa e non voleva parlare a nessuno, per questo ignora il campanello.

Raggiungo il portico e il tizio mi viene incontro sui gradini. «Signor Lowry?» fa. Valutai come rispondere. È uno di quei momenti di cui ho già detto, che a livello conversativo sono lento a rispondere, solo che stavolta c'era un motivo, ossia non sapevo quanto male stesse Dean, magari era ancora privo di sensi, il che sarebbe stato un guaio, e che non volevo spiegare delle cose assurde della notte scorsa a questo tizio che per quanto ne sapevo io poteva essere un venditore di polizze assicurative. Perciò continuai a guardarlo mentre il cervello era tutto sibili e scoppiettii, poi gli dissi «Che posso fare per lei?». Era la risposta più giusta alla sua domanda considerate le circostanze, perché esibiva educazione senza costringermi ad ammettere che non sono Dean come crede lui.

Tirò fuori la mano che mi toccò sporgermi per stringerla perché lui era in cima ai gradini e io in fondo. È un vecchio, di molto oltre i sessanta con capelli grigi ancora forti e messi in piega. Porta completo e cravatta e sul labbro ha un elegante baffetto sottile. Sentivo l'odore del suo dopobarba e mi faceva pensare che erano due giorni che non mi rasavo e in più puzzo di sudore dopo un giorno intero a spingere tosaerba sotto il sole. «Chet Marchand» fa. «Credo di aver sorpassato proprio lei giù in strada. Ho visto l'insegna sullo sportello del furgone. Come vanno gli affari in un giorno così bello?»

«Bene, direi.»

Salgo i gradini e apro la porta, speravo ancora di veder Dean sbucare sbadigliando e occuparsi lui della faccenda, ma non andò così per cui mi feci da parte e lasciai entrare il tipo. Lo condussi fino in cucina, felice di averla pulita al mattino, lo invitai a sedersi, forse avrei dovuto portarlo in soggiorno ma ormai era tardi per farlo. E il soggiorno era un po' un casino comunque, qui era meglio. Mi siedo anch'io, forse dovevo offrirgli dell'acqua, pensai, anch'io ne volevo ma potevo anche aspettare.

Ovviamente Dean questo Chet non lo conosceva affatto per cui la visita non poteva essere importante e non sarebbe durata ancora a lungo. Pensavo ancora che vendeva assicurazioni. Il biglietto che avevo scritto per Dean era ancora sul tavolo allora lo presi e accartocciai per bene.

Chet mi fa un sorriso molto amichevole e dice «La signora Wayne è mica a casa?»

E chi cazzo sarebbe, mi domando, poi mi viene in mente che la signora Wayne dev'essere zia Bree. Dove cavolo era finito Dean, doveva rispondere lui alle domande sulla famiglia.

«È in Florida, in vacanza.»

«In Florida in vacanza» fa. «Bello Stato da visitare, le meraviglie naturali.»

«Un giorno ci voglio andare pure io. *Il cucciolo*, il premio Pulitzer, succede là in Florida, ma tanto tempo fa.»

«Un bel libro. Ricordo di averlo letto da piccolo.»

Cominciava a innervosirmi. Che voleva?

«Be'» mi fa, arrivando al punto, «devo dire che sono un po' sorpreso di non trovare la signora Wayne, ma non importa, possiamo discutere la faccenda noi due. Posso chiamarti Dean?»

«Come no.» Poteva chiamarmi anche Paperino, non significava mica che era il mio vero nome.

«Diamoci del tu, va bene? Ora veniamo al punto del mio viaggetto fin qui, Dean. Non hai ricevuto il minimo indizio da tua zia sull'argomento?»

Guardai il soffitto come mi stessi concentrando.

«No.»

«Ah bene, mi sorprende, ma non c'è problema. Vista la natura della corrispondenza epistolare fra me e lei, pensavo ci sarebbe stata una discussione fra voi due a riguardo.»

«No, non ne ha mai fatto parola, non a me almeno.»

Affermazione corretta. Stavo scoprendo che è possibile dire bugie alla gente senza mentire tecnicamente. Non ci avevo mai pensato prima ed era una grossa sorpresa.

«Be', allora» mi fa «forse dovrei partire dal principio, come si suol dire.»

«Ok.»

«La signora Dean è preoccupata per te, Dean. Avrei dovuto dire inquieta, avrei potuto dire perfino sconvolta, ma la parola che ho scelto, solo per tenere le cose nella giusta prospettiva, è preoccupata. Questa brava donna cristiana è preoccupata per il tuo futuro, Dean, e io mi scuso per la natura clamorosa di ciò che sto per dire, ma è preoccupata per la tua stessa anima.»

«A-ah?»

«La signora Wayne è stata in contatto con la nostra congregazione e ha espresso una profonda preoccupazione per te, Dean, a proposito di alcuni recenti sviluppi nella tua vita. Dovrei forse dire la tua vita interiore, con questo intendo il tuo cuore e la tua anima, Dean. Sono certo che capisci a cosa mi riferisco.»

Feci no con la testa. Dean non mi aveva detto una parola sul suo cuore o la sua anima. Quando avevamo bevuto insieme la bottiglia di Captain Morgan il grosso della conversazione era stato lo schifo che erano i nostri papà e che vergogna che le nostre mamme fossero morte giovani come nel mio caso o scappate con un altro, che è ciò che capitò alla mamma di Dean e non se ne seppe più nulla. Perfino sua sorella, ossia zia Bree, non ne seppe più nulla, il che è una vergogna ulteriore quando una famiglia si divide a quel modo.

«Non capisci a cosa mi riferisco, Dean?»

«Nossignore, lui non ne ha mai fatto parola. Lei, volevo dire.»

«Allora lo dirò a chiare parole. Tua zia ha espresso viva preoccupazione presso la congregazione... conosci la nostra organizzazione, la Fondazione cristiani rinati?»

Non mi suonava del tutto nuova, poi ricordai di una cosa che la danno a tarda notte alla tv, quando ci sono quasi solo programmi religiosi e televendite di prodotti per la pelle. Avrò visto un paio di volte quel programma con il vecchio che ha i capelli ingelatinati all'indietro e le dita accusatrici quando si infervora tutto con la predicazione... com'è che si chiamava?

«Bob il Predicatore» risposi, me l'ero ricordato.

«La gente ama chiamarlo così» fa Chet. «Ovviamente in ufficio, se posso definirlo così, noi lo chiamiamo Bob e basta, a lui piace così, informale e senza pretese. *Clero di Robert Jerome* è il titolo ufficiale della nostra organizzazione nel suo complesso, ma non c'è bisogno che entriamo nel dettaglio oggi, Dean. Quello per cui sono venuto qui a discutere oggi sei tu.»

«E perché?» Volevo davvero saperlo come mai un grosso personaggio televisivo con il suo centro di studi biblici personale fuori Topeka e la sua trasmissione nazionale che scommetto la guardavano milioni di persone, cosa voleva da me. Ossia da Dean. Era un mistero.

«Dunque, Dean, devi avere una pur pallida idea di ciò cui mi riferisco. Credo che tu finga un po' di essere ingenuo.»

Nessuno mi ha mai considerato un genio, e mi rese sospettoso che cercasse di pompare la mia autostima per potermi poi vendere qualcosa. Non dissi nulla, sorrisi di rimando, aspettando che mi spiegasse perché mi ritiene così in gamba. Ritiene Dean così in gamba, volevo dire, nel senso che Dean non mi ha fatto l'impressione di essere nemmeno più che intelligente, figuriamoci il livello genio.

«Dean, parlerò del problema senza fronzoli. La signora Wayne ci ha parlato della tua decisione di rifiutare le fede dei tuoi padri per abbracciare... la religione islamica.»

Lo fissai un momento. Di cosa stava parlando? Dean non mi ha mai detto niente sull'essere islamita o meno. Quelli non ci assomigliano a Dean, con la sua t-shirt *Bastardo dentro*, e nemmeno bevono alcolici, lo sanno tutti, e Dean sì che beveva, e non parlo di sorsetti occasionali. Quel discorso era senza senso. Non sapevo che dire, era così ridicolo, ma Chet mi guardava fisso in attesa di risposta. Quando se ne andava avrei svegliato Dean e gli avrei fatto un terzo grado sulla questione.

«Stai ancora pensando di compiere questo passo così radicale e pericoloso? Non mi viene in mente cosa peggiore per condannare l'anima, l'anima immortale, Dean, a una punizione talmente estrema che mi addolora vederla subire da un giovane come te, con tutta la vita davanti. Pensaci attentamente, adesso.»

Ci stavo pensando, pensavo a velocità supersonica, e mi tornò in mente che Dean aveva detto di non mangiare carne di maiale, e tutti sanno che gli islamiti non ne mangiano perché i maiali non sono animali santi o storie religiose simili. Per cui Chet aveva ragione!

«Be', sì» risposi.

A Chet cadde la mascella, dico pareva proprio infuriato, tipo se gli avevo detto che avevo appena annegato una muta di cuccioli. Mi dispiaceva averlo fatto infuriare così, soprattutto perché non ero io a diventare islamita, ma il tipo al piano di sopra che faceva soffrire sua zia e Bob il Predicatore e lo stesso Chet. Avrei usato parole dure con Dean sull'argomento perché è proprio stupido essere musulmani se non si è neanche arabi. Gli americani sono cristiani, lo sanno tutti. Ora, io non sono mai stato uno che va in chiesa e neanche mio padre, per cui potreste dire che un'influenza negativa nella mia vita mi ha impedito di farmi chiesifiggere come fanno alcuni, ma pure così vi posso dire su due piedi che Dean stava facendo una cosa stupida con questa sua intenzione di conversionamento religioso. Non mi stupiva che Chet fosse così infuriato.

«Ci stai pensando bene, Dean?»

«Sissignore ci sto pensando.»

«Tieni conto dei sentimenti degli altri in questa decisione cruciale. Non stiamo parlando solamente del destino della tua anima, stiamo parlando dell'effetto che la cosa avrà sui tuoi cari come la signora Wayne, che a quanto so si è presa cura di te da quando tua madre è partita. Considera quanto dolore infliggerai su una donna buona e generosa con una decisione simile. Non vorrai mica essere responsabile di aver causato dolore a quel genere di persona, Dean, vero? A me provoca dolore il solo pensiero dell'avventatezza dell'atto che intendi compiere, e anche a Bob, lui mi ha mandato qui personalmente per cercare di capire se c'è qualcosa che possiamo fare per aiutarti a cambiare idea e a soprassedere da questo colossale errore che stai per fare. O l'hai già fatto? Hai già ricevuto ammaestramenti della dottrina musulmana? A occhio e croce direi che è difficile trovare chi la insegna da queste parti. Dico bene, Dean?»

«È molto raro qui» concordai dicendo qualcosa di vero per sentirmi un po' meglio. Cominciavo a capire che era stato un errore non dire subito a Chet che non ero Dean, ma non c'era modo di tornare indietro adesso e modificare la situazione.

«Dean, puoi dirmi cosa ti fa pensare che l'islam possa offrirti qualcosa che il cristianesimo non può offrirti? Cos'è che ti attrae?»

A questa non sapevo rispondere. Dal piano di sopra ancora silenzio per cui pensai che Dean doveva essere uscito. Non poteva essere ancora addormentato da stamattina. Ma dove poteva andare senza un mezzo?

«La signora Wayne ha accennato a un'infanzia difficile, Dean, per cui mi viene in mente che questa cosa che hai in mente di fare può essere una reazione a difficoltà personali mai risolte. Dice che hai cominciato a rifiutarti di accompagnarla in chiesa molto tempo fa e hai usato un linguaggio offensivo con lei circa la sua fede che non ha mai vacillato. È una cosa personale, Dean? Parlare con la persona giusta molto spesso risolve questi dolorosissimi conflitti interiori che piegano la gente priva della guida del Signore. È il tuo caso? Potresti pensare che tutto d'un colpo sono molto diretto e personale, e se lo pensi non me la prendo, non c'è niente di più personale dei sentimenti interiori, ma qui c'è di mezzo l'attaccamento, Dean, o forse dovrei dire il distacco: ti sei disconnesso dalla fede naturale e sempiterna che sappiamo essere vera. Ora io rispetto le fedi inferiori, e rispetto il diritto della gente di altre culture a credere nelle cose in cui scelgono di credere, ma noi viviamo in America, e questa nazione fu fondata su principi cristiani. Chi si allontana da secoli di storia – *millenni* di storia – commette un errore di prima grandezza, Dean. Capisci cosa voglio dire, figliolo?»

«A-ah.»

«Allora ti chiedo di valutare questa proposta con molta attenzione.»

In quel momento mi balenò in mente un'immagine, eccola: Dean è uscito ed è caduto nella buca in cortile mentre è ancora stordito dalla mazzata in testa. È uscito tutto stordito dalla porta sul retro ed è caduto nella buca, ecco perché non è seduto al tavolo lui a parlare con Chet di queste stronzate. Perché non ci ho pensato prima? Dean aveva bisogno di aiuto proprio adesso perché aveva battuto di nuovo la testa cadendo nella buca, ci potevo scommettere.

«Chiedo scusa...»

Mi alzai e corsi alla porta sul retro e uscii fuori. La buca. La buca è vuota. Ok allora, gran sollievo perché non è lì come pensavo. Allora dov'è? Torno in casa e salgo le scale. Dean è steso sul letto come ce l'ho lasciato stamattina, stessa identica posizione. Mi avvicinai e gli toccai la spalla per svegliarlo, e dal modo in cui non si svegliò né grugnì né altro mi fece comprendere la verità, che non ci volevo credere, allora mi piegai su di lui e ascoltai attentamente il suono che gli usciva dalla bocca, il suono terribile del nulla completo. Dean era morto, con ogni probabilità era morto dopo che l'avevo lasciato lì sdraiato tutto il giorno ad aspettare che tornassi e lo scoprissi non più annoverabile tra i vivi. Gesù Cristo! Che fare? Camminai in tondo per la stanza agitando le braccia in fuori e in dentro, in fuori e in dentro, non chiedetemi perché, e sobbalzando in alto e in basso, mi pare, difficile ricordarsi di questa parte della storia, cosa stavo facendo e cosa stavo pensando mentre l'impatto pieno di questa orribile conseguenza delle mie azioni con la mazza da baseball tornò ad acciuffarmi dal passato per colpirmi in pieno.

Non so quanto camminai in tondo prima di ricordarmi che Chet era di sotto ad aspettare risposte dal povero deceduto Dean, che per lo meno era morto cristiano senza riuscire a trasformarsi in un essere musulmano, per cui se è vero quello che dicono sull'anima che va in paradiso allora lui ci è andato invece del posto in cui vanno i musulmani qualunque esso sia, che a quanto ho sentito è pieno di ragazze vergini, una sfilza per ogni uomo. Per cui forse avrebbe preferito andare lì ma ora è troppo tardi, è andato, ed è morto cristiano. È stato *ammazzato* cristiano avrei dovuto dire se volevo vedere le cose per com'erano autenticamente, ma non lo volevo, volevo solo che sparisse ogni cosa e mai fosse accaduta, ogni singola parte, dalla Chevy che mi lasciò a piedi fino a questo preciso momento.

Udii la sedia di Chet raschiare il pavimento della cucina. Non poteva salire qui sopra, non poteva vedere Dean sdraiato senza un soffio di vita dentro. Ammazzato. Chet non lo poteva vedere, così scesi le scale lentissimamente, raccogliendo i pensieri come si suol dire, ma i pensieri erano poca cosa, sostanzialmente una cosa sola: non potevo smettere di essere Dean. Non avevo mai raccontato bugie del genere, ma da adesso in poi potevo solo mentire anche se non dicevo una parola di più, ecco cosa pensavo.

Lo vedo in piedi di fronte al pendolo in corridoio. «Bel pezzo d'antiquariato» mi fa, la faccia incollata al quadrante per veder bene gli svolazzi ornamentali delle lancette. «Da quanto tempo l'avete in famiglia?»

«Oh, cinquanta, ottant'anni, mi pare.»

Bugia numero uno. Partiti. Ogni cosa nella mia vita sarebbe stata diversa ora che avevo un Oscuro Segreto da nascondere. Doveva aver influito sul mio cervello, lo choc improvviso eccetera, perché adesso avevo in mente quest'immagine di me che ammazzavo Chet e lo seppellivo nella buca in cortile, il che non aveva minimamente senso visto che lui del Segreto non sapeva niente, e allora che minaccia poteva essere per me? Meno di niente, per cui non diedi seguito all'immaginazione e non ammazzai Chet. Volevo che se ne andasse, però, e in fretta, prima che potesse accorgersi che qualcosa in me era cambiato, come avessi un cartello appeso attorno al collo che diceva *Assassino* o qualcosa di folle nel mio sguardo che potesse vedere.

«È tutto a posto, Dean?»

«Certamente, tutto ok.»

«Da come sei schizzato fuori, pensavo magari c'era qualche problema.»

«No, no, assolutamente.»

«Be', che ne dici se torniamo a discutere la questione per cui sono qui?»

«Ok.»

Ci fissammo per un po', poi Chet fa «Non è meglio se torniamo in cucina, o stai più comodo in soggiorno?».

«Non mi importa, ovunque sia.»

Ci andammo a sedere assieme sul divano, un errore. Avrei dovuto sedermi sulla poltrona per non stargli troppo vicino. Sapevo che presto o tardi avrebbe steso il braccio per toccarmi il braccio tutto pose paterne e preoccupate per la mia anima, e non lo volevo, lo volevo vedere fuori fuori fuori da quella casa.

«Dunque, Dean» mi fa, «voglio che tu mi dica onestamente cosa pensi di questa crisi che stai vivendo. Sospetto che ci sia tutto un mondo di cose in corso che non hanno a che vedere con la scelta di un'altra religione, su... ciò che possiamo definire presupposti filosofici. Io sospetto, e Bob è con me, che la tua inosservanza dei doveri richiesti dalla fede con cui sei cresciuto si fonda su qualcosa di puramente emotivo. Pensi che possa essere così, Dean? Problemi di donne, sai. Ci sono difficoltà nell'area specifica di cui ti va di discutere?»

«Che diavolo, no.»

Il volto gli s'indurì per un istante quando dissi così, come avessi detto Cazzo o simili. Il tipo religioso alla Chet si offende facile con cazzate di questo genere, dovevo badare a come parlavo ed essere educato. «Non ho la fidanzata al momento, per cui non è un problema» dissi, volevo essere cooperativo.

«Nessuno? Sei un ragazzo molto ben messo, Dean, mi sorprende scoprire che non hai relazioni amorose. Ci sono state fidanzate in passato, dico bene?»

«Oh certamente, mica sono gay.»

«Bene, bene. L'omosessualità è un abominio, sono certo che ti è stato insegnato. Sarò molto diretto, forse perfino invadente, e non mi scuso per questo.» Si raccolse tutto per un attimo e mi guardò dritto negli occhi. «Dean» mi fa, «cosa ti angustia, ragazzo mio?»

Come puoi ottenere rispetto se sei uno e novanta e dici di sentirti un bambino? In nessun modo. Perciò non risposi nulla. La conversazione finiva lì.

«Dean?»

«A-ah?»

«Non hai niente da dirmi?»

«La conversazione finisce qui.»

Sembrava turbato, anzi perfino un po' irritato. «Che vuoi dire?»

«Devo fare una doccia. Puzzo.»

«Be', ovviamente, hai lavorato duro tutto il giorno. La signora Wayne è sempre stata fiera di come ti sei impegnato nella tosatura dopo che ti comprò il furgone e i tosaerba. Non c'è dubbio, sei stato il suo orgoglio, come ti sei buttato nel lavoro...»

«E te ne devi andare.»

Questo gli fece indurire il viso ma cercò di non darlo a vedere. Ci guardammo e non successe nulla, poi si alzò e anch'io, era un sollievo che se ne andava così potevo sedermi e trovare un modo per uscire da questa brutta situazione sbucata fuori dal nulla. Ma non si diresse all'uscita come volevo, cosa che mi mandò fuori di testa. Doveva andarsene di qui, in questa casa non c'era spazio per altri che per me e il morto di sopra, che essendo morto occupava più spazio di quanto non ne avesse occupato il suo corpo da vivo. Essere vittima di un assassinio ti rende cento volte più problematico. Al piano di sopra avevo un gigante di cui occuparmi e Chet doveva andarsene.

«Dean, forse ho sbagliato approccio. Mi aspettavo di trovare la signora Wayne. Le cose non sono andate come speravo e la colpa è mia. Mi rendo conto che hai bisogno di restare solo e di darti una lavata dopo una giornata di onesto lavoro, quindi ora me ne vado, ma ti chiedo una cosa, Dean: non dirmi che non posso tornare almeno un'altra volta per chiacchierare con te delle conseguenze della tua scelta.»

«Ok.»

Lo dissi per metterlo a tacere e lo spostai in direzione della porta. Se restava qui un minuto ancora giuro che avrei spiattellato tutta la verità e con ogni probabilità sarei scoppiato a piangere o avrei fatto qualcosa di raccapricciante e infantile. Alla porta si ferma e allunga la zampa. «Questa è la mano di un amico, Dean. So che al momento non lo pensi, ma è un fatto inoppugnabile. Tutti a questo mondo hanno bisogno di amici, e dopo Gesù voglio che tu consideri me il tuo migliore amico. Potrebbe suonarti presuntuoso da parte mia, ma è vero, Dean, ed è con questo pensiero che ti voglio lasciare oggi. Grazie per l'ospitalità.»

Mi strinse la mano vigorosamente per una due volte e poi se ne uscì dalla porta e scese dalla veranda. Attraverso la zanzariera lo guardai salire sulla Cadillac e allontanarsi. Presto il rumore della macchina e la terra sollevata dai pneumatici erano spariti ed ero di nuovo solo, a parte Dean di sopra. Avrei dovuto salire su, ma ero troppo codardo per affrontarlo un'altra volta. Provai a dirmi che Dean era una persona molto incasinata e che avevo risolto ogni suo problema, ma non suonava per niente come una cosa giusta, era solo una pessima scusa contro la colpevolezza che mi si ammassava dentro.

Non riuscivo più a fare pensieri logici. Volevo bere qualcosa per lavar via le spine che mi infestavano il cranio. Salii sul furgone e andai in città. A metà strada ricordai di non aver chiuso a chiave la porta principale, forse non me l'ero nemmeno tirata dietro uscendo. Tanto ero confuso. Sapevo di un negozio chiamato Alcol&Libertà nella via dei negozi da questa parte della città, così andai lì, solo chi vedo appena arrivo là se non la Cadillac beige di Chet parcheggiata accanto alla Boutique dell'Allegria? Aveva un cellulare accostato all'orecchio e ciarlava. Non mi vide e non volevo mi vedesse, per cui portai il furgone dall'altra parte del corso e mi fermai al parcheggio ed entrai in Alcol&Libertà dalla porta sul retro. Uscii pochi minuti dopo con due fiaschi di Captain Morgan e un pacco da sei di Coors. Poi io e il Capitano ce ne andammo a casa per discutere la faccenda da uomo a uomo.

dere un pullman per Manhattan e i miei problemi sarebbero finiti. Il piano mi piaceva, era semplice. Era molto triste che zia Bree dovesse ricevere questo terribile choc tornando a casa e scoprendo che Dean ha riempito la casa di un fetore insopportabile, ma non ci potevo fare niente. E c'era ancora il grande mistero del perché Dean aveva scavato quella buca nel cortile. Cercando risposte, frugai nel suo comò e ci trovai dei libri sui musulmani, *Sotto la bandiera del Profeta* e *La spada dell'islam*, e un Corano con una copertina di pelle verde con eleganti svolazzi dorati, per cui era vero che zia Bree aveva scritto a Bob il Predicatore, Dean davvero voleva diventare un Aprostata. Scossi il capo al pensiero, ma non erano affari miei che religione voleva seguire, per cui rimisi a posto i libri dove li avevo trovati.

A quel punto era notte inoltrata, e dopo tutto quel bere senza mangiare dopo un giorno di lavoro avevo una fame gigante. Il frigo era stato ripulito per bene, allora scesi in cantina a prendere una di quelle ottime cene precotte della prima sera. Fatico a trovare l'interruttore della luce, ma era su un lato della rampa di scale e io l'avevo già superata. Là sotto era pieno di spazzatura, tipico ciarpame da cantina, e in fondo nell'angolo c'era un freezer bello grande, del genere con il coperchio in cima. Era zeppo di cene precotte e pacchi di verdure e pizze e così via, un'ottima selezione tra cui scegliere, mi misi a cercare, spostando scatole di pizza e pisellini surgelati per vedere cosa c'era più sotto, e fu allora che vidi i capelli. Pensai magari Dean o ancora meglio la zia Bree ha una parrucca o un parrucchino e lo tengono nel freezer in modo da proteggerlo dalle tarme, ma nessuno si fa una parrucca di quel colore grigio, ci si fa una parrucca scura per nascondere i capelli grigi se la proprietaria è una donna. La afferrai per tirarla su ed esaminarla, ma non si muoveva, era come incollata, pensai, magari congelata o qualcosa del genere, allora tirai con più violenza ma ancora non usciva, allora sollevai alcune scatole di pannocchiette nane e scoprii il perché. La parrucca era attaccata a una testa, il che significa che non era affatto una parrucca, ma veri capelli. In qualche modo la cosa mi fece schizzare all'angolo opposto della cantina, poi ritrovai la mia virilità e tornai a dare un'occhiata.

Non c'è dubbio, in questo freezer c'è una donna. Scavai via i surgelati tutto intorno ed eccola, una donna piccolina in camicia da notte, tutta ripiegata su se stessa come fosse collassata mentre pregava ai piedi del letto. Era evidente che zia Bree non era andata in Florida, era finita in un posto molto più fresco. Digrignando i denti la estrassi da lì, fu facile, era così piccola, e poi vidi perché era così ripiegata. La sua parte anteriore, lo stomaco nascosto sotto le braccia ripiegate, era tutto insanguinato e squarciato, a quanto potevo vedere, così la vera verità mi si palesò ed è questa: Dean aveva sparato allo stomaco di sua zia Bree, con ogni probabilità aveva usato l'ultima cartuccia del suo calibro dieci, e l'aveva nascosta qua giù intanto che rifletteva sul da farsi, poi aveva deciso di scavare una buca nel cortile per seppellirla sotto il granaio. Molto probabilmente l'aveva uccisa poco prima che io me ne arrivassi su per il vialetto in cerca d'aiuto. Ora è chiaro perché all'inizio sembrava un po' fuori di testa. Perché l'aveva uccisa? Non l'avrei mai saputo, ma potevo supporre che si era infuriato quando lei gli aveva detto che avrebbe scritto a Bob il Predicatore del suo piano di conversione musulmana.

Devo ammettere che mi sentivo meno male per aver fatto secco Dean con una mazza da baseball, ora che sapevo che razza di assassino era, ma la cosa mi poneva in una posizione peculiare. Il mio piano già pronto andò in pezzi nel momento in cui trovai Bree giù in cantina. Ora sono due corpi invece di uno solo, come mi devo comportare? Rimisi Bree nel freezer e sistemai i surgelati intorno a lei com'erano prima, tenendo fuori una pizza grande *Cheese Supreme* per la cena. La portai su e la misi in forno senza preoccuparmi del tempo extra dovuto al fatto di venire direttamente dal freezer, tanto avevo perso gran parte dell'appetito dopo la Grande Scoperta del piano di sotto e avevo comunque bisogno di tempo per farmi venire un piano totalmente nuovo che si adattasse alla nuova situazione in cui mi trovavo. Se solo la mia auto reggeva per qualche miglio in più prima di lasciarmi a piedi, niente di tutto ciò mi sarebbe successo. Era inquietante pensare com'era andata, che il motore era morto proprio di fronte al vialetto di Dean. Era stata la Mano del Destino che si dava da fare per Mettermi nella Merda di Brutto.

Ma piangere e lamentarsi non serve a niente. Quel che era fatto non poteva essere disfatto, dovevo escogitare un altro piano e andare avanti. Pareva che la cosa migliore fosse lasciare Bree e Dean dov'erano. In quel modo, quando li scopriva un vicino o il tipo che viene a leggere il contatore dell'elettricità, sarebbe parso che Dean aveva ucciso Bree e l'aveva messa nel freezer, poi aveva scavato una buca per seppellircela. Solo che non era riuscito a completare il piano perché la mazzata che Bree era riuscita a dargli in testa prima che lui le sparasse era tornata a battere cassa più tardi con una commozione cerebrale che come succedeva nelle Serie sui Medici era diventata un'emerolgia. Mi sembrava credibile, basta che ero lontanissimo al momento della scoperta. Non volevo che fosse Chet a scoprirli, lui avrebbe raccontato ai poliziotti di un tipo uno e novanta che si spacciava per Dean, il che avrebbe scatenato la caccia all'uomo. Per cui l'idea di lasciare un biglietto sulla porta per Chet che lo farà tornare a Topeka felice di aver salvato la mia anima insieme a Bob il Predicatore è ancora valida.

La cucina cominciò a riempirsi di quel buon odore di pizza e il mio stomaco si contorse tutto, ma secondo le istruzioni mancavano ancora dieci minuti se cuoci una pizza surgelata non scongelata, ossia il mio caso. Per passare il tempo salii di sopra nella stanza di Dean e spalancai le finestre perché il vento in Kansas viene sempre da ovest e in questo modo avrebbe soffiato per tutto il piano superiore spazzando via il cattivo odore emanato da Dean. Non volevo passare la notte con quell'odore. Lui aveva un'aria serena a parte la bocca che si era aperta un po' e non si chiudeva per quanto provassi più volte a spingergli il mento in su, allora lo lasciai così. Sentivo la brezza notturna che arrivava da ovest ed ero sicuro che l'aria stava già migliorando, ma è difficile dirlo perché a questo punto dal piano di sotto saliva il profumo della pizza.

Spensi la luce in camera di Dean e stavo per scendere in cucina quando udii il motore di una macchina che saliva per il vialetto. Mi si gelò il sangue per cinque secondi, poi schizzai alla finestra per vedere chi era, magari Chet che ritornava per dedicarsi ancora un po' alle buone opere di Dio, ma non è una Cadillac è una macchina piccola non capivo quale perché era buio. Parcheggiò in cortile, spense il motore. Avrei potuto andare nel panico, quasi tutti avrebbero fatto così, ma ne erano successe talmente tante che ero già preparato alle sorprese e così invece di correre in giro come una gallina a cui hanno mozzato la testa feci la cosa giusta lì su due piedi e senza esitazione, ossia scodellare Dean giù dal letto, sistemarlo sul pavimento accanto al letto, sollevare le federe del materasso e ficcarlo là sotto, lasciandoci poi cadere sopra le federe in modo più naturale possibile. Dopo questa sensata precauzione antiscoperta non mi fermai neanche un secondo perché chissà cosa può succedere ancora. Mi alzai in piedi e ordinai al mio cuore di smetterla di martellare a quel modo mentre bussano alla zanzariera allora scesi a rispondere senza esitare proprio come avrebbe fatto un uomo innocente.

C'è una donna, una poliziotta, o una della stradale, un qualche tipo di uniforme della Polizia ma senza cappello, era tutto ciò che potevo vedere con la luce che filtrava nella veranda dal corridoio. Quando arrivo alla porta mi guarda con il sospetto negli occhi o così mi pare, ma forse era la mia coscienza sporca che parlava. Accesi la luce della veranda e dissi «Posso aiutarla?» senza incrinare la voce, ero in controllo assoluto della situazione.

«Chi sei tu?» mi fa. È una donna di taglia abbondante, non del tipo pelle e ossa, trent'anni circa e capelli legati all'indietro poco femminili come devono portarli le poliziotte se vogliono ottenere il posto. Non mi offrì Buonasera, signore, mi domandavo se poteva aiutarmi con un'indagine, niente dell'educazione che hanno gran parte dei poliziotti a dispetto di ciò che dice la gente.

«Sì?»

«Chi diavolo sei e che diavolo ci fai a casa di mio fratello?»

Era una buona cosa che l'avesse detto, insomma del fratello, perché altrimenti avrei detto che ero Dean. Non ci sarebbe cascata come Chet, lei, essendo parente. Pensai in fretta e tirai fuori l'unico nome che poteva funzionare perché in quanto sbirra poteva chiedermi un documento e l'unico documento che ho è il mio.

«Odell» risposi, come spingendo il nome fuori dalle labbra. Non era ciò che mi aspettavo né lo volevo, che Dean aveva una sorella sbirro. Guardai e non vidi la fondina per la pistola, magari era fuori servizio a quest'ora, ma non faceva nessuna differenza, sempre uno sbirro è, l'ultima categoria di persone che volevo tra i piedi in quel momento.

«Che hai detto?»

«Odell Deefus.»

Assorbe l'informazione, poi fa «Dean dov'è?»

Non ero preparato per questa domanda, chi poteva esserlo? Esaminai i suoi lineamenti, chiedendomi quanto potesse essere in gamba, o quanto naso avesse per le balle. L'aria in gamba ce l'aveva proprio, era pure attraente, tanta solida femminilità a dispetto dell'uniforme, o forse proprio per quella, le aderiva in ogni punto. Però non era un'uniforme da sbirro, i colori erano sballati, ed era di un pizzico più scura della Polizia stradale.

«Non è in casa» dissi per prendere tempo.

«Be', e Bree dov'è?»

«In Florida in vacanza, ha detto Dean.»

«Fatti da parte.»

Lo disse con un tono che ti faceva venir voglia di farlo anche se ci fosse stata una pila di merda canina accanto a te e l'avresti calpestata di certo. Questa donna non era una timidona. Aprii la zanzariera e lei entrò in casa, non interrompendo lo sguardo sospettoso. Fossi stato meno grosso avrei potuto trovare quel suo sguardo diretto un po' inquietante, ma avevo pieno autocontrollo, ero ancora impressionato dal modo in cui avevo nascosto Dean sotto al letto quasi per istinto, ed era stato un bel colpo di fortuna vista l'identità della qui presente Signora Sbirra. Dentro di me ero certo che avrebbe percorso palmo a palmo la casa come un aspirapolvere analizzandolo col suo Radar Anticrimine a tutto campo.

Mi precede lungo il corridoio fino in cucina, il che mi dà l'opportunità di ammirare il suo gran culo che pareva meno grande di quanto fosse veramente perché il girovita era ben stretto a fare contrasto. In cucina si guarda intorno e annusa il profumo di pizza. «È pronta» mi fa, io la tiro fuori con i guanti da forno e mi sento un po' scemo con sulle mani questi grossi affari rosa imbottiti come una donna. Lasciai la pizza sul bancone a raffreddarsi un po', il formaggio ancora troppo sfrigolante per poterlo mangiare. Mi sfilai i guanti e li gettai sul tavolo.

«Ok» mi fa, «che storia è?»

«Storia?»

«Dov'è Dean, ancora non me l'hai detto.»

«È partito ieri, non mi ha detto dov'è andato.»

«Come ha fatto a partire se il furgone è qua fuori?»

«Se n'è andato con un tipo, nella macchina del tipo.»

«Una Pontiac verde, per caso?»

Colsi l'opportunità. «Mi pare di sì.»

Parve funzionare. «Mi ripeti il tuo nome?» mi fa.

«Odell Deefus, vengo dal Wyoming.»

«E com'è che conosci Dean precisamente?»

Per dirla tutta questa era la mossa migliore da parte sua, ci sono pezzi della mia storia che può verificare stile sbirro per vedere che non mento. «Ho avuto problemi alla macchina e ho chiesto aiuto a Dean. Mi dice Parcheggiala nel granaio, ma non siamo riusciti a ripararla per cui mi ha lasciato dormire qui visto ch'ero bloccato. È supergentile, Dean, mi ha anche offerto la cena e siamo diventati amici, tipo. Poi arriva un tizio a prenderlo e prima di partire Dean mi dice che posso andare io a tosare l'erba finché è fuori e mi becco cinquecento sacchi se lo faccio, poi è partito. Credo abbia detto che starà via un po' ma tornerà alla fine della settimana massimo.»

«Gli conviene tornare» mi fa, con voce molto ferma, e quasi mi dispiace per Dean se non torna per la fine della settimana, poi mi ricordo che è morto, per cui la minaccia serviva a poco.

«Insomma ti fa restare a casa sua e fare il suo lavoro anche se vi siete appena conosciuti.» Lo disse in un modo, la storia sembrava debole come un gatto con una zampa sola.

«Ha sorpreso anche me, ma Dean, è uno che si fida, mi pare.»

«Cazzate. È paranoico e meschino e pure un po' matto. Non ci eri arrivato?»

«Be', no, mi è parso una persona veramente a posto, come ha provato a rimettere in sesto la mia macchina, solo era così malmessa che non ci è riuscito. La farò sistemare con i cinquecento dollari e me ne ripartirò.»

«Prima ho telefonato» mi fa. «Non ha risposto allora sono passata.»

Deve aver chiamato quando ero uscito a comprare da bere perché da quando sono qua non ho mai sentito il telefono. Non dissi nulla sperando che stesse perdendo quell'aria sospettosa anche se la storia non aveva totalmente senso. Ma io sento che un senso ce l'ha, una specie almeno, perché Dean da come lo descrive lei è il genere di persona che fa cose folli e non programmate che i più non farebbero, per cui in qualche modo tutto si tiene anche se ci sono dei buchi in cui passerebbe un carrarmato.

Mi fa «Oggi mi hanno telefonato per dirmi che avevano visto uno sconosciuto che andava in giro col furgone di Dean. La cosa mi ha preoccupato».

«È normale.»

«Be', ti ha lasciato qualcosa per me? Io comunque sono Lorraine.»

«Tipo messaggi?»

«O un pacco. Lasciato niente del genere?»

«No, mi ha detto solo che forse sarebbe passata sua sorella. Neanche mi aveva detto che nome avevi. Aveva abbastanza fretta, tipo.»

«Descrivimi il tipo della Pontiac.»

«Non l'ho visto, non è entrato in casa, ha solo accostato qua fuori poi Dean è uscito, ci ha parlato un po' e poi ritorna e mi dice quello che ti ho detto. Tutto ciò ieri notte.»

«E da quanto sei qui, tu?»

«Oh, un altro paio di giorni. Andiamo molto d'accordo, io e Dean.»

«Mi fa piacere. Di solito la gente non lo prende in simpatia. La pizza l'hai fatta per odorarla o anche per mangiarla?»

«Dev'essere pronta. Ne vuoi un po'... Lorraine?»

«Mica chiedevo tanto per chiacchierare.»

Andò alla credenza per prendere due piatti, poi prese un coltello dal cassetto, pareva sapere dov'è ogni cosa, il che è comprensibile a casa di tuo fratello. Ci ritroviamo a trangugiare pizza come fosse una cosa di tutti i giorni.

«Che genere di lavoro fai, Adele?»

«*O*dell. Adele è un nome da donna.»

«Be', chiedo umilmente scusa, *O*dell.»

«Sto per arruolarmi, appena aggiusto la macchina.»

«Ti arruoli dove?»

«Nell'Esercito.»

«Che? Sei pazzo? Ti sembra una cosa da fare?»

«Be', gli serve gente come il pane per via della guerra...»

«E chi dice che devi arruolarti proprio tu per farti esplodere il cervello? Fai qualcos'altro te lo consiglio.»

«Alla maturità non ce l'ho fatta» le dissi, «per cui ho un ventaglio limitato di scelte.»

«Hai la scelta tra restare tutto intero o farti esplodere il cervello. Io queste le chiamo scelte.»

«Credo tu abbia diritto ad avere la tua opinione.»

«Credo che hai ragione. Tua madre è d'accordo?»

«Lei non c'entra. Ventun'anni ce li ho e comunque è morta.»

«Oh, scusami. Senti, a volte parlo troppo diretto quando dovrei prendere i discorsi più alla lontana, è la mia natura, ok? ma non volevo ferirti.»

«A posto.»

«La pizza è ottima.»

«Dean ne ha un sacco giù nel freezer.»

Questo non l'avrei dovuto dire, anche se è una semplice dichiarazione di fatto. Stavo abbassando la guardia e sapevo perché. È lei: Lorraine. Mi piaceva anche se mi trattava come una specie di scemo, ma tanto come dice lei, è fatta così, perciò decisi di sorvolare. Se non fosse così carina non mi sentirei così, ma è ciò che succede quando incontri qualcuno il cui aspetto ti piace, ti fa fare cose stupide. Almeno a me succede questo. Misi in bocca altra pizza per evitare di dire ancora cose che mi potessero mettere nei guai.

«Bree quando torna?» mi chiese.

«Non lo so, Dean non l'ha detto.»

«Be', per quando torna te ne devi andare. Non vorrà sconosciuti per casa. Bree è un po' strana pure lei e non ama che le si cambino le cose intorno. Le piace che tutto sia nel modo che piace a lei punto e basta. E tu non ne puoi far parte nemmeno se sei amico di Dean come dici di essere.»

Parlò come se sul viaggio di Bree non mi credeva, il che valeva come avvertimento a non abbassare la guardia perché era ancora sospettosa. Poi fa «In Florida dove?».

«Non lo so. Dean ha parlato di Miami e Fort Lauderdale, ma quale delle due non ha specificato. È partito così su due piedi.»

«Bree ha dei vecchi amici dei tempi del liceo a Fort Lauderdale, e adora visitare tutti i posti per turisti. Io ho già ricevuto sue cartoline, da Disneyworld, Epcot Center, posti del genere, anche il Seaworld le piace.

«A-ah?»

«Per cui non ti ambientare troppo.»

«Ok.»

«Proprio sicuro che non ti ha lasciato un pacchetto o un messaggio?»

«No.»

«Dean ha un fatto, a volte è affidabile a volte no. Non sai mai come ti vede da una settimana all'altra. Ha dei grossi sbalzi di umore. Tu ci hai litigato?»

«No, siamo andati d'accordo.»

«Forse hai un buon ascendente su di lui. Dean non è il tipo da farsi amici e conservarseli. Ogni volta che sta per fare amicizia gli viene uno sbalzo d'umore che incasina tutto. Se lo frequenti a lungo vedrai coi tuoi occhi. Non che tu possa restare visto che Bree prima o poi torna.» Prese un'altra fetta di pizza. Lorraine aveva un grande appetito. «È un peccato» mi fa. «Dean ha bisogno di un amico. Finora io sono l'unica amica che ha, e noi due non la vediamo allo stesso modo su proprio niente. Non so perché te lo dico visto che non resterai qui a lungo. È la famiglia. Verso la famiglia uno ha dei doveri che per qualcun altro non ci perderebbe manco cinque minuti. Ma con la famiglia hai il dovere. Quanti siete in famiglia?»

«Solo io e mio papà. Non andiamo d'accordo.»

«Mi dispiace» mi fa, ma non intende sul serio, è per educazione. «Quanto sei alto, Odell?»

«Uno e novanta.»

«Quanto pesi?»

«Non lo so, cento e qualcosa.»

«Io direi centocinque. Sono brava a indovinare il peso.»

«Io sono bravo a indovinare quante biglie ci sono in un barattolo. Una volta hanno fatto questa gara per indovinare quante biglie c'erano in questo barattolo, e io ci sono andato più vicino di tutti. Ci ho vinto un premio.»

«Che premio?»

«Oh, un certo pieno di roba del negozio. È stato per il fondo per il risanamento di New Orleans dopo l'uragano. Si pagavano dieci centesimi per entrare, e ho partecipato.»

«Hai studiato?»

«Non ho preso la maturità, te l'ho detto.»

«Be', è ridicolo che te ne vada nell'Esercito. Puoi trovare altri lavori anche senza il diploma se sai dove cercare.»

«A fare il raccolto non ci vado» le dissi, «Quello è per i messicani e nemmeno loro vogliono che ci provi, ho scoperto. Gli piace tenerselo tutto per loro quel lavoro, poveracci che ci possono fare? E i contadini pure, perché loro li pagano meno quindi gli sta bene così. Non ha senso nemmeno provarci. Ho scoperto.»

«Allora hai cercato nel posto sbagliato. Dico che ci sono altri tipi di lavori.»

«Tipo cosa, la pompa di benzina?»

«Secondino. Dall'altra parte della città abbiamo una nuova prigione molto grande, il Penitenziario statale di Callisto. Ha aperto solo diciotto mesi fa, infrastrutture nuove di zecca, serrature da stato dell'arte, tv a circuito chiuso, hanno tutto. Che te ne pare?»

«Non ci avevo mai pensato» le risposi, ed era vero.

«Li cercano grossi. Devono avere il fisico adatto. Questi galeotti, sono ossi duri. Ti fissano dall'alto in basso e non ti mostrano rispetto se non te lo guadagni. Devi essere cazzuto come loro, non c'è altro modo. Quelli piccoletti, non ce la possono fare punto e basta. Mentre tu, se ti vedono che arrivi dal corridoio, pensano Ooh, quel tipo è veramente grosso io non mi ci metto contro. È un vantaggio congenito per quel ruolo. Potrei parlarne al mio supervisore. Sai leggere e scrivere, no?»

«Leggere mi piace» le dissi.

«Allora perfetto, vuoi che metta una buona parola? Non hai la fedina penale sporca, vero?»

«No, rispetto la legge.»

«Bene. Ora, all'inizio non è uno stipendio da re, ma se vedono che sei in gamba la paga sale. Io sono già salita di un livello da quando ho cominciato qui. Prima ero a un supermercato Safeway. Quel lavoro te lo puoi ficcare dove non batte il sole.» Lo dice ridendo, per cui ora penso di piacerle, non ti metti a cercare lavoro a qualcuno se non ti piace.

«Grazie.»

«Non ringraziarmi, ancora non ce l'hai il lavoro. Lo vuoi?»

«Certo» le dico, e di certo l'avrei voluto se fossi potuto restare a Callisto, il che ovviamente non era possibile con i due morti in casa di cui uno l'avevo ucciso io. Ma lei era stata proprio carina a darsi da fare per me, e ci eravamo appena incontrati, per cui come si suol dire stavo facendo una buona impressione. Ero fiero di me perché non emettevo sudore nervoso come ci si aspetterebbe stando le cose come stanno, i corpi eccetera, ma no, reggevo alla grande ed ero sorpreso io stesso dal mio sangue freddo. E un'altra cosa che avevo notato – Lorraine, le piaccio, si capisce, ed ecco il motivo. Di solito quando parlo a una ragazza non ho un cavolo di niente da dire e si spazientiscono ad aspettare che la conversazione si mette a scorrere, cosa che con me non accade mai. Ma con Lorraine, lei è una chiacchierona, una che si mette lei a portare le chiacchiere dove le pare, per cui io devo solo ascoltare educatamente e rispondere alle sue domande dirette stile sbirro, che io le risposte pronte ce le ho perché quasi sempre le dico la verità, e anche le bugie mi sono uscite fuori rapide e pulite, fatto impressionante se ti sei comportato in un altro modo per tutta la vita. Dunque si può dire che mi sentivo sicuro di me, il che quando accade dovrebbe essere un secondo campanello d'allarme, solo che la mia bocca è piena di pizza e i miei occhi sono pieni di Lorraine, se capite cosa voglio dire.

Si alza e posso ammirare per intero la sua uniforme aderente. Mi fa «Vado di sopra a vedere se Dean ha lasciato qualcosa per me. Tu finisci la pizza, Odell».

Se ne salì su per le scale, da sotto sentivo che girava per la stanza di Dean, apriva cassetti e li richiudeva, e poi passava al grande comò vecchia maniera che c'è in camera, per cui è un bene che non l'abbia ficcato là dentro, mi dico, ma ho smesso di masticare sono troppo nervoso per i passi pesanti con cui si aggira al piano di sopra con suo fratello proprio sotto il letto, che è il posto in cui a volte guardi se stai cercando qualcosa che è stato nascosto come una caccia al tesoro con l'Uovo di Pasqua, tipo, per cui non riesco a mandar giù la pizza finché non ha finito e scende le scale. Come ho detto è un donnone, e sai sempre dov'è e se sta arrivando, soprattutto in una casa così vecchia che le tavole del pavimento scricchiolano. È di ritorno in cucina e non sembra molto contenta di quello che non ha trovato.

«Digli di telefonarmi appena mette piede in casa, ok? È una cosa importante e non ha fatto quello che doveva fare – un'altra volta. Digli che ti ho detto che se non sistema la cosa è fuori dal giro, capirà lui il senso. Non puoi fare affari con gente del genere anche se è mio fratello, digli che ho detto così.»

«Ok.»

Mi guardò dritto negli occhi. «Mi hai detto tutto, Odell? Perché è un po' strano incontrare qualcuno che non si è mai visto in casa di tua zia mentre lei non c'è. Sei stato sincero con me?»

«Certo.»

«La gente che è sincera con me non lo rimpiange, ma la

gente che mi prende per il culo, poi faccio in modo che non lo rifanno, mi hai sentito bene, Odell?»

«Ti ho sentito benissimo, e grazie per il lavoro, Lorraine.»

Perse qualcosa del suo sguardo duro e si sistemò la cinta con uno strattone, per sistemare la situazione, che ho notato che ha visto che le guardo la vita, e mi sa che ho la faccia di uno che gli piace ciò che vede. Sono cose che non puoi nascondere. Mi dicevo chissà come sarebbe con la fondina, e un secondo dopo mi ritrovo a immaginarmela vestita solo con la fondina, che me l'ha fatto venire duro in circa tre secondi.

«Allora ok, puoi fare il gentiluomo e accompagnarmi alla porta?»

Non volevo alzarmi con il cazzo come un manganello della Polizia, ma non sarebbe stato educato restarmene seduto così al tavolo, per cui mi alzai un po' ingobbito con le mani sul tavolo per coprire le cose alla vista, ma alla fine mi toccò allontanarmi dal tavolo per avviarmi nel corridoio e capii subito che aveva notato cosa mi era successo. Mi fa «Carini i tuoi shorts».

«Li ho comprati apposta per tosare l'erba» risposi, sentivo il rossore che mi bruciava sul collo come una fiamma.

«Be', ti donano. Non donano a tutti.»

«A-ah.»

Aveva un risolino minuscolo sul viso che mi fece arrossire ancora di più, poi fa, «Pensi di riuscire ad accompagnarmi alla porta senza inciampare?» Era una battuta, credo.

«Certo.»

Raggiungemmo la porta, lei si voltò e mi fa «Piacere di averti conosciuto, Odell».

«Piacere mio, Lorraine.»

«Be' allora mi sa che ci si vede in giro. Dì a Dean di chiamarmi appena torna.»

«Lo farò.»

Apre la zanzariera e io le sto dietro, poi si ferma di botto per dire qualcosa e le finisco addosso per sbaglio, che siccome si era voltata per parlare ci sbatto di faccia, che è tipo prendere un elettrochoc per tutto il corpo da quei seni che ha, e anche lei se n'è resa conto. «È una casa grande, Odell, non c'è bisogno che mi stai così vicino.»

«Non volevo.»

«Volevo dirti, il mio numero è appeso al muro accanto al telefono se mi cerchi.»

«Ok.»

«Non ti preoccupare, ci arrivo da sola alla macchina, potresti rompere qualcosa.»

«Ok.»

«Sei un uomo di poche parole, Odell.»

«Già.»

Fece un suono con la gola come se soffocasse una risata, mi fece sentire un idiota. Se solo non si fosse sistemata la cintura facendomi pensare ad altre cose non mi sarei coperto di imbarazzo, ma ormai che posso farci.

Lorraine si incamminò per la veranda, giù per i gradini e alla macchina. Si voltò per guardarmi prima di salire a bordo ma non mi salutò con la mano, quindi neanch'io lo feci. Poi mise in moto e uscì e io me ne tornai in cucina. Adesso che Lorraine se n'è andata posso rimettermi a pensare con chiarezza, e la situazione è se possibile ancora peggiorata rispetto a prima, perché ecco che ora c'è questa donna che non mi aspettavo di vederla arrivare e invece l'ha fatto, e adesso che faccio?

Poi mi venne quest'idea, ossia prendere Bree e Dean e portarli da qualche parte e nasconderli entrambi in modo che nessuno li può trovare e accusarmi di qualcosa, e in quel modo avrò tempo per prendere fiato e riflettere, è troppo snervante con questi cadaveri in giro. Solo dove li metto? Be', il luogo più ovvio è la buca che Dean ha già scavato fatta apposta per il mio scopo, solo che ci sarebbe la pila di terra accanto ma è ok comunque, la posso spargere in giro, distribuire la terra finché non resta niente e poi coprire il montarozzo con il pollaio semovente come aveva progettato Dean. Avessi conosciuto meglio la zona di Callisto potevo cercare un posto migliore, ma non sono di qui per cui il mio primo piano era il migliore.

Salii sopra presi Dean e lo portai di sotto per metterlo fuori nella buca del cortile. Avrei potuto anche portare Bree dalla cantina ma volevo prima fare Dean, operare dall'alto verso il basso, diciamo, o forse lo volevo seppellire per primo a motivo dei sensi di colpa che ho per la mazza da baseball e quello che era successo in casa, non saprei.

Comunque salii in camera sua, che era benissimo ventilata per questo Lorraine non aveva parlato di cattivi odori, grazie al cielo, e mi chinai accanto al letto per trascinarlo fuori.

Ora questo è il momento in cui le cose prendono una piega inaspettata perché quando sollevai le lenzuola per afferrarlo vidi una busta che spuntava fuori da uno stivale da cowboy proprio accanto alla sua testa lo stivale non l'avevo visto quando avevo ficcato Dean qua sotto avevo una fretta terribile di nasconderlo quando Lorraine era arrivata. Guardai la busta chiedendomi cosa ci potesse essere, poi feci ciò che chiunque avrebbe fatto e la aprii, e pensate un po': dentro c'erano dei soldi, un mucchio di contanti, ammassati ripiegati. Li contai e c'erano duemila dollari precisi di valuta legale in quella busta. Ok, prima cosa mi colpì cos'è che stava cercando Lorraine, ma quei soldi a che servivano?

Sto seduto lì accanto al letto e mi faccio delle domande e mi dimentico completamente di risistemare Dean da qualche altra parte, ed ecco che come un degiavù in reuind sento il rumore di una macchina che risale il vialetto e mi dico che è Lorraine che è tornata perché magari ha scordato qualcosa, allora ficco i soldi nello stivale e anche le lenzuola le poso com'erano prima. Poi tornai al piano di sotto, sistemandomi la faccia in un'aria tranquilla e serena che dentro non provavo, proprio per niente.

Andai alla porta e già sapevo che non era Lorraine perché il motore fa un suono diverso, da gran motore americano. Accesi la luce della veranda proprio mentre la macchina si fermava in cortile, e il mio cuore fece un saltino quando vidi una Pontiac verde come quella che Lorraine mi aveva chiesto se era il tipo in cui Dean era partito, ed eccomela qua. Il guidatore uscì e mi venne incontro, solo si ferma ai piedi della veranda quando mi vede che sto sulla porta, una persona che non si aspettava, una persona che non è Dean. Poi si riprese e ora è sulla porta, un tipo ossuto credo sui trentacinque con i capelli corti tranne che sulla nuca dove gli scendono oltre il colletto. Mi guardò con sospetto per un paio di istanti poi fa, come aveva fatto anche Lorraine, preciso uguale, «Chi sei tu?»

«Odell» risposi.

«Dean dov'è?»

«Al momento non c'è.»

Mi guardò, poi guardò nel corridoio, come se aspettasse che Dean saltasse fuori e mi sbugiardasse. «Be', dov'è che sta?»

«Da sua sorella, credo. Non mi ha spiegato.»

«E tu chi sei?»

«Odell.»

«No, bello, è un nome da negri quello. Qual è il tuo vero nome?»

«Odell.»

«Che siete tu e Dean, mica parenti?»

«Amici.»

La cosa non gli piaceva affatto. «Doveva essere qui. Ma torna o no?»

«Non credo, da come parlava. Credo ci sia stata un'emergenza familiare.»

«Cioè, tipo? Sua zia? Ha avuto un infarto?»

«No, Bree è in Florida in vacanza.»

«Be', cazzo, doveva farsi trovare qui. Ti ha mica lasciato niente? Quanto sei amico suo precisamente?»

«Be', siamo molto intimi, io e Dean.»

«Be', allora?»

«Allora cosa?»

«Ti ha lasciato qualcosa per me?»

Si stava agitando, e mi pareva che era il tipo che si prende le droghe, aveva una collanina di cuoio intorno al collo con un ragno d'argento al centro. Aveva uno sguardo furtivo e irrequieto, come ce l'aveva Dean prima che morisse, per cui sono della stessa schiatta, mi dico. Se fossi un uomo di minori dimensioni adesso sarebbe molto più incazzato per l'assenza di Dean, lo capivo solo a guardarlo.

«Tipo?» gli chiesi.

«Santo Dio, bello... pagamenti, come eravamo d'accordo.»

Insomma vuole i soldi che cercava Lorraine. Pensai al da farsi considerando quest'aspetto. Delle due preferivo che andassero a Lorraine invece che a questo qua perché lei mi piaceva e lui no.

«Come ti chiami?»

«E che cazzo sarebbe, un test?»

Di colpo è preoccupato, e la ragione la sapevo: pensa che sono uno sbirro per via dell'uno e novanta e dei miei capelli che sono corti come ce li hanno gli sbirri, taglio a spazzola regolamentare, me lo sono fatto fare in Colorado la settimana scorsa per assomigliare di più a un soldato così magari mi prendono nell'Esercito, e lui sta pensando che la maglietta e gli shorts sono il mio travestimento.

«Dovrebbe essere qui» ripeté, «o se no se c'è un problema doveva chiamarmi. Se conosci Dean sai cosa voglio dire.»

Era una sfida, voleva farmi capire che diffidava di me. Volevo che se ne andasse per poter proseguire con quello che mi ero messo a fare prima, la faccenda delle sepolture, e sembrava che l'idea migliore fosse dare a questo tipo ciò per cui era venuto così se ne andava, altrimenti tornava. La cosa stava prendendo senza dubbio la forma di una situazione illegale, mi dico, ma non ci si può far niente.

«Qualcosa te l'ha lasciata» feci.

«Davvero? Be', ottimo, mi fa piacere. Me la passi mica?»

«Devo darla alla persona giusta.»

«Gesù... ok, sono Darko.»

«Darko?»

«Donnie, ma mi chiamano Darko per via del film.»

«Che film?»

«Cazzo, bello, non ci vai al cinema? *Donnie Darko*, che cazzo.»

Capivo che non mi stava mettendo alla prova con un falso nome per vedere se sapevo davvero chi doveva raccogliere i soldi. Fosse stato così avrebbe detto che si chiamava John o Frank o qualcosa del genere, non Donnie Darko.

«Aspettami qua.»

Salii di sopra e presi i soldi, poi tornai giù e glieli diedi. Soffrii a farlo, anche se i soldi in fondo non erano miei, ma sembrava la cosa più sicura da fare. Li prese e li contò poi mi fa Torno subito, e se ne andò alla macchina, aprì il portabagagli, prese un pacchetto e lo portò a me. Era avvolto nella carta di giornale e completamente ricoperto di scotch, era grosso come un cestino da pranzo. Non era più nervoso come prima, ora che aveva preso i soldi ed era sicuro che non ero uno sbirro.

«Dì a Dean che la prossima volta voglio trovare lui, non un sostituto.»

«Ok.»

Salì in macchina e se ne andò. Mi sedetti sul dondolo in veranda per un po' per vedere se si presentava qualcun altro, ma non venne nessuno. Si chiama adattamento alle circostanze, e stavo scoprendo molto in fretta che ci ero portato.

A quel punto era abbastanza tardi, e avevo passato una giornata lunga e molto dura con tante sorprese che non me ne aspettavo nemmeno una, il che può stancare, per cui decisi di sistemare Dean e Bree domani, la mattina prestissimo. Mi feci una doccia e andai a letto, avevo già passato una notte sul divano e una notte sul dondolo in veranda, per cui stavolta feci la cosa più ragionevole e usai il letto di Bree, anche se in camera sua c'era un profumo stucchevole di quelli che senti addosso alle signore anziane. Devono pensare che iniziano a puzzare quando invecchiano o qualcosa del genere.

cinque

Non c'è niente di meglio di una bella notte di sonno per risvegliarsi con una visione migliore delle cose, delle cose che la notte prima ti sembravano oscure e strane. Penserete che devo aver sognato i fatti di questi giorni ma non è così, il che significa che non ho la coscienza sporca come pensavo di averla. Ripensai a tutto quello che avevo fatto, e non bastava a fare di me una persona cattiva. Colpire Dean con la mazza, non volevo mica ucciderlo e infatti non l'ho colpito molto forte. Non so per cosa è morto di preciso, ma dev'essere stato qualcos'altro capitato dopo, uno sviluppo a livello medico nella testa non causato da me. Quindi ero non colpevole, così mi sentivo, ed era una bella sensazione. Sì però se andavo a seppellirli tutti e due, Dean e Bree, sapevo che poi allora mi sarei sentito male e in colpa e una persona malvagia, e non mi ci volevo sentire, chi lo vorrebbe? Ma se non li seppellivo che altro potevo fare di loro per evitare guai? Restai sul letto a pensarci, guardavo la luce del sole strisciare lungo il soffitto lenta e serena. Sono sempre stato uno che si alza presto e sono uno che pensa bene a quell'ora prima di levarsi dal letto e salutare il giorno, finora sono solo le 06:18 dice l'orologio di Bree sul comodino, non devo alzarmi e posso continuare a pensare come stavo facendo.

E funzionò, pensare, perché mi venne in mente un nuovo piano ed eccolo qui: non li seppellirò, nessuno dei due, dirò a Lorraine che sono sceso a prendere una cosa in freezer per la colazione e rovistando ho trovato Bree, è stato un grosso choc come potete immaginare, poi ho sentito un cattivo odore e ho pensato non può essere Bree perché lei è congelata, dev'essere qualcos'altro là sotto che appesta la stanza, non mi ci è voluto molto per trovare Dean ficcato sotto le scale... Ma non funzionava perché avevo già detto a Lorraine che suo fratello era partito col tizio della Pontiac verde. Per cui Dean è ancora da risolvere, ma almeno abbiamo spiegato Bree, con ciò intendo che sembrerà proprio che è Dean che l'ha uccisa, cosa peraltro vera, e poi è scappato con la Pontiac... ma voglio anche darle il pacco consegnato dal tizio della Pontiac ieri sera per far felice Lorraine perché ha avuto quello che cercava in fin dei conti – il pacco, non i soldi, finalmente l'ho capito – per cui se il tizio della Pontiac, Donnie Darko, è venuto l'altra sera con il pacco come mai non aveva portato Dean con sé?... E l'odore farà capire a Lorraine che Dean è morto da un pezzo ormai... e non funzionerebbe, dovevo rimettermi a pensare.

Entrai in agitazione perché il problema non era risolto, e mi alzai dal letto. Decisi finché l'aria era fresca di riempire la buca nel cortile prima che mi venisse la tentazione di seppellirci Dean, il che avrebbe fatto di me un criminale. Ci volle circa un quarto d'ora e ne venne fuori una discreta montagnola che ci sarebbe voluto un bel po' per appianare, ma per nasconderla alla vista bastava spostarci sopra il pollaio come sono sicuro era intenzione di Dean. Per cui feci così, e secondo i suoi desideri, si può dire, trascinai il pollaio e lo posizionai sopra la montagnola di terra, il che fece chiocciare di rabbia le galline perché gli avevo incasinato la casa, ma in quel modo era perfetto, la montagnola dentro era nascosta alla vista e non la potevi vedere a meno che non sollevassi via il pollaio per guardare, e chi avrebbe fatto una cosa del genere? Nessuno, ecco chi. Dove fino adesso c'era stato il pollaio ora rimaneva una chiazza quadrata di terra arata insieme a merda di gallina, ma è una cosa naturale e non attirerà l'attenzione di nessuno, mi dico.

Questa cosa era fatta, ma dovevo ancora capire che fare di Dean, che qui capitava come l'odiosa mosca nella minestra. Salii in camera sua, dove l'odore era parecchio peggiorato perché Dean si era messo a cagarsi addosso, non chiedetemi come può fare una cosa del genere un morto perché l'aveva fatto, per cui camera sua adesso era impossibile starci dentro. Cosa feci, presi un lenzuolo che avanzava dal ripostiglio e lo stesi sul pavimento, poi trascinai Dean fuori da sotto il letto e lo avvoltolai nel lenzuolo e lo trascinai al piano di sotto e fuori nel granaio tanto per far sparire da casa quella puzza. Lo misi su nel fienile, fuori pericolo, dove nessuno avrebbe mai sentito soffiare il suo fetore e sentir puzza di bruciato. Era una buona cosa che avessi già riempito la buca in cortile o sarei stato tentato di buttarci dentro Dean solo per sbarazzarmi dello schifo che emanava, non esisteva proprio che riscavassi la buca per cui può benissimo restare nel granaio per adesso intanto che penso ancora a come sistemare questa faccenda.

Mentre ero nel granaio controllai la tabella dei lavori di oggi, non c'erano prati da tosare fino alle undici, il che era perfetto per la prima parte del mio piano. Feci una doccia e misi i miei vestiti in lavatrice perché mi ero fatto una sudata riempiendo la buca e trascinando Dean nel granaio, poi andai a telefonare a Lorraine. A quel punto avevo proprio fame ma se quando arrivava Lorraine trovava la casa invasa del profumino della colazione non sarebbe parsa una bella cosa visto che dovrei essere sotto choc per il ritrovamento di Bree giù nel freezer. La storia ce l'avevo pronta in testa, chiamai il numero di Lorraine segnato accanto al telefono come mi aveva detto. Il telefono squillò alcune volte poi la sua voce fa «Pronto?» Sono ancora le 07:20 e potrei averla svegliata.

«Ehi, Lorraine» faccio, «sono io.»

«Chi?»

«Sono io, Odell.»

«Odell?»

«Sì, come stai?»

«Che vuoi, Odell?» Aveva un tono burbero, l'avevo svegliata.

«Be', ho una notizia buona e una cattiva. Quale vuoi per prima?»

«La cattiva» mi fa, il che mi sorprende. La gente di solito vuole prima la buona notizia per poter avere qualcosa a cui aggrapparsi quando vengono colpiti dalla notizia cattiva, ma ognuno reagisce a modo suo.

«Be' forse dovresti sentire prima quella buona.»

«Come ti pare.» La voce era ancora irritata.

«Insomma, stamattina vado al granaio sul far del giorno e ci trovo un pacco ad aspettarmi, per cui mi son detto magari era la cosa che cercavi tu ieri sera. Avevi detto un pacco, pensavo magari è quello.»

«Un pacco?»

«Proprio fuori dalla porta, tutto ricoperto di scotch.»

«L'hai aperto?» Ora la voce era sveglia, e anche molto presa, avevo ottenuto tutta la sua attenzione.

«No.»

«Bene, non aprirlo. Quando arrivo mi aspetto di trovare il pacco assolutamente intatto. Come diavolo c'è arrivato?»

«Me lo stavo chiedendo anch'io, e credo che qualcuno debba averlo lasciato nella notte. Io ho il sonno pesante per cui è successo mentre dormivo, proprio, non mi viene in mente altro.»

«Metti quel pacco da qualche parte, nascondilo, e lasciacelo finché non arrivo io.»

«Ok...»

Poi mi attaccò in faccia, il che mostra quanto fosse agitata per il pacco, non voleva nemmeno sentire la cattiva notizia. Agganciai la cornetta dicendomi che era stato furbo non spiegare che avevo trovato i soldi e che avevo parlato con Donnie Darko, cosa che se glielo dicevo erano cazzi, come si suol dire. Questi piani della mattina presto sono in genere i migliori.

In venti minuti circa era già da me, in uniforme come ieri sera, e senza nemmeno darmi il buongiorno mi dice che è un sollievo vedere che non l'ho aperto come mi aveva chiesto. Se lo rigirò in mano un bel po' di volte poi mi fece raccontare da capo la storia di come l'avevo trovato in veranda, accanto alla zanzariera. Quella parte non le piaceva, me ne rendevo conto, era misteriosa e poco chiara, entrambe cose per cui certa gente si stranisce parecchio. Io non mi ero stranito perché per me non c'era niente di misterioso e poco chiaro nella situazione, solo una semplicissima frottola per indorare un po' la pillola.

«Devo fare colazione» disse posando il pacco. «Ti spiace?»

«Be', su questo c'è un problema.»

«Che problema? Non ti sei divorato tutto il cibo, non mi dire? Il freezer è pieno, mi hai detto.»

«Be', a proposito del freezer, c'è un problema. È la cattiva notizia che ti avevo annunciato ma poi hai attaccato il telefono così in fretta che non ho fatto in tempo a dartela.»

«Se è rotto, chiama un elettricista, tienilo chiuso così non se ne va il freddo.»

«No, funzionare funziona, ma dentro c'è una cosa che non è cibo surgelato. Ok, è surgelato, ma non è cibo...»

«Odell, mi fai venire il mal di testa. Che cazzo c'ha il freezer?»

«C'ha dentro Bree.»

Le guardai il viso. Sta pensando, Bree è nel freezer... e a un certo punto comprende, solo che in realtà non vuole comprendere.

«Bre...?» la sua voce è tutta minuscola e dolce come quella di una bambina, un lato di Lorraine che non avevo ancora visto, ha un lato più dolce, cosa che mi piace.

«Sono sceso a prendere qualcosa per colazione» le dissi, attenendomi al copione, «niente, rovisto in giro per trovare qualcosa che non sia pizza, che a colazione ci sta male, va bene solo per pranzo e cena, in genere, magari qualche salsiccia e qualche cialda da colazione, e a quel punto ho trovato lei. Non so come dirlo... è morta. Mi spiace un sacco.»

Mi guardò tipo che le avevo appena detto che un disco volante era atterrato sul tetto, dopodiché fece una cosa che non mi aspettavo, ossia mi diede un ceffone in faccia, molto violento, e lei è una donna di peso come ho detto, per cui mi fece male.

«Non mi raccontare stronzate! Stronzo!»

Non restituii il colpo, ovviamente, è una donna sotto choc e quello che ha fatto è perdonabile, ma ero pronto a fermare un secondo ceffone se ce n'erano altri in arrivo, ma non ce n'erano, solo mi continuò a guardare, leggendomi negli occhi per vedere se dicevo la verità, e di fatto sì, la dicevo, in gran parte. Poi schizzò fuori dalla cucina e scese giù in cantina per investigare la situazione. Restai dove mi trovavo, non volevo immischiarmi nel dolore familiare, è una cosa molto privata riservata ai membri di una famiglia. Poi udii quello che più o meno mi aspettavo, ossia un urlo, ma breve. Poi dopo un po' tornò di sopra e mi guardò dritto in faccia. «C'entri qualcosa?» mi chiese, con voce freddissima, la bocca stretta stretta.

«No, io l'ho solo trovata giù di sotto» risposi, e stavolta era la pura verità.

«Allora è stato Dean» fece, lasciandosi crollare su una sedia e fissando il piano del tavolo. «Oh, Dio... l'ha fatto...» Alzò gli occhi per guardarmi. «Quando è partito, aveva con sé bagagli, una valigia, qualcosa?»

«No, solo i vestiti che aveva addosso, a meno che in tasca non avesse qualcosa che non gli ho visto.»

«Potrebbe essere» mi fa, come parlando tra sé. «Ha preso i soldi e... poi è tornato per consegnare il pacco. Oh Gesù, Dean, dovevi proprio incasinare tutto?»

Era infuriata col fratello. Restai zitto, non sapevo da che parte andare. La faccia di Lorraine si era fatta così pallida, la bocca pendeva mezza aperta, ma non nel modo poco attraente della bocca di Dean.

«Vuoi ancora far colazione?»

«No, non voglio far colazione! Chiudi quella bocca e lasciami concentrare!»

«Ok.»

Rispettai i suoi desideri anche se ormai mi brontolava lo stomaco, restai seduto e zitto al capo opposto del tavolo a guardare il muro e di tanto in tanto il soffitto. Lorraine, è altrove, da qualche parte, a pensare con tutte le forze alla situazione. Infine mi guarda negli occhi e dice «Mi sa che devi aiutarmi, Odell».

«Ok.»

«Non c'è modo di tenerti fuori da questa storia. Ti hanno visto in giro col suo furgone a falciare i prati coi suoi tosaerba, non puoi sparire nel nulla. Credimi, lo preferirei anch'io, ma non è possibile al momento. Signore onnipotente, Dean alla fine l'ha fatto, è impazzito fino in fondo e l'ha uccisa. Non avrebbe mai dovuto lasciarlo restare qui, zia Bree, lui era troppo...» Lorraine si mise a dire quanto era pazzo Dean, completamente sbroccato fin da piccolo senza amici dalla sua parte a scuola e un pessimo curriculum lavorativo, che è il motivo per cui zia Bree gli aveva messo su questa piccola impresa che se la passava bene ma dietro il sorriso del tosatore provetto c'era dell'altro, un folle in attesa di venire fuori. Si faceva, mi raccontò, si faceva di tutto, il che non facilitava per niente il lato folle, e lui e Bree litigavano parecchio perché lui non tornava a Gesù per salvarsi. Bree ci stava sotto col Signore, tutto il tempo davanti alla tele a guardare i programmi in seconda serata, cosa che avevo capito da solo per via di Chet e di Bob il Predicatore chiamati a sistemare la situazione, ma a Lorraine questo non lo potevo dire, chiaramente. E in cima a tutto mi fa Dean ha un problema di «sessualità irrisolta» che significa che era tipo gay a quanto diceva lei, solo non voleva ammetterlo neppure a se stesso.

«Ci ha provato, con te?» mi chiese.

«No... tranne forse la prima notte quando mi ha svegliato dicendo che gli sembrava di aver sentito qualcuno che si aggirava per casa, ma non era nessuno.»

«Poi cos'è successo?»

«Be'... niente, è tornato a dormire, solo come mi aveva svegliato era strano, mi aveva sussurrato nell'orecchio. Ero morto di paura, se devo essere onesto. Non si svegliano così le persone a meno che non vuoi fargli una grossa sorpresa, e per me è stato così.»

«I conti tornano» disse, «Sei esattamente il tipo di persona di cui si innamorava sempre, grosso e alto, l'esatto opposto di Dean. Senti, non dire a nessuno questa parte della storia, ok? Non c'entra niente con quello che è successo qui.»

«Ok.»

«Tra poco chiamerà il capo della Polizia. È un amico per cui non mi farà le cose difficili, ma ti avverto, Odell, cadranno dei sospetti su di te viste le circostanze, questo lo capisci?»

«Be', certo...»

«Il che significa che dovrai limare un po' la verità, mi segui?»

«Certo. In che modo?»

«In che modo, intanto lasciando fuori la parte su Dean che ti sveglia sussurrandoti nell'orecchio, poi devi lasciar fuori la parte su Dean che se ne va con il tizio della Pontiac verde, e soprattutto la parte del pacco che hanno consegnato. Di quello non ne devi parlare a nessuno, ci siamo?»

«Ok. E come mai?»

«Perché te lo chiedo io. Credimi, renderà solo peggiore questa brutta situazione, e per tutti, non solo per Dean, per tutti, compreso te, ma soprattutto metterà in grossi guai me, ecco come mai.»

«Perché ti metterebbe nei guai?»

«Oh, Gesù... sarebbero guai punto. Ora, sentimi bene Odell. Ti piaccio?»

«A-ah.»

«Bene. Perché anche tu mi piaci, ma se dici a qualcuno, e soprattutto al capo della Polizia, di questo pacco, con ogni probabilità finirò in prigione. Ti piacerebbe vedermi in prigione, Odell?»

«No.»

«Bene, allora, cuciti la bocca sulla Pontiac e sul pacco e tutto andrà bene, a parte il fatto che Dean diventerà un ricercato. Non correrà lontano, non ha i contatti né il cervello. Gesù, Dean...»

Si ficcò la testa fra le mani e stette immobile per un po'. Il mio stomaco tuonava ma non credo lei se ne accorse. Avevo veramente fame ma che figura ci facevo se arrivavano gli sbirri e mi trovavano in cucina a sbocconcellare cialde e salsicce, con magari del bacon a parte, più il caffè, quando di sotto c'è una donna morta surgelata appena scoperta in cantina? Una brutta figura, ecco cosa, e non solo per me, ma anche per Lorraine. Vederla seduta lì con l'aria disperata per quanto era successo mi addolorò il cuore, per cui se voleva che limavo la verità come voleva lei, l'avrei fatto.

«Odell» mi fa, «dobbiamo stabilire per bene la storia di Dean e come se n'è andato. Ecco come sono andate le cose, seguimi attentamente.»

«Ti seguo.»

«Sono le dieci di sera circa, lunedì, e tu e Dean sentite un clacson. Uscite in veranda e c'è una macchina parcheggiata nel vialetto, abbastanza lontano da non poterla vedere bene perché è buio. Questo punto è importante: non riuscite a vedere né che modello è né chi ci sta dentro. Ma per Dean non c'è niente di strano, pare, così scende a parlare al tizio o ai tizi della macchina, poi torna e dice che deve partire per qualche giorno puoi mica aiutarlo con il lavoro fino al suo ritorno, visto che gli hai detto che l'avresti fatto perché lui è stato gentile con te anche se lo conoscevi da poco? Allora Dean se ne parte con questi tizi senza nemmeno un bagaglio – ricorda questo dettaglio visto che cercheranno in camera sua e troveranno il rasoio al suo posto e così via, per cui questa parte non la sbagliare, è partito con solo i vestiti che ha addosso. Suonerà insolito ma i fatti si terranno... tranne nel caso in cui becchino Dean e lui dia un'altra versione, e lo farà... Be', dobbiamo solo sperare che non lo becchino. Magari non lo beccano. Odio doverlo dire, ma Dean è così nei casini che potrebbe anche uccidersi per il rimorso o che ne so...»

Aspettai altre istruzioni da ricordare ma aveva finito.

«Puoi ricordartela tutta, questa storia, Odell?»

«Certo che posso, è semplice.»

«Ok» mi fa, e si alza. «Chiamo il commissario Webb. Hai le cartucce in ordine, Odell?»

«Cartucce?»

«Hai ordinato i pensieri su quello che è successo come ti ho spiegato?»

«Perfettamente.»

«Perché Andy Webb non è uno stupido. Cercherà di metterti in difficoltà per cui stai pronto.»

«Sono pronto.»

«Bene allora.»

E si mise a picchiettare il telefono col dito.

«Commissario Webb?» disse, «Lorraine Lowry. Digli che è urgente.» Passarono una manciata di secondi, poi fa, «Andy, c'è un problema da me. Sono a casa di zia Bree e... è morta. Omicidio, Andy... È nel freezer... Nel freezer, sì... E Dean è scomparso da un due giorni... Esatto... Andy, sarei come dire molto contenta se non passassi la notizia a giornali e tv prima del passaggio del medico legale, è mica possibile?» Pare di sì dal numero di Grazie che disse prima di agganciare. Poi raccolse il pacco e me lo agitò sotto il naso. «Sai cos'è che ho in mano?» mi chiese.

«Un pacco?»

«Sbagliato. Non c'è niente nella mia mano, perché nessun pacco è mai stato consegnato, hai capito bene? Non c'è mai stato nessun pacco. Se puoi tenere questa informazione chiarissima in mente io e te possiamo continuare a essere amici.»

«Mi piacerebbe.»

«Bene, anche a me piacerebbe. Tutti hanno bisogno di amici, soprattutto in presenza di una tragedia come questa. A questo servono gli amici, per coprirsi le spalle a vicenda e tenersi lontano dai guai con la legge. Appena cominciano i guai con la legge, sei fottuto, l'ho visto capitare ad altri. Dean, al momento è nei guai più seri in cui sia mai stato...»

Torno a sedere al tavolo e io pensai Ora piange, ma non pianse, guardò il pacco che aveva in mano e si alzò di nuovo, come non sapesse dove andare o cosa fare in quel preciso momento, poi mi fa, «Porto questo in macchina. Quando il pacco sparisce dalla cucina sparisce dai tuoi pensieri. Per sempre. Capito, Odell?»

«Capito.»

E se ne esce. Appena fui solo presi un pacchetto di biscotti dalla dispensa e ne ficcai in bocca tre o quattro tanto avevo fame stavo morendo, e poi altri tre o quattro, solo per smorzare un po' l'appetito come si suol dire, che il mio stomaco si torceva tanto che faceva male, ma quei biscotti tennero lontano il lupo in attesa di un pasto vero che avrei consumato più tardi, dopo il passaggio degli sbirri.

Lorraine tornò in casa mentre ingollavo gli ultimi biscotti e gettavo il pacchetto vuoto nel cestino sotto al lavandino. La sua faccia era molto scura e determinata per cui feci la stessa faccia così le nostre due storie combaciavano alle orecchie di Andy Webb. La cosa che avevo in mente era: se Lorraine e io riusciamo a sistemare questa vicenda ne usciremo molto uniti perché dicono che le tragedie uniscono, e dall'essere molto uniti chissà cosa può venir fuori? Provavo questi sentimenti per lei anche se è più vecchia di me, ma potevo passarci sopra se siamo fatti l'uno per l'altra come penso che siamo, Lorraine magari non ci stava pensando, visto che aveva altre cose per la testa al momento. Ma non io, io ci pensavo tanto a me e lei, il che aiutava a cancellare ogni traccia di pensiero su quel pacco, che sapevo chiaro e tondo che era una cosa illegale, ossia lei stava facendo una cosa contro la legge ma, ehi, nessuno è perfetto e potevo passar sopra a quel dettaglio perché l'amore è cieco.

Quello che dico è, chiudo non uno ma due occhi se serve a portarci la felicità, a me e a questa donna. Già avevo cestinato il mio piano di entrare nell'Esercito perché ha ragione lei, lei e pure Dean, che dicono che è da pazzi rischiare di farmi esplodere la testa in Iraq se Lorraine mi può trovare un buon lavoro come guardia carceraria. È un lavoro fisso visto che ci saranno sempre criminali da tenere sotto chiave per la protezione di noi tutti, per cui è un lavoro a vita che mi presentano su un piatto d'argento. Dovrei esser pazzo per rispondere no, e non sono pazzo.

Una ventina di minuti più tardi due macchine di sbirri e un'ambulanza accostarono e infilarono il vialetto, lenti e senza sirene perché non è mica un'emergenza, e le barre con i lampeggianti idem non lampeggiavano. Accostarono nel cortile, che si riempì di gente, e da subito era chiaro quale di loro fosse Andy Webb. Un tipo grosso, non grosso come me però, sui quarantacinque credo, e ha l'aria che deve avere un commissario di Polizia, dritto e duro allo stesso tempo, e con lui ci sono tre altri sbirri.

Restai a guardare dalla veranda mentre Lorraine scendeva a scambiare due parole. Lui le diede un abbraccio veloce, il che mi sorprese, non te lo aspetteresti da sbirri in azione sulla scena di un omicidio, ma lei aveva detto che erano vecchi amici per cui ok. Gli altri sbirri nemmeno ci fecero caso. Poi salirono tutti in casa e Lorraine mi presentò al commissario dicendo che ero un conoscente di Dean, cosa saggia da dire perché un conoscente non è una cosa intima come un amico, per cui se non avevo tutte le risposte sulla storia di Dean c'era un motivo, ossia che sono solo un conoscente, il che mi sarebbe stato di grande aiuto nell'interrogatorio.

Ci affrottammo tutti in cantina e lì Andy mi fa «Raccontami cosa è successo, come l'hai trovata».

Raccontai, e mentre parlo un paio di sbirri scattano foto di Bree nel freezer, e quando hanno quello che gli serve Andy dice di tirare fuori le pizze e il resto e tirarla fuori da lì, loro lo fanno, spostano da parte ogni cosa per bene finché non vediamo Bree tutta intera, e allora scattano altre foto, dopodiché è proprio ora di sollevarla fuori di lì, il che viene fatto con molta attenzione per via del rispetto per i morti. Si infilano perfino dei guanti di gomma per questa fase come nelle sale operatorie alla tv. Quando la tirarono fuori e videro come la maniera in cui era piegata in due aveva nascosto la ferita allo stomaco si guardarono tra loro come per dire ufficialmente ok si tratta di omicidio e fecero altre foto di Bree sul pavimento accanto al freezer con le pizze e i pisellini Birds Eye accanto. Poi i tizi dell'ambulanza del medico legale la sistemarono su una barella per portarla via e Andy mi dice che vuole parlarmi di sopra, per cui andiamo su.

Andy e un altro sbirro mi portarono in soggiorno e mi fecero sedere. «Odell» mi fa, «ti presento il detective sergente Vine. Ci serve che ci racconti cosa è successo dal momento in cui sei arrivato qui a stamattina quando sei sceso e l'hai trovata nel freezer. Hai tutto il tempo che vuoi, raccontalo come te lo ricordi. Non lasciar fuori niente anche se pensi sia un dettaglio così piccolo che non ha importanza, perché potrebbe avercela, non si può mai sapere.»

Devo aver parlato per un quarto d'ora dei miei problemi con la macchina e di Dean che mi ha ospitato e dato da mangiare eccetera solo che ho detto che era accaduto sabato sera e non domenica sera, il che ci dà un giorno in più per fare amicizia e spiegherebbe come mai si fidava abbastanza da chiedermi se potevo tosare i suoi prati finché non tornava. Non l'avrebbe fatto se ci fossimo incontrati solo quel giorno, mi dico, e tutto deve suonare convincente. Mentre parlavo sentii l'ambulanza che partiva ossia zia Bree ha lasciato l'edificio.

Quando ebbi finito Andy mi fissò per un pezzo poi fa, «La storia non fila, Odell. Dopo solo due giorni un uomo si fida di te al punto da affidarti il suo lavoro? Parte senza neanche fare i bagagli e se ne va in macchina con qualcuno che non hai visto e non sai neanche che macchina era?»

«Quando è successo mi è parso molto strano» dissi, «ma è andata così. Ero felice di tosare i prati, però. Mi ha trattato bene, per cui non mi facevo problemi. Ce li ho ancora i soldi dei pagamenti, i soldi dei clienti. Ve li posso mostrare. Non ne ho speso un centesimo, sono due giorni di lavoro.»

«Due giorni? A quanto dici è partito lunedì sera per cui è solo martedì che hai lavorato.»

Pensai in fretta e decisi che la verità suonava meglio.

«Be', ho tosato l'erba per lui anche lunedì, per il fatto che aveva i postumi della sbronza di domenica notte. Non dovrebbe bere così tanto, non ha il fisico, ma l'ha fatto uguale. Per questo si è fidato che tosassi l'erba per lui martedì quando è partito, perché già gli avevo fatto vedere lunedì che ero in grado di fare il lavoro. Ho qui i soldi.»

«Nessuno ti accusa di niente, Odell, vogliamo solo sapere la storia completa. Dean te l'aveva detto che non gli piaceva sua zia?»

«Be', quello che ha detto è che avevano litigato su un paio di cose.»

«Che paio di cose?»

«Be'... di religione, sostanzialmente.»

«Religione?»

«Lui voleva diventare musulmano, ha detto.»

«Musulmano?»

«Dean non voleva più essere cristiano, per cui stava pensando di diventare musulmano. Mi ha detto che sua zia era una cristiana irriducibile e aveva da obiettare, che si credeva in diritto di opporsi perché gli aveva messo in piedi l'impresa di tosaerba.»

«E tu le hai sentite di persona queste litigate?»

«Nossignore, zia Bree era in Florida, mi aveva detto, per cui fino a oggi non l'avevo conosciuta la signora.»

Non mi credevano, lo capivo, e la cosa un po' mi spaventava e allo stesso tempo mi faceva infuriare perché sto solo dicendo un dieci per cento di bugie e si comportano come se dicessi il novanta per cento o oltre. Allora snocciolai un altro po' di verità per raddrizzare le cose. «In camera ha dei libri. Libri musulmani. Me li ha mostrati e ha detto che dovevo pensarci anch'io a passare ai musulmani perché i cristiani non la vedono giusta mentre loro sono quelli che hanno capito tutto. Mi ha detto che l'America è spacciata a meno che non smettano tutti di essere cristiani e passino agli islamici come sta facendo lui.»

«E tu che gli hai risposto?»

«Gli ho detto che sono fiero di essere americano e anche se non sono un praticante regolare è meglio essere cristiani che uno di quegli altri.»

«E a quel punto? Si è arrabbiato?»

«No, ha riso e mi dice che ho torto su tutta la linea e un giorno, presto, mi renderò conto di quanto ho torto e me ne pentirò e così faranno gli altri.»

«Quali altri?»

«Non l'ha detto. I cristiani, credo.»

«Era una minaccia la sua?»

«Non proprio.»

«E durante questa conversazione religiosa non ha mai

avuto l'aria di uno che ha ucciso sua zia e l'ha chiusa nel freezer giù in cantina?»

«No, in quel caso l'avrei notato. Si comportava da persona normale, a parte i discorsi sull'islam. I libri ce li ha nell'armadio.»

Andy annuì in direzione di Vine e se ne andò di sopra.

«Rilassati, Odell, hai l'aria nervosa.»

«Non voglio che la gente pensi che ho fatto qualcosa di male.»

«Nessuno lo sta dicendo.»

«Ma quegli altri, quelli della macchina, potrebbero pensarlo quando leggeranno questa storia sui giornali. Potrebbero tornare per vendicarsi.» Questa suonava bene, mi dissi.

«Hai detto che non riuscivi a vederli, né a capire quanti erano. Magari là fuori c'era una persona sola.»

«Certo, ma li ha chiamati fratelli, ma che non ce li ha me l'ha detto Lorraine, ha solo quella sorella.»

«Fratelli?»

«Sissignore, così ha detto quando è tornato su per il vialetto a dirmi che doveva partire lì sul momento... perché i suoi fratelli volevano che partisse e non poteva dire di no.»

«Questa cosa sui fratelli prima non l'hai detta, e a Lorraine nemmeno gliene hai parlato, non me l'ha detto.»

«Be', è che... quello che ha detto mi metteva in difficoltà, che noi cristiani avevamo torto eccetera. Lei non avrebbe voluto sentire che suo fratello diceva robe del genere.»

«Per cui dici che secondo te in quella macchina c'era un mucchio di musulmani?»

«Non lo so chi erano, so solo che ha detto che erano i suoi fratelli e che doveva andare e l'erba la potevo tosare io per qualche giorno.»

Andy restò seduto pensoso e mi guardava, mi stava ancora fissando quando Vine tornò indietro con i libri musulmani e li mostrò a Andy. Vine portava i guanti di gomma mentre Andy no per cui non voleva toccare i libri che ora sono prove, scommetto. Vine gli mostrò le copertine e poi li mise tutti in una busta di plastica e li portò via così siamo di nuovo soli, io e Andy.

«Odell» mi fa, «hai mica avuto l'impressione che Dean fosse un terrorista? Sai cosa significa, vero?»

«E certo, tutti sanno cosa sono i terroristi. L'undici settembre, quelli erano terroristi.»

«Perfetto, e tu stai dicendo che secondo te Dean magari pensava di entrare a far parte di quelle cose?»

Avevo già raccontato un'alta percentuale di bugie sui fratelli nella macchina e avevo già messo Dean in cattiva luce, non che importasse visto che è morto, ma Andy questo non lo sa per cui non volevo avere l'aria di quello che punta il dito contro un uomo che con me è stato gentile.

«No, non direi. Ha solo detto che doveva partire coi fratelli.»

È ok dire bugie su un uomo morto che è un assassino? Mi ponevo questa grossa domanda perché cominciavo a sentirmi in colpa. Mi sono dovuto dire che lo facevo per Lorraine, così come non menzionavo il pacco, in modo che potessimo vivere una vita felice, insieme, e se calunniavo Dean alle sue spalle quello che dicevo era in parte vero, e non posso danneggiarlo a causa che è morto, e allora il senso di colpa da dove spuntava? Forse mi sentivo così solo perché ancora non avevo fatto colazione e quello è sempre stato un pasto fondamentale per me, quello che ti mette in moto per affrontare la giornata e senza una buona colazione puoi rimanere a corto di energie a metà mattina e allora ti metti a fare spuntini tra i pasti il che ti porta diretto all'ultraobesità in bambini e adulti è uguale al giorno d'oggi.

Andy si alzò in piedi. «Diamo un'occhiata alla tua macchina» disse, al che mi alzai anch'io e andammo nel granaio, luogo in cui avrei fortemente evitato di andare per via di voi-sapete-chi riposto nel fienile, ma restai comunque calmo. Venne anche Vine e lui e Andy si aggirarono intorno alla mia Monte Carlo.

Vine si appunta il numero di targa nel blocchetto da sbirro, sicuro guarderanno nei registri e scopriranno se la macchina è mia, e lo è, ed è pure pagata, registrata come si deve e assicurata contro terzi per cui su questo nessun problema. E un'altra buona cosa è che puzza di Dean non ne sentivo, era sistemato troppo in alto, ma le cose sarebbero cambiate quando avrebbe cominciato a marcire sul serio, ossia presto, in fin dei conti è estate. Mi toccò pensare a un posto dove metterlo, dove non lo trovavano.

«Aprila» mi fa Andy, intende la macchina. Obbedii, poi mi disse di accendere. Il motore tossì un paio di volte e morì. Andy mi fece uscire, al mio posto salì Vine che provò ad accenderla, ma la macchina non ci stava. Il loro scopo è testare la mia storia dei problemi alla macchina, per cui adesso le cose filano perché fin qui non c'è una cosa una che possono dimostrare che l'ho detta ma è una balla. Frugarono in giro per la macchina, esaminarono la roba nel cruscotto, poi andarono a ficcare il naso nel furgone di Dean, ma lo so che non si aspettano di trovare prove. Tornammo in cortile e Andy mi disse di aspettare da queste parti mentre lui parlava con Lorraine che nel frattempo aveva parlato con gli altri due sbirri.

Andy e Vine tornarono in casa e io feci due passi così, aspettavo di vedere se qualcun altro entrava nel granaio ma non è così. Allora passeggio un po' nel cortile sul retro e i due sbirri che avevano parlato con Lorraine li trovo ancora lì che controllano in giro. Uno dei due sta guardando il quadrato di terra su cui stava il pollaio fino a stamattina, gli dà tipo dei calcetti, poi chiama l'altro e gli dice qualcosa che non riesco a sentire, magari perché parla a bassa voce a causa che sanno entrambi che sto lì a fare il vago, quello disinteressato. Poi si mettono uno da un lato uno dall'altro del pollaio e lo sollevano! Quando vidi cosa facevano il mio cuore iniziò a correre in modo allarmato e qualcosa di simile a una lama passò da parte a parte, e io sapevo che era paura, è chiaro ed evidente.

Spostarono il pollaio da una parte e lo posarono e c'era la montagnola di terra rivoltata di fresco e aveva proprio l'aria di ciò che non era: una tomba appena scavata. Mi avvicinai a loro come avrebbe fatto un uomo innocente e dissi «Questa l'hanno appena fatta, si capisce benissimo». Un uomo colpevole non l'avrebbe mai detto, ed è il mio modo per mandarli fuori strada senza darlo a vedere.

«Pare anche a noi» fa uno degli sbirri, poi l'altro si diresse verso casa. Mi avvicinai ancora alla montagnola ma il primo poliziotto mi fermò. «Stia indietro» mi fa, «è una prova.»

«Prova?»

«Mi puzza che c'è qualcosa sepolto qua sotto, e non sono galline.»

Mi avvicino tutto sbigottito, recito così bene che mi merito un Oscar, feci «Scommetto... Scommetto che là sotto c'è Dean!»

«Crede?»

«Scommetto che è lui! Lui o qualcun altro, comunque.»

«Può darsi.»

Restammo lì a guardare la montagnola mentre le galline beccavano la terra come noi non ci fossimo. Andy e Vine uscirono fuori con lo sbirro numero due più Lorraine, e restammo tutti e quattro lì davanti alla montagnola. «È recente» disse Andy. «Fate qualche foto poi scavatela.»

Lo sbirro con la macchina fotografica si diede da fare e poi cercarono in giro se c'era una vanga, facile da trovare visto che ne avevo lasciata una poggiata contro il muro della casa dopo aver finito di riempire la buca stamattina. Uno degli sbirri si tolse la giacca e cominciò a scavare via la terra mentre noi altri stavamo a guardare. E mentre anch'io facevo la mia parte ossia guardavo, alzai gli occhi su di loro e mi accorsi che loro guardavano me, Lorraine compresa, e sapevo che stavano tutti pensando che ero stato io, che avevo scavato una fossa e ci avevo messo Dean e l'avevo coperta con il pollaio. Era talmente ovvio che lo stessero pensando, ed era da fuori di testa sentirsi giudicati a quel modo, per cui ad alta voce e con tono molto fermo dissi «Non sono stato io». Perfino alle mie orecchie suonò come la voce di un bambino beccato davanti ai cocci di una lampada.

«Nessuno ha detto che sei stato tu» fa Andy, e non sembra per niente sincero.

Ero sconvolto ma provai a non darlo a vedere. L'unica cosa che avevo fatto era riempire una buca, ed eccoli lì che mi guardavano, quattro sbirri e Lorraine, tutti a pensare di me il peggio. Non mi importava degli sbirri ma mi feriva che Lorraine mi guardasse a quel modo. Un secondo sbirro sostituì il primo che si era stancato e presto arrivò in fondo alla buca. Si capiva che era il fondo perché la terra non era più morbida e facile da scavar via. E ovviamente dentro non c'era nessuno, il che non era una sorpresa per me ma di certo lo fu per loro. Adesso mi ignoravano, come se all'improvviso fossi sparito dal sospettoscopio, cosa peraltro ottima.

«Non ha senso» disse Vine a Andy, che pure lui aveva l'aria perplessa, e Lorraine evitava il mio sguardo, forse era imbarazzata per aver pensato che avessi seppellito suo fratello sotto il pollaio.

«Mostrami le mani, Odell» fa Andy, e obbedii. Mi guardò i palmi e li tastò per bene, poi mi voltò le mani e controllò le unghie, che avevo pulito con uno spazzolino da unghie nella doccia quella mattina prima di telefonare a Lorraine. Non c'è segno di calli sui miei palmi perché avevo usato i guanti da tosaerba per darci di vanga e poi li avevo rimessi nel furgone.

«Riempitela» disse, e il primo sbirro prese la vanga, ma stavolta non era eccitato come prima. Andy mi fa, «Quanto diresti che sia recente quella terra scavata, Odell?»

«Direi cinque minuti ormai.»

«Voglio dire, prima che la scavassimo noi. Non c'era cacca di gallina sopra eppure il pollaio stava sulla montagnola.»

«Be', quelle galline, io ho notato che praticamente manco ci vanno mai nel pollaio. Vedi com'è sfasciata la porta? Non si riesce a tenerle dentro se non vogliono, e secondo me non vogliono. Se fossi una gallina vorrei essere libera e usare tutto il cortile, non farmi rinchiudere in un pollaio. Comunque Dean mi aveva detto che dovevo star lontano dal cortile sul retro perché ci aveva visto un serpente a sonagli. Ha pure detto di usare l'asciugatrice automatica nella stanza con la lavatrice e non la corda da bucato qui fuori perché non voleva che mi mordevano che poi lo denunciavo che la responsabilità era sua. Che non l'avrei fatto, però, non sono il tipo.»

Mi guardavano tutti come fossi un idiota tranne lo sbirro che spalava, e io dicevo la verità, il che dimostra come la gente non si può mai capire fino in fondo e sapere quand'è che si sta dicendo la verità.

Andy si grattò la testa, poi mi fa «Stai dicendo che è stato Dean a scavare questa buca e a ricoprirla?»

«Be', non saprei, non l'ho visto quando l'ha fatta. So solo che non sono stato io, ma è recente come dite anche voi perché non si è seccata in cima come sarebbe il caso se non era recente.»

Penserete che mi stavo mettendo un cappio al collo a parlare così, a parlare in modo incriminante, ma lo facevo perché non si potevano aspettare che uno dicesse qualcosa che lo mette in cattiva luce, per cui così parevo ancora più innocente di quanto sono.

Lorraine disse «Con il pollaio sopra, che impedisce al sole di batterci, quella terra può sembrare fresca e umida, e se le galline sono restate fuori ecco spiegata l'assenza di cacca».

«Ok» fa Andy, «ma non spiega per che cacchio di motivo uno ha fatto una buca e poi ha deciso di non usarla.»

«Magari Dean l'aveva scavata per metterci Bree ma poi ha cambiato idea per qualche motivo e l'ha messa in freezer.» Lorraine stava facendo del suo meglio per riportare l'attenzione su Dean, che era scomparso in Circostanze Sospette come dice il detto. Andy tenne gli occhi sulla terra che veniva rispalata nella buca velocemente e stava pensando pensieri da sbirro, probabilmente pensieri sul perché di quella cosa e il chi l'aveva fatta.

«Sto pensando di girare questa faccenda alla Sicurezza nazionale» fece Andy a Vine.

«Perché?»

«Questa pista musulmana, non mi piace.»

«È un po' vaga però, non credi?»

«Uno in grado di uccidere sua zia per una litigata sulla religione ce l'ha dentro d'esser terrorista. Non è tornato da dove se n'è andato, per cui penso che stia con gente che la vede come lui. Alla Sicurezza nazionale sapranno se da queste parti c'è una cellula attiva.»

«Da queste parti?» Dal tono di Vine pareva che Andy avesse visto delle fate a Callisto, Kansas.

«Perché no?»

Ora abbiamo coinvolto la Sicurezza nazionale, e quella sì che è un'organizzazione importante. Dean qui ha dato il via a una cosa, e io sono arrivato e ho annaffiato il suo giardino per così dire con il mio dieci per cento di balle, ma ora è troppo tardi per tirarsi indietro. Pensai che avrei fatto bella figura a difendere Dean, adesso, a mettermi contro quello che pensavano tutti, perché mi avrebbe di nuovo fatto passare per innocente. «Dean non farebbe mai il terrorista» dissi, «è un tipo troppo alla mano. Guardate come si è fidato che gli tosassi l'erba e a malapena mi conosceva. Uno che si fida, non è un cattivo. I terroristi sono cattivi.»

Andy mi squadrò e disse, «È stato abbastanza cattivo che ha ucciso sua zia. O non ti pare abbastanza cattivo, Odell?»

Dissi «Magari quello l'ha fatto qualcun altro di cui ancora non sappiamo».

È chiaro che mi considerano uno stupido per aver pensato una cosa del genere, ma va bene se pensano così di me perché li distrae, che è il mio piano e cascarono nella trappola che avevo teso perché la conversazione dopo quel momento non poteva più andare da nessuna parte.

Quando la buca fu di nuovo piena gli sbirri si prepararono ad andare. Avevano messo il fucile di Dean in una busta di plastica. Andy fece prima una lunga chiacchierata con Lorraine, poi venne da me. «Odell, sei un testimone chiave in questa indagine, per cui dovrai restare per un po' da queste parti, tenerti a disposizione per altri interrogatori. A breve degli agenti speciali ti rifaranno le domande tutto daccapo. Nel frattempo se c'è qualcosa che ti torna in mente e non mi hai già detto, chiamami a qualunque ora, potrebbe essere importante.»

«E il pollaio? Crede che dovrei rimetterlo sulla montagnola?»

«No, per adesso lascialo dove sta.»

Gli sbirri confabularono ancora per un po', poi salirono sulle loro macchine da sbirri e se ne andarono. Io e Lorraine li guardammo partire, poi lei si voltò e mi disse «Molto bene, Odell. Hai recitato alla perfezione. Avevi un'aria così colpevole che perfino io ho creduto che avevi seppellito qualcuno, e invece nella buca non c'era niente e tu parevi uno scemo. Geniale».

«Devo prepararmi per andare a lavoro. C'è un prato da tosare alle undici.»

«Vuoi continuare con i prati?»

«Quando torna Dean gli piacerà che ho tenuto in piedi la sua impresa, altrimenti i clienti chiameranno qualcun altro e lui dovrà ricominciare tutto di nuovo.» Credo sia da dritti parlare di Dean come fosse ancora vivo, possiamo chiamarlo travestimento verbale.

«Odell» mi fa, «è carino da parte tua, ma tu lo sai meglio di me che Dean non tornerà per tosare l'erba, ammesso che torni. Lo capisci che è lui che ha ucciso Bree, eh? Mi fa piacere che stai tanto dalla sua parte, che dici queste cose, ma è chiaro come il sole che è stato lui e adesso sta scappando con un mucchio di terroristi che faranno Dio solo sa cosa. Ma tu continui a tosare i prati, non c'è motivo per smettere sono contanti che ti puoi tenere finché non parlo ai ragazzi della prigione per quel lavoro. Ancora interessato, vero?»

«Hai voglia.»

«Perché quando questa storia tremenda si sgonfierà dobbiamo tornare tutti alla vita reale, il che significa un mestiere per pagare l'affitto e mettere del cibo nel piatto. È quello che vuoi, vero?»

«Un lavoro fisso, ecco cosa voglio.»

«Bene, forse quello te lo trovo io.» Si voltò a guardare la casa. «Adesso è casa mia, Bree tanto tempo fa mi disse che aveva preparato un testamento in cui dopo la sua morte la casa diventa mia e di Dean, e in qualche modo credo che Dean non tornerà a reclamare la sua metà.» Fece un lunghissimo sospiro di tristezza che mostrava quale persona umana era, ossia il genere migliore da frequentare. «Nel frattempo ti sarei grata se restassi qui a tenere d'occhio la casa finché non mi ci trasferisco io. Quando la faccenda arriverà sui giornali sarà pieno così di gente che allunga il collo per controllare la scena del delitto, ci saranno i giornalisti, ce la puoi fare?»

«Dirò solo No comment.»

«È la cosa migliore.» Mi posò una mano sul braccio. «Ti sono grata, veramente, Odell, per il pacco e tutto il resto. Sarebbe orribile attraversare tutto quello che sta per succedere, l'imbarazzo, la pubblicità, senza qualcuno ad aiutarmi come fai tu.»

«Non c'è problema, mi piace aiutare.»

Ritrasse la mano. «Devo andare al lavoro. Sono già in ritardo ma non faranno problemi se gli dico cosa è successo. Gli dirò che mi hai aiutato, Odell, e la cosa gli si pianterà in testa come una testimonianza in tribunale così forse sarà più facile che ti diano il lavoro, almeno è quello che spero.»

«Ok.»

«Ti chiamo stasera» mi fa mentre sale nella sua macchina.

La vidi andare via, poi guardai l'ora sul mio orologio. È un modello economico, 29,95 dollari, ma tiene bene il tempo. Avevo un'ora e undici minuti al primo prato da tosare. Per prima cosa, lavai il cappello da baseball di Dean con acqua e sapone in caso avesse addosso prove di reato così minuscole che non le potevo vedere ma che quei dritti della Crime Scene Investigation possono scovare con la luce laser. Passo successivo, andai nel granaio e presi di nuovo i guanti per tosare l'erba, poi afferrai Dean, che ora puzzava di brutto, e lo trasportai giù sul retro, deponendolo a terra con delicatezza. Poi scavai di nuovo la buca a tempo di record, la terra era stata rivoltata tante volte che ormai era sciolta come sabbia. Quando è di nuovo vuota com'era prima, ci sdraio Dean. Poi con la vanga la ricopro di terra un'altra volta finché non sembrò uguale a com'era dopo che gli sbirri ci avevano messo mano. Spero di non dover spalare terra mai più per quanto sono stanco e mi sento male.

Tutto quel duro lavoro mi mise un appetito tremendo visto che l'avevo fatto con in pancia solo un pacchetto di biscotti per darmi forza, allora scesi in cantina a prendere qualcosa per colazione. Fu allora che mi resi conto che gli sbirri dopo aver investigato la scena del crimine non avevano ricoperto il freezer, se ne sta lì con il coperchio aperto mentre il motorino corre come un pazzo per far fronte alla situazione. Che cosa poco professionale! Presi quello che mi andava, cialde al mirtillo, e schiaffai dentro al freezer tutte le scatole prima che si scongelassero, e sbattei il coperchio. Ero così arrabbiato per quello che avevano combinato che mi rovinai il piacere della colazione, poi però misi tutto alle spalle come bisogna fare quando le cose non vanno come dovrebbero.

Mi feci un'altra doccia veloce poi uscii di casa e me ne andai al lavoro come un cittadino qualunque che va come ogni giorno al suo lavoro. Stavolta chiusi la porta con la chiave di Dean, quella col portachiavi a teschio, così nessuno poteva entrare. Il giorno cominciava bene.

sei

Quel giorno feci cinque prati cinque, con un sorriso negli occhi e nel cuore tanto ero felice. Se continuo a tosare prati vuol dire che sarò ancora a casa di Dean quando Lorraine trasloca qui, il che vuol dire pure che io e lei ci staremo insieme come due sposati, quasi. La desideravo tanto, essendo innamorato, e fra il prato due e il prato tre lo decisi ufficialmente, ero innamorato di lei, insomma tutto alla grande. È una tragedia che Dean è un terrorista omicida omosessuale musulmano ma io non ci posso far niente. Avevo messo una buona parola in suo favore con il commissario Webb e non potevo fare altro. Non volevo pensare più a Dean, solo a Lorraine. Se Dean era una nuvola nera allora Lorraine, lei era l'ombra argentata tutto intorno. Stamattina l'avevo impressionata mostrandole la mia velocità mentale e lei mi era grata, lo capivo, in più mi aveva detto di restare qui. Ok, avrei dovuto farlo lo stesso per via delle indagini, ma lei mi vuole qui ed è già molto.

Misi insieme duecentoquaranta dollari per la tosatura quindi tornai a casa (ormai la chiamo così la fattoria di Dean) con ancora quel sorriso all'interno e all'esterno, che però mi sparì di dosso non appena arrivai e in cortile c'era un pulmino con la scritta *Channel 7* sulla porta e due persone che mi aspettavano. Parcheggiai in cortile e scesi dalla macchina ed eccomeli là, mi sbattono in faccia la telecamera che la portava un tizio e il microfono che lo reggeva una donna.

Mi fa, lei, «Signore, cosa ci può raccontare dei fatti di oggi?»

«No comment.»

«Lei è il proprietario, qui? Abbiamo notato che in cortile c'è una tomba scavata di recente. Ha qualcosa da dire a riguardo?»

«Non è una tomba, è una buca, e la Polizia l'ha già scavata e riempita di nuovo perché non c'è niente, chiedetelo a loro.»

«Lo chiediamo a lei, signore.»

«Se fosse una scena del crimine, il cortile sul retro ci vedevate del nastro giallo della Polizia, no? Be', se quella è scena del crimine dov'è il nastro giallo?»

Fu una cosa furba da dire ma non li fermò.

«Si dice in giro che una donna è stata uccisa in questa casa e che il suo corpo è stato trovato nel freezer in cantina. Che ci può dire a proposito?»

«No comment.»

Me ne andai spostandola da parte e mi diressi alla veranda ma lei mi tenne dietro e il tizio con la telecamera pure. Quell'insistenza mi scocciava troppo. «Signore, Channel 7 News ha appreso che si ritiene che una cellula terroristica sia operativa in questa zona. Può darci un commento su un collegamento possibile fra la cellula e questo caso d'omicidio?»

«No, non c'è collegamento che io sappia.»

Ero arrivato ai gradini a quel punto e loro mi seguirono fin su, solo che il tizio con la telecamera a un certo punto mancò un gradino e inciampò. Mentre cadeva lanciò un urlaccio cercando di impedire che la telecamera colpisse qualcosa e si sfondasse, il che fece distrarre la donna che si voltò verso di lui e mi permise di infilare la porta e chiudergliela in faccia. Bussarono e dissero Scusi ma nemmeno per idea li facevo entrare a farmi altre domande. Andai sul retro e guardai fuori dalla finestra ma la tomba era a posto, non ci avevano messo le mani, ma ero sicuro che avevano raccolto molto materiale visivo per l'edizione della sera, a Lorraine non avrebbe fatto piacere.

Gironzolarono nei paraggi altri venti minuti, poi come stavano per andarsene un altro pulmino imboccò il vialetto e si fermò in cortile. Era Channel 9. Le due troupe parlottarono per qualche minuto poi quelli del 7 lasciarono il campo e quelli del 9 bussarono con forza alla porta. «C'è nessuno? Senta, sappiamo che è lì, siamo informati! Cosa ci può dire dei fatti occorsi in questa casa? Scusi?»

«Non so un cavolo di niente!» gridai attraverso la porta.

«Che cosa ha raccontato a quegli altri? Abbiamo il diritto di ricevere le stesse informazioni!»

«Vi dico tutto quello che so per mille dollari!»

«Scusi, a Channel 9 News firmiamo programmi, non assegni!»

«Non ho problemi, in contanti va benissimo!»

«Non è così che si fa, scusi, sono sicuro che lo sa anche lei!»

«Cinquanta dollari!»

Aspettai un po', e sotto la porta vidi scivolare due pezzi da dieci e uno da venti. Li raccolsi, aprii la porta e buttai fuori i soldi. «Ora ci credete che non so nulla?»

Sbatto di nuovo la porta e chiudo a chiave. Li sentivo parlare, poi sento il rumore dei passi sugli scalini e capisco dove volevano andare. Guardai dalla porta sul retro mentre puntavano la telecamera verso la tomba, poi verso la casa, poi si stancarono di aspettare o forse volevano chiudere in tempo per la prossima edizione, fatto sta che se ne andarono e potei finalmente rilassarmi sempre che non si presentasse Channel 12.

Squillò il telefono. Lo lasciai squillare, era sicuramente qualche tg che mi chiedeva un'intervista, ma un telefono che squilla è un fastidio portentoso per cui alla fine risposi, solo non dissi nulla. Se era un tg, da me non si beccavano mezza parola.

«Odell?»

«Ehi, Lorraine.»

«Com'è andata la giornata?»

«Ho fatto tutti i prati. Duecentoquaranta dollari. Te li do? Mi sa che hai ereditato tu l'impresa di Dean come la casa... voglio dire molto probabilmente è quello che succederebbe se... gli accadesse qualcosa, e spero ovviamente di no...»

«Tienili per spenderli, Odell, li hai guadagnati.»

«Ok.»

«Hai già cenato?»

«Sono appena tornato a casa.» Eccola di nuovo: Casa.

«Be', non scendere al freezer, è troppo inquietante. Sto arrivando con gli hamburger, ok? Per te ne ho presi due perché il mio ragazzone ha un appetito pari alla sua altezza, scommetto.»

«Ok.»

Il suo ragazzone! Fidanzamento in corso, ragazzi.

«Non è ancora venuto nessuno a farti domande?»

«Due troupe della tv ma non gli ho detto niente, solo No comment.»

«Bene. Datti una sistemata che arrivo subito.»

«Sicuro.»

Riagganciò. Mi friggevano le orecchie. Il suo ragazzone. Le cose si facevano serie e pure in fretta, ma dicono che è così che va se è vero amore, come un fulmine a ciel sereno: *kabum!* La mia vita prende finalmente forma e tutto perché una macchina mi ha piantato in asso, quindi non tutti i mali vengono per nuocere, come dice il detto, e ora infatti sembrava che io non ero stato nuociuto affatto.

Appesi il bucato di stamattina poi feci una doccia e misi i jeans più belli che avevo, quelli stretti che mettono in mostra il tuo pacco regalo matrimoniale, ammesso che ce l'hai. Lorraine aspettava un pacco pronta consegna? Eccoti il pacco, bella! Accesi lo stereo di Dean e ballai tutto solo per un po' sui pezzi dei Limp Bizkit e dei Linkin Park. Questi gruppi, non sanno manco pronunciare le frasi, che storia è? Mi guardo allo specchio e mi dico che forse avrei dovuto fare quello che mi dicevano il coach e il mio vecchio e darmi al football. Poi mi dico che lo sport non è solo questione di taglia, devi metterci l'impegno e io non ce lo mettevo, per cui addio due pali all'anno e contratto a sette zeri con la Nike. Ma se fossi stato una star del football non avrei incontrato Lorraine, è quello che chiamano Destino. O forse è il Fato. Probabilmente entrambi.

Quando imbocca il vialetto sono alla porta per andarle incontro. Portava una grossa busta di cartone marrone impregnata di grasso sul fondo e a me mi si torcono le budella.

«Ehilà!» mi saluta con la mano, è vivace e disinvolta anche se ha l'uniforme.

«Ehi.»

Andammo dritti in cucina e ci mettemmo a trangugiare gli hamburger e le patatine. Mai mangiato cibo così buono. Lorraine, lei mi raccontò la sua giornata alla prigione tanto per non parlare sempre di Dean e Bree e di tutto quel casino tremendo. Alla prigione hanno una tv a circuito chiuso che arriva dappertutto e punta ogni direzione così i detenuti non possono ammazzarsi a vicenda senza che ci sia una prova su disco, Investigazione Preventiva la chiama lei. Solo ci sono alcune telecamerine extra così piccole e nascoste che i detenuti manco sanno che ci stanno, ma le guardie sì, il che è un vantaggio perché possono spiare.

Oggi era successa una cosa, uno dei più duri della prigione era stato visto per conto suo in un ripostiglio dove si credeva che era invisibile, e insomma si mette a passeggiare sculettando come una donna, con una mano sul fianco e l'altra in fuori tutta storta. E dice, o anzi canta, quella vecchia filastrocca: «Sono una piccola teiera tonda e bella, Ecco la mia maniglia, Ecco la mia cannella», e la ripete senza sosta, pavoneggiandosi su e giù per la stanza come un bambinetto vanitoso al saggio di fine anno. Le guardie si sono piegate dal ridere era troppo buffo, e lo specialista alla sicurezza responsabile delle telecamere dice che farà una copia per ciascuno. Il lato serio della cosa è che le guardie possono far cooperare il tizio della teiera come e quando vogliono da ora in poi basta che lo minacciano con la video-cassetta.

«È un duro tremendo» mi fa Lorraine. «Basta che gli sus-surriamo Teiera nell'orecchio e si metterà in ginocchio. Non sai che arma è là dentro. Ehi, ho messo una buona parola per te con Connors, lui si occupa di assunzioni e licenziamenti. Ti chiamerà a breve, ci scommetto, là mi sono stati tutti vicino per quello che è successo. Ti hanno rotto tanto le palle i tipi della tv?»

«Sono stati fastidiosi direi, ma me la sono cavata. È un guaio che il commissario Webb li ha avvisati.»

«Gli tocca avvisare i giornalisti, in casi come questo. Ha il dovere di informare la gente, no? È democrazia in azione, tutti sanno quello che succede e non ci sono segreti nascosti come si faceva in Russia e quei posti là. Comunque prenderanno le informazioni dal quartier generale della Polizia d'ora in poi, i bollettini ufficiali tipo li danno loro.»

«Ottimo, non voglio vedere altra gente da queste parti.»

«E io? Io qui ci posso venire, vero?»

«Be', ovviamente, dopotutto è casa tua ora che Dean...»

«Avanti, puoi dirmelo.»

«Ok, ora che Dean è morto.»

«Morto?» Le si aggrottarono un momento le sopracciglia e sapevo che mi sarebbe calata la guardia anche se mi ero pro-messo di no. «Pensavo che avresti detto Ora che Dean daran-no la caccia e lo prenderanno, e sarà così visto che Andy ha chiamato la Sicurezza nazionale. Un bel circo mettono su. Perché credi sia morto?»

«Be'... Non avrei dovuto pensare una cosa del genere. Non so perché l'ho fatto... scusami.»

«Sarà un matto di prima categoria ma è pur sempre mio fratello. Non voglio vederlo abbattuto come un cane dai federali.»

«Cavolo, no.»

«Perciò ti prego non usare più quella parola. È già troppo triste che Bree sia... trapassata, non posso nemmeno immaginare di perdere anche Dean.»

«Magari lo beccano e lo mettono nella tua prigione e lo puoi vedere ogni giorno e aiutarlo in qualche modo. E io pure, se lavoro là. Potremmo occuparci di lui insieme.»

Scosse la testa. «Se lo beccano sa benissimo cosa aspetta quelli come lui: l'isolamento, ecco cosa lo aspetta. In prigione i terroristi non piacciono a nessuno, e ormai è questa l'etichetta che gli hanno appiccicato addosso. Gli andava meglio se era semplicemente uno che aveva ucciso una donna, ma come terrorista è già carne morta sul banco del macellaio. Non riesco a vedermelo Dean che sopravvive in isolamento, impazzirebbe subito... Ma perché facciamo discorsi del cazzo? Non mi va. Niente discorsi del cazzo, ok?»

«Ok.»

Sbocconcellò il suo hamburger per un po', poi mi fa «Sai cosa mi piace di te, Odell?».

«No.»

È vero, non lo sapevo, ma scommetto che era la mia altezza e le spalle larghe. Sono cose che piacciono a tutte le donne e per Lorraine era lo stesso, mi dicevo.

«Che non discuti con me. Dio, mi fa incazzare proprio, come gli uomini si credono di avere sempre ragione e non c'è donna che possa dire qualcosa di diverso da loro senza prendersi un mucchio di merda come ricompensa. Ma tu questo non lo fai.»

«No, credo di no.»

«Per questo andiamo d'accordo. I ragazzi a lavoro, mica sono male, ma appena vai a letto con un uomo è come se gli dai semaforo verde per cominciarti a comandare cosa devi fare.»

Mi manda segnali contraddittori. Cosa mi vuole dire, che

appena andremo a letto insieme le cose si metteranno male, per cui non vuole correre il rischio di venire a letto con me? In questo caso brutte notizie. O invece sta dicendo che verrà a letto con me perché non sono quel tipo d'uomo prima e non lo sarò nemmeno dopo essere andato a letto con lei? In quest'altro caso buone notizie. O invece ancora sta dicendo che è andata a letto con i colleghi e dopo loro l'hanno trattata di merda come dice? In questo terzo caso bruttissime notizie. Volevo chiederglielo ma non potevo, non esplicitamente, non si fa così. Non mi andava di pensare a lei con i colleghi. Prima diventavo uno dei colleghi meglio era.

«A lavoro tieni la pistola?»

«Assolutamente no, non quando siamo nella prigione, potrebbero rubarcela e usarla contro di noi. Solo i tizi sull'esterno portano armi, i tizi sulle torrette e nelle aree riservate. C'è un'armeria in caso di evasione o sommossa, ma fondamentalmente puoi passare un giorno intero senza vedere un'arma. Non è questione di armi, ma di gestione del tempo e delle unità individuali. Mi spiego, devi impedire che i carcerati si raccolgano in troppi in un posto solo. A volte quando fanno così lo chiamiamo «massa critica». In sostanza cominciano a succedere cose varie magari pure senza ragioni precise ed ecco che scatta una sommossa e devi andare a mettere tutti sotto chiave, cosa che nessuno vuole. Devi dare ai carcerati libertà sufficiente per farli andare in giro per le zone principali così possono socializzare un po' e non uscire matti, che è quello che succede se li tieni troppo a lungo stipati nelle celle come galline. Fa male al morale, quando tieni costretto qualcuno a quel modo, e non ha un senso pratico, è questo che ci insegnano al corso. È una faccenda di psicologia, di come far stare quei figli di puttana in pace con se stessi.

«Ok.»

Io stavo pensando a Lorraine con la sua pistola e senza uniforme addosso, e pure senza biancheria, solo il cinturone, e la cosa mi fa lo stesso effetto dell'altra volta.

«Che c'è, Odell, stai morendo di fame che ti contorci? Gli hamburger ti piacciono?»

«Sono buoni. Per cui quando beccheranno Dean darà di matto a causa che l'hanno messo in isolamento?»

«Dean ha voluto la bicicletta e ora pedala» mi fa. «È una vita che va in cerca di guai. Anche da piccolo se ne usciva con ogni sorta di stronzate e Bree andava fuori di testa, tipo dava fuoco alle cose e rubava e una volta l'ha beccato che torturava un gatto.»

«Un gatto?»

«Poi un'altra volta un vicino lo beccò che cercava di fare sesso con un altro bambino di otto anni. Quella volta Dean si mise proprio nei guai. Fosse stato un po' più grande di età, quattordici, mi pare, quell'incidente gli avrebbe procurato ancora più problemi, era la prima volta che lo beccavano ma non l'ultimo atto sessuale sbagliato da parte sua se mi capisci. Credi che ci stava provando con te quando ti ha sussurrato nell'orecchio?»

«Può essere. Mi ha fatto zompare dal divano.»

«Be', se non te lo aspettavi è normale. Paroline nell'orecchio, è una cosa carina se sei a letto con la persona che ami e non ti aspetti una tranvata in testa da un terrorista gay.»

La mia erezione cominciava a calare con quei discorsi sui gatti torturati e gli incendi appiccati. Dean era un bello sbroccato insomma, e aveva proprio avuto una faccia tosta a coinvolgermi nel suo stile di vita da terrorista più contrabbando di droga col suo compare Donnie Darko.

«Che c'era dentro?» La domanda mi venne spontanea.

«Cosa c'era dove? Hai proprio un modo strano di chiacchierare alle volte.»

«Nel pacco.»

Smise di mangiare e mi guardò storto, poi mi fa «Non c'è mai stato nessun pacco, Odell, su questo eravamo d'accordo».

«Non arriveranno più pacchi mi vuoi dire?»

Questa domanda la fece riflettere. «Be', in effetti stavo pensando di parlartene. Vedi, se resterai qui fisso, diciamo come inquilino, dovrai occuparti del posto, no? Tenerlo pulito, portar dentro la posta e tutte le altre faccende domestiche. Il che comprende anche la consegna ogni martedì notte da parte di un certo amico di Dean, che dovrai prendere in cambio di un pagamento. Non devi fare altro, solo ricevere il pacco e pagare. L'operazione è stata un po' incasinata questa settimana per il modo in cui Dean se n'è andato di punto in bianco, ma il pacco è arrivato comunque, mi pare un messaggio di Dean, tipo che da adesso lui se ne va e le cose cambieranno visto che non è entrato ma l'ha posato sui gradini di casa. Ammesso che è stato Dean e non l'altro tizio.»

«Donnie Darko.»

Mi squadrò. L'avevo fatto di nuovo, avevo abbassato la guardia. Credo sia perché sono così distratto da questa donna seduta di fronte a me, mi fa un brutto effetto al cervello.

«Donnie chi?»

«Darko.»

«Ma è un film. Dove l'hai sentito?»

«L'avrò visto al cinema.»

«Mica l'hai detto per questo. Dean ti aveva detto chi veniva martedì sera? Mi avevi detto di non averlo visto.»

«Io ho visto una Pontiac verde, punto. Può essere che Dean mi ha detto il nome, non mi ricordo.»

Continuava a guardarmi con sospetto. «Spero tu non mi tenga nascoste delle cose, Odell. Non possiamo essere amici se mi fai questo. L'amicizia si basa su una Fiducia con la F maiuscola.»

«Non nascondo niente. Ora mi ricordo... Dean aveva detto che il suo amico Donnie D stava arrivando e non dovevo uscire quando arrivava perché erano affari privati loro. Ho sbirciato comunque dalla finestra, è così che ho visto che macchina era... e quando aveva detto Donnie D gli avevo chiesto che razza di nome era e lui mi aveva detto di quel film, *Donnie Darko*, che evidentemente piaceva al suo amico.»

Si rimise a mangiare, ora masticava una patatina. «Mi sa che a questo punto non puoi farne a meno, di essere curioso.»

«Non posso, no. Cosa c'è nel pacco che arriva i martedì?»

«Vedi, è questo che mi preoccupa. Arriverà anche martedì prossimo ora che è capitata tutta questa merda di storia grazie a Dean? Donnie, lui ne sentirà parlare e magari si raggelerà un po'. Quel pacco deve arrivare puntuale come un orologio svizzero o c'è gente che verrà a chiedere spiegazioni.»

«Allora, cosa c'è nel pacco?»

È la terza volta che glielo chiedevo. Sapevo cosa c'era, era ovvio. Ci poteva essere solo una cosa.

«Aiuto» rispose. «Mai sentito parlare di pacchi aiuto tipo quelli che i prigionieri di guerra ricevevano dalla Croce rossa nella Seconda guerra mondiale, tipo? Hai presente, i pacchi da casa, col caffè e la cioccolata e la roba che i tedeschi non avevano. Aiuto.»

«Quindi c'è il caffè e la cioccolata?»

«Tipo. Roba che la gente vuole per ricevere aiuto.»

«Come la crema per le morroidi?»

«Non fai ridere.»

«Be', perché non mi dici cosa c'è dentro se lo devono consegnare a me?»

«Non indovini?»

«Droga» dissi. Una brutta parola che mi uscì facile facile.

«Ok, ci sei arrivato, l'avevi capito da mo'.»

«E la portate in prigione.»

«Qualcuno deve pur farlo.»

«Per dare aiuto e sollievo ai prigionieri. Che tipo?»

«Tutti i tipi. Erba, eroina, cocaina, quello che ti viene in mente, ma niente acidi, quello mai, è troppo strano quello che fa e richiama troppo l'attenzione quando uno poi fa cose da matto, per cui è vietata.»

«Per cui, io e te, siamo spacciatori.»

La mia frase la fece infuriare. «Assolutamente no. Io e Dean offriamo un particolare servizio che la gente desidera e veniamo pagati per questo come una qualunque transazione d'affari. Nessuno si fa male. Mi sto mettendo in una brutta posizione a dirti certe cose, Odell. Meglio che non mi tradisci ora che mi sono resa vulnerabile.»

Era di nuovo infuriata, e non lo volevo. La volevo sorridente e felice, così devono stare le cose fra due persone che si piacciono prima di mettersi a far l'amore, che è lo scopo supremo per me qui. E anche per lei, spero.

«È un segreto» dissi. «Il nostro segreto.»

«Mi pare un buon modo di dirlo» fece, rasserenandosi. «Quando la gente condivide un segreto è come un legame che li tiene più uniti. È un problema per te, Odell?»

«Più siamo uniti meglio è.»

Rise. Non sono molte le donne che avrebbero riso a una cosa detta così, da me, è un Segno che io e lei siamo destinati a stare insieme, complici di crimini. Lorraine è una spacciatrice e io, io sono un assassino anche se per sbaglio. Ma sono senza dubbio un nascondicadaveri per cui non posso fare l'altezzoso col crimine di Lorraine.

«È tutto chiaro, allora» disse, pareva sollevata.

«Chiarissimo. Come la riesci a portare dentro?»

«Nel reggiseno e nelle mutandine.»

«Non controllano?»

«Certo che controllano. Il Penitenziario statale di Callisto è una struttura di reclusione ad alta tecnologia che ha ogni sorta di controlli perché non succedano imprevisti. Solo che il mercoledì mattina una certa secondina è di turno per il controllo-spaccio del personale femminile e non trova niente. Più avanti nella giornata le giro il suo pagamento dopo essere stata pagata io da una certa terza persona, e nessuno si fa male. Solo non si passano soldi dove la telecamera può vedere, e sappiamo tutti dove stanno le telecamere per cui non è un problema. È un sistema pulito pulito.»

«A-ah.»

«Te ne stai là tutto inquieto. Che, non pensi sia una cosa giusta?»

«Non so che razza di cosa è. Quanta gente è coinvolta?»

«Informazioni riservate, finché non entri nel gruppo, il che tra l'altro non è possibile se non ti autorizza Connors. Magari taglierai l'erba e basta e il martedì sera sarai qui a ricevere il pacco da Donnie D, ancora non lo so. Mi fido di te già adesso, Odell, perché tu hai cercato di coprire Dean, oggi, anche se lui è una causa persa. Hai istinto, è per questo che ti dico tutto.»

«Ok.»

«Vedila così: comprando droga per far stare felici i carcerati risparmiamo a noi, a loro e alle loro famiglie un mucchio di dolore, come sarebbe invece se non siamo tutti rilassati e tranquilli e loro lo sono grazie a quello che faccio, che facciamo» Pensa che posto sarebbe una prigione se tutti quei tossiconi non avessero quello che vogliono. Ci sarebbe il caos, sommosse un giorno sì un giorno no e una marea di risse fra i carcerati. Sarebbe impossibile controllarli in una situazione del genere, e questo lo sanno tutti.»

«Per cui a vederla così è una cosa giusta.»

«Mi piace pensarlo.»

Ci pensai e vidi che come la metteva lei aveva senso. «Allora va bene.»

Controllò l'orologio. «Telegiornale» mi fa, allora ce ne andammo in soggiorno dove lei accese la tv. La solita roba, alluvioni e incendi nelle foreste per il riscaldamento globale, bombe terroriste esplose nei soliti posti e che fecero infuriare Lorraine per l'ennesima volta. «Quella gente» mi fa, «non gli importa chi uccidono, perfino i musulmani come loro, i bambini e le vecchie, non gli importa. È la cosa che non perdonerò mai a Dean, che si sia ficcato in quel giro di stronzi malvagi. Una cosa è torturare un gatto, ma gli assassinii che fanno in quei paesi è proprio... è non-americano!»

«C'hai proprio ragione.»

«Non capirò mai, dico mai, questo lato di Dean.»

«È proprio uno scoppiato.»

«Be', stavolta ha esagerato. E Bree io l'adoravo. Quello che le ha fatto è imperdonabile.» Si mise a singhiozzare, il che mi diede un buon pretesto per accostarmi a lei e passarle il braccio intorno alle spalle per consolarla, ma non tipo sessuale, non ancora per lo meno, mi dico, non finché non si è calmata.

Poi c'è un servizio sul senatore Ketchum che aveva appena fatto un gran discorso che non dobbiamo arretrare di fronte al terrore come certi tipi insulsi si aspettano che facciamo, «ripieghiamo la bandiera e torniamo a casa con la coda tra le gambe», così la mette ed è qualcosa che farebbero solo rinunciatari e codardi, ossia i democratici, secondo me. E un'altra cosa che dice è sulla minaccia terrorista qui a casa, negli Stati Uniti, terroristi invisibili che non sai chi sono perché qui non si coprono il viso con i tovaglioli come fanno lì ma dovremmo stare ben attenti perché sono sicuramente al lavoro e complottano e pianificano Azioni Terribili.

Alle parole del senatore Ketchum Lorraine risponde Amen. «L'anno prossimo voto per lui.»

Poi c'è una grassona che ha vinto sette milioni di dollari alla lotteria e non riesce a levarsi un sorrisone dalla faccia, ma dice che la vincita non la cambierà per niente e domani si alzerà per andare al lavoro alla fabbrica di carne in scatola come sempre. «Seee, certo» fa Lorraine, «ci andrà cinque minuti a dire al capo dove ficcarselo, poi filerà alla concessionaria della Mercedes. Guardala, avrà un'aria troppo ridicola al volante di un'auto di lusso, grassa com'è.»

«Qual è la macchina più adatta per i grassi?»

«Non saprei, un vecchio macinino come quello che hai lasciato qua fuori.»

«Be', grazie tante. La vendo quando mi trovi il lavoro.»

«Eccolo!»

Il conduttore del tg ora parla di Callisto, dice che c'è stato un omicidio e la Polizia sta cercando Dean Leonard Lowry di ventisette anni. C'è una sua foto segnaletica con i capelli più lunghi di adesso e Lorraine fa «L'hanno presa dal suo incartamento, mi sa. Io foto non gliene ho date. Oh, dì, ricordami che devo dare a Andy una foto di Bree che ho da parte, gli serve per il rapporto di Polizia».

«Ok.»

Il tg proseguì dicendo che Dean era sospettato di far parte di una cellula terrorista ma la Polizia non dice se la cosa è connessa al crimine d'omicidio o no. Dal modo in cui ne parlavano sembrava che Dean poteva aver ucciso Bree perché lei aveva scoperto che era un terrorista, ma magari non intendevano proprio questo. Non fa differenza per Dean comunque, solo è un peccato che non potevo andare a dirgli la verità. Dissero che era armato e pericoloso e chi lo vedeva non doveva avvicinarlo, ma solo andarlo a riferire alla Polizia o all'FBI se lo beccavi tutto preso a scappare dalla giustizia.

Quando terminò il servizio Lorraine non disse niente quindi tenni la bocca chiusa anch'io così non si infuriava perché aveva un fratello assassino terrorista al tg. La volevo calma e pronta per l'amore, che premeva impaziente lì in cima ai miei jeans, ma dovevo aspettare che la signora fosse dell'umore. L'ho letto in una rivista e ha senso anche se aspettare è difficile.

«Be', è andata» fa, poi si mise a fare zapping fino a quando trovò un telefilm con risate in scatola come fanno i canali per farti pensare che è spassosissimo e devi essere un idiota se non stai ridendo. «Ti piace questo telefilm, Odell?»

«Molto.»

«È il mio preferito. Hai niente da bere?»

Presi le Coors e il Captain Morgan che rimanevano, rimediai dei bicchierini da liquore pensando che Lorraine era sicuramente il tipo bevo-dalla-bottiglia, che però non si fa per i superalcolici se non sei una persona del genere disperata alcolizzata. Sistemai tutto in cucina su un vassoio di latta con i pellicani blu e lo portai in soggiorno come un cameriere, tipo, e lo posai davanti a lei.

«Questo sì che è un buon servizio» fa Lorraine, soddisfatta, e poi, «beata chi ti sposa.»

Questa cosa però mi fece soffrire, visto ciò che dicono quando un uomo fa qualcosa di un minimo utile per la casa che non richiede uno strumento elettrico. Ma mi morsi la lingua perché non voglio mandare all'aria il discorso del fare l'amore più tardi, o ancora meglio prima piuttosto che dopo.

Lorraine prese una Coors e la stappò mentre io versavo a entrambi un bicchierino del Capitano. Scese giù liscio, afferrai la birra, poi squillò il telefono. Io e Lorraine ci guardammo, visto che nessuno dei due vive davvero a casa di Dean, chi cercavano al telefono?

«Giornalisti?» dissi.

«Non posso vedermela con i giornalisti adesso.»

«Ma è troppo tardi, non possono essere giornalisti.»

«Non mi importa chi è, i miei nervi per oggi sono fuori uso.»

Allora mi alzai e andai a rispondere io. «Pronto?»

Silenzio nella cornetta, ma la linea era aperta, quello si capiva.

«Pronto?»

«Sei tu la persona?» mi fa una voce. È familiare, in parte, ma forse anzi no.

«Sono una persona, sì.»

«La persona a cui ho dato il pacco, quella persona.»

«Sì, sono io.»

È Donnie D, all'altro capo.

«Senti, be', ho appena visto il tg, di che si tratta?»

«Dean ha fatto una cosa brutta.»

«Così pare.» Qualche secondo di silenzio, poi, «Be', come vogliamo fare d'ora in poi?»

«Non fa differenza, continuiamo uguale, solo ora ci sto io e non lui.»

«La persona d'ora in poi sei tu?»

«Esattamente.»

«Sua sorella, lei sa?»

«Lei sa.»

«Per cui tutto uguale.»

«Tutto uguale.»

«Be', perché l'ha fatto?»

«Ehi, che ne so. Dean è sempre stato un po' strano.»

«Vero. Per cui la persona d'ora in poi sei tu.»

«Sono io.»

«Bene allora. Ci si vede.»

Attaccò. Tornai in soggiorno.

«Chi era?»

«Donnie D.»

«Donnie D?»

«Vuole sapere cosa succede ora che Dean è fuori dai giochi, gli ho risposto che è tutto come prima solo che mo' ci sto io e non Dean.»

«E gli stava bene?»

«Certo, vuole fare affari con me, e nessun altro, vuole stare protetto, l'ha messa così.»

«Bene, solo che cosa ha detto su Dean?»

«Ha detto che era uno strano.»

«No, dico, che Dean se n'è andato via con lui l'altra sera. Cosa è successo? Lui lo sa dov'è Dean?»

«Be', non proprio...»

La mia mente macina un miglio al minuto.

«E allora cosa? Cosa è successo? Quel Donnie è così paranoico che non dà mai il numero di telefono a nessuno, sennò glielo avrei già chiesto... cosa è successo?»

«Dice che Dean gli ha chiesto di farsi lasciare in città dopo che sono andati a prendere il pacco. Donnie non aveva il pacco con sé perché gli era venuta una paura improvvisa che ci fosse una trappola o qualcosa del genere, per cui era venuto qui senza e Dean lo ha dovuto accompagnare a prenderlo, poi Dean ha detto di lasciarlo in città, doveva incontrare gente solo non ha detto chi... e così Donnie ha fatto, è andato a casa coi suoi due-mila dollari e ora, stasera, dice che ha visto il tg e si chiede se era quella gente che Dean stava aspettando in città.»

«I terroristi?»

«Mi sa. Comunque gli sta bene che io prendo il posto di Dean, solo come ho detto non vuole vedere mai nessuno in giro né parlare con nessuno, solo con me.»

Vedete, non volevo che Donnie e Lorraine parlassero, altri-menti lui le avrebbe raccontato un'altra storia rispetto a quel-la che avevo appena inventato, il che l'avrebbe messa in pos-sesso di informazioni che non deve sapere ossia praticamente un posto di blocco sull'autostrada verso l'amore. È un'altra gran frottola che mi dispiace sinceramente di aver dovuto impiegare, ma a volte così vanno le cose quando la vita si com-plica come adesso.

«Per cui ancora non sappiamo dov'è andato Dean» fa Lorraine. Ha di nuovo l'aria arrabbiata.

«No. Sulla questione, buio completo. E anche su *Darko*.»

Non una gran battuta, lei infatti non rise, mandò giù un gran sorso del Capitano seguito da altra birra. Teneva il collo della bottiglia con due dita, come lo facesse fin dalla nascita, per cui ho ragione, ho capito che tipo di bevitrice di birra è. Quando nella vita hai molto girato e ti sei fatto un'idea sei un buon giudice della natura umana. Ma dopo la telefonata di Donnie le cose per l'amore si mettono male, che il cielo gli ful-mini il culo, non poteva aspettare domani? Ma è così che va alle volte, come ho detto prima. Magari se restava ancora un po' e beveva abbastanza rum si raddolciva un'altra volta, ma ora ha l'aria agitata e ha poco amore negli occhi per cui la serata si fa molto poco torrida.

Guardammo un altro telefilm ma Lorraine non rideva più. Cominciai a pensare che magari anticipavo troppo i tempi riguardo alla nostra storia d'amore, voglio dire, solo stamattina le avevano detto che sua zia era stata assassinata e che il colpevole è quel maniaco di fratello che ha, e che a sua volta si rivela un terrorista islamico. Per cui posso capire se è sconvolta, soprattutto visto che Dean era pure immischiato con lei e con Donnie D nello spaccio di droga giù al carcere eccetera eccetera ma almeno quella parte era stata già bell'e sistemata grazie a me. Sono proprio tante cose tutte insieme, forse pure troppe perché possa rilassarsi e pensare a me in un senso più personale che come semplice socio d'affari. Forse servirà tempo. Sarebbe sciocco da parte mia fare una mossa che la faccia incazzare, per cui restai seduto lì a pensare a queste cosacce che erano capitate all'improvviso.

Poi verso le nove disse che doveva andare, è stata una giornata lunga e così via, risposi che capivo. La accompagnai alla macchina sperando magari in un bacio di saluto e invece niente, solo un avvertimento. «Testa sulle spalle su questa storia, Odell. Ci sei dentro fino al collo, non abbassare la guardia. Io ho fiducia in te, tu vedi di meritarla.»

«Lo farò.»

«Ciao.»

E se ne andò, lasciandomi deluso ma va bene così, ci sarà un'altra occasione per noi, perché succeda. Restai a lungo sotto le stelle a guardarle far niente intanto che un venticello notturno soffiava su di me dolce e gentile. La quiete dopo la tempesta.

sette

Il giorno dopo tosai sei prati e intascai centoventi dollari. Tre dei sei clienti mi chiesero di Dean perché avevano guardato il telegiornale la sera prima e riconosciuto la sua faccia e adesso volevano sapere dell'assassinio, cos'era successo, e io non ero in condizione di dargli risposte, dissi, per via delle Investigazioni In Corso per quello specifico crimine e mi avevano fatto giurare di non parlarne. Questo gli ho detto per chiudergli la bocca, ma un paio di vecchie signore rimasero a guardarmi dalla finestra mentre lavoravo come fossi un elemento sospetto che poteva mettersi ad ammazzare vecchie signore proprio come Dean.

Prato numero cinque, il vecchio del 2358 di Willowood Street chiamò gli sbirri a causa che sospettava che ero nell'omicidio anch'io con Dean e arrivò un'auto degli sbirri mentre ero a metà dell'opera. Sentite le mie spiegazioni, furono a posto, infatti l'intero dipartimento di Polizia di Callisto ora sapeva chi ero e non venni arrestato. Ma a uno degli sbirri gli toccò ancora spiegare al vecchio che li aveva chiamati chi ero io. È mia speranza che quando invecchio un autotreno mi prenda sotto prima che il cervello mi smette di funzionare come a qualcuno di questi vecchi di oggi.

A fine giornata tornai a casa chiedendomi se Lorraine avrebbe fatto un salto da me, o anche solo una telefonata non sarebbe stata male. Ma i pensieri su Lorraine scompaiono nel nulla quando vedo chi mi aspettava in cortile, Chet Marchand e la sua Cadillac beige. Pensavo fosse tornato a Topeka dopo che ero stato scortese con lui perché avevo appena trovato Dean morto al piano di sopra. Ora sono in un grosso casino perché gli avevo detto che ero Dean, e sarà difficile spiegargli le cose in un modo che sembra che hanno senso. Scesi dal furgone, lui mi venne incontro, aveva la stessa aria precisa e rispettabile dell'altra volta. Me lo aspettavo infuriato perché gli avevo detto bugie e invece era tranquillo, magari non aveva visto il tg.

«Ehilà» mi sorride.

«Ehi, Chet.»

«Mi fa piacere che ricordi il mio nome» fa. «Ma credo di aver dimenticato io il tuo.»

Era il suo modo educato di farmi sapere che sapeva che razza di bugiardo sono, vuol dire che se l'era visto il tg. Cosa dovevo fare? Mi sentivo come un idiota lì in piedi a guardare i denti perfetti con cui sorrideva, così perfetti che non potevano essere veri. Sapeva perfettamente che stavo cercando di farmi venire un'idea ma mi lasciò il tempo di pensare tipo che aveva tutto il giorno a disposizione ed era ben felice di aspettare anche fino al raffreddamento globale dell'inferno. Mi fa, «Credo che tu e io dobbiamo farci una chiacchierata su un po' di cose, che ne dici?»

«Può essere.»

«E che ne dici di un bel bicchiere d'acqua fresca per schiarirci la gola?»

«Ok.»

Aprii la porta, entrammo e tornammo in cucina come l'altra volta. Presi due bicchieri d'acqua e li posai sul tavolo. Lui però non prese il suo. Io il mio lo bevvi d'un sorso perché era stata un'altra giornata di sole cocente del Kansas e i miei dollari me li ero sudati.

«Devo continuare a chiamarti Dean?» mi chiese.

«Mi sa di no.»

«Qual è il tuo vero nome, amico mio?»

«Odell, Odell Deefus.»

Registrò l'informazione poi disse, «E posso chiederti com'è che l'altra volta hai finto di essere Dean Lowry?»

«Facevo... un favore a Dean.»

«Un favore. Che razza di favore sarebbe?»

«Un favore di tipo personale. Voleva che fossi lui per un paio di giorni, che mi occupassi di tutto quanto mentre era via, ma non mi aveva detto dove andava o perché, mi ha solo chiesto il favore, io volevo aiutarlo e gliel'ho fatto.»

«Un po' come recitare una parte, potremmo dire.»

«Esatto.»

«Capisco. Be', sembra che il nostro ragazzo abbia ingannato te e tutti coloro che sono stati buoni e gentili con lui, financo compresa la donna che ha ucciso. La sua cara zia, Odell. Cosa hai provato?»

«Non ne sapevo niente.»

«Certo che no, ma dico, dopo che l'hai scoperto.»

«Un grosso choc.»

«Certo, mi immagino come dev'essere, scoprire di aver coperto un assassino.»

«Be', è così, devo ammetterlo.»

«E sei ancora qui a quanto vedo.»

«Ha detto che potevo restare a occuparmi di tutto.»

«Chi te l'ha detto?»

«La sorella di Dean. È molto scossa da quello che è successo. Mi ha detto di restare a occuparmi di tutto e ho obbedito.»

Si rigirò fra le mani il suo bicchiere d'acqua ma ancora non beveva. «Immagino la Polizia ti abbia interrogato approfonditamente.»

«Ho raccontato tutto. Non ho fatto niente.»

«Sono certo che nessuno pensa il contrario. Sei stato ingannato.»

«È vero.»

«E cosa pensi di Dean Lowry ora che sai la verità?»

«Male, penso molto male di lui. Mi ha incastrato.»

«È un bugiardo, e un imbroglione, e oltretutto è un assassino. Credo che il signor Lowry sia la mela più marcia che c'è da queste parti e scommetto che non sono il solo a pensarlo.»

«Probabilmente no.»

«Che collegamento c'è secondo te fra il suo impulso omicida e il fatto che consideri la religione islamica preferibile alla nostra?»

Scrollai le spalle. Chet mi studiò un momento poi disse, «Non hai un'opinione a proposito?»

«Magari era semplicemente pazzo... magari *è* semplicemente *pazzo*» mi corressi, «considerato che dev'essere da qualche parte in fuga dalla legge.»

«Su questo potresti avere ragione, Odell. Ne ho discusso con Bob, col reverendo Jerome voglio dire, e noi troviamo di enorme interesse che la mente di un killer e la sua appartenenza all'islam qui si presentino a braccetto, non è poi molto diverso dalla situazione di quei pazzi jihadisti giù in Medio Oriente che massacrano a destra e a manca come cani rabbiosi. È uno di loro, lui, anche se lo si può definire un americano. E questo fatto mi pare scioccante, sei d'accordo?»

«A-ah.»

Mi versai un altro bicchier d'acqua. Non vedevo l'ora di farmi una doccia e depredare il freezer di una pizza e mettermi comodo a leggere qualche capitolo del *Cucciolo* in attesa di una telefonata di Lorraine, o di chiamarla io. Chet mi guardava con l'aria di uno molto preso dai propri pensieri e che voleva spararli fuori per farsi approvare, e io ero pronto a comportarmi da buon orecchio, glielo dovevo per tutte le bugie che gli avevo raccontato, dunque per il momento niente pizza.

«Avrai detto alla Polizia delle tendenze musulmane di Dean, mi immagino.»

«Certamente. Gli ho mostrato i libri che aveva nell'armadio, i libri musulmani. Se li sono portati via assieme al fucile.»

Fa sì con la testa mentre fissa il suo bicchiere. Non aveva per niente sete, Chet.

«Mentre ti aspettavo, Odell, ho fatto un giretto per il cortile sul retro. L'hanno mostrata in tv quella fossa. Non c'è nessuno là dentro, vero?»

«No, la Polizia l'ha scavata e riempita di nuovo. L'ho detto a quelli della tv, ma loro hanno fatto delle foto comunque. Mi sa che pensano che al tg sembrerà una cosa interessante anche se è vuota.»

«Ed è stato Dean a scavarla?»

«Per forza. Io non sono stato. Mi sa che l'ha scavata per metterci la zia ma poi ha cambiato idea e l'ha riempita di nuovo. Il che dimostra quant'era pazzo... quanto è pazzo.»

«Dici assolutamente il vero. Con gente fuor di senno a quel modo, chi può comprendere o spiegare le loro azioni? Forse perfino loro non possono.»

«Forse perfino, è vero.»

«E tu non hai idea di dove sia andato.»

Feci no con la testa. Chet aveva quel modo di girare per sei volte intorno a quello che gli interessava. Per me non ha senso parlare di Dean e di perché era com'era e di cosa ha fatto e di dove s'è nascosto per sfuggire alla legge. È un tizio pazzo morto e sepolto giù in cortile, fine della storia. Sarebbe stato bello poterlo dire a Chet e Andy e Lorraine e al telegiornale così avrebbero smesso tutti di fare domande e di piazzare in tv quei messaggi Se Avvistate Quest'Uomo, che è solo una gran perdita di tempo. Ma ovviamente non potevo farlo, condividere il mio Segreto Sapere sugli eventi qui occorsi. Dicono che sapere cose che gli altri non sanno ti dà un potere, ma a me dava solo un gran dolore e speravo di non sapere quello che sapevo, ma il fardello di sapere è lì e se ne frega della tua opinione.

«Allora tornerai a Topeka a riferire a Bob il Predicatore» dissi.

«Ho un cellulare, Odell.»

«Ah, ok.»

«Io e il reverendo siamo preoccupati dalle attività terroristiche di matrice americana. Crediamo che sotto la facciata del tran tran quotidiano nel paese covi qualcosa, cellule dormienti in attesa di attivazione. Sentiamo che più ci si avvicina alle elezioni dell'anno prossimo più è probabile che accada qualcosa. Riflettici un attimo. Centinaia, se non migliaia di Dean Lowry che si sollevano per gettare nel caos e nella tragedia le strade d'America. Non permetteremo che accada.»

«È vero, ho sentito il senatore Ketchum che ne parlava alla tv.»

«Il senatore sta facendo il possibile per dare la sveglia alla gente, per renderli consapevoli della minaccia che alligna fra le nostre fila. Sono troppi gli occhi chiusi e troppi i cervelli chiusi, c'è da aver paura. La gente non vuole essere resa cosciente di quanto in questi ultimi anni le cose si sono fatte pericolose. Il messaggio del senatore Ketchum è ciò di cui abbiamo bisogno in questi giorni di minaccia e pericolo interno.»

«Dean voleva sparargli» dissi, e Chet mi guardò strano, come non riuscisse a credermi anche se parlava proprio lui di pericoli e simili.

«Prego?»

«Io e Dean guardavamo il tg e c'era il senatore Ketchum col suo discorso su quello che dice anche lei, allora Dean, lui ha detto di punto in bianco che avrebbe tanto voluto ucciderlo. Le sue precise parole tipo sono state... "Qualcuno dovrebbe sparargli a quella testa di cazzo", questo ha detto, in sostanza.»

«Questo lo hai riferito alla Polizia?»

«Be', no, credo mi sia passato di mente. L'ho ricordato solo adesso per via che stiamo parlando del senatore Ketchum, per questo l'ho ricordato.»

«Mio Dio...» fa Chet. «Sei sicuro al cento per cento, Odell, parola per parola?»

«Sissignore, è quello che ha detto, praticamente. Lì per lì non ci ho fatto troppo caso perché era solo Dean che apriva bocca e dava fiato, così ho pensato, sai come fa la gente quando sono un po' irritabili. Una volta ho sentito uno che diceva che voleva uccidere quel cane, voglio dire il cane del vicino che ululava al nulla tutto il tempo, ma quel tizio poi il cane non l'ha ucciso mai, era tanto per dire, sai com'è.»

Era il mio vecchio a dire quelle cose sul cane, ma non mi andava di spiegarlo a Chet, tutto di colpo aveva l'aria molto seria e preoccupata.

«Avresti dovuto dirlo a qualcuno» mi fa.

«Be', l'avevo dimenticato...»

«Questo significa che il senatore con ogni probabilità è un obiettivo dei terroristi nella corsa alle elezioni. La Polizia dev'essere informata, e anche l'FBI e la Sicurezza nazionale. C'è altro che hai scordato di dire?»

Ci pensai seriamente. «Non ricordo di aver scordato altro.»

Tirò fuori il portafogli e per un secondo pensai che mi avrebbe pagato per le importanti rivelazioni che gli avevo fornito, mentre invece tira fuori un piccolo biglietto da visita e me lo diede tutto serio. «Odell, voglio che mi chiami a qualunque ora se ti ricordi dettagli ulteriori su Dean Lowry. Un cellulare ce l'hai?»

«No. Mai avuto.»

«Be', corri al telefono a gettoni se ti viene qualcosa. È importante, voglio che te ne renda conto.»

«Ok.»

«Il Clero di Robert Jerome e la Fondazione cristiani rinati hanno buoni agganci su a Washington. Il reverendo conosce molte figure politiche a livello personale, per cui tutto ciò che dici a me, tramite Bob il Predicatore arriva dritto a nomi tra i più importanti del Campidoglio, sono stato chiaro?»

Esaminai il biglietto. Ci sta scritto solo il nome di Chet e il numero di cellulare, niente descrizione di che lavoro fa tipo Manager o Ufficio Vendite. Mi aspettavo una crocettina in alto a destra, magari, e invece niente. Si alzò come se tutto di colpo avesse una gran fretta. «Non ti dico addio, Odell, per ora ti dico: a presto.»

«Ok.»

«Non disturbarti, conosco la strada.»

E se ne uscì, accese la Cadillac e si levò di torno. Stetti un po' a riflettere e alla fine ero soddisfatto perché il mio ricordo di Dean che diceva che voleva uccidere il senatore Ketchum era vero al cento per cento. Lo era, ma non avrei dovuto sottolinearlo ad alta voce come avevo fatto, perché in questo modo Chet si era tutto fomentato e spaventato per un attacco terroristico al senatore che non ci sarebbe mai stato, non con Dean sotto terra com'è. Ma è troppo tardi ormai, mi pare. Questa mia boccaccia era proprio una botola spalancata e prima o poi ci sarei potuto finire dentro io stesso perché non riesco a tenerla chiusa come dovrei. Mi trovo proprio in una situazione singolare.

Aspettai un'ora e passa che chiamasse Lorraine ma non lo fece, allora mi toccò chiamarla, che lei rispose dopo il terzo squillo e un tizio sconosciuto fa, «Pronto?»

Ora, non me lo aspettavo e non sapevo come rispondere, allora il tizio fa di nuovo, «Pronto?»

«Chi è?»

«Che numero sta chiamando?» mi fa.

«Il numero di Lorraine.»

«Sì, è in bagno. Resta in attesa o faccio richiamare?»

«Resto in attesa. Lei chi è?»

«Un amico di Lorraine. Lei?»

«Pure io, un amico.»

«Eccola che arriva.»

Il telefono fa due clonc quando lo posano e lo raccolgono. «Pronto?»

«Sono Odell. Chi era quel tizio?»

«Oh, è Cole, Cole Connors, della prigione. Ricordi, te ne ho parlato. Cole è il tipo che ti ho detto che forse ti procurava il colloquio di lavoro, per cui spero sei stato cortese, Odell.» Rise e sentii ridere anche il tizio, o più che altro sghignazzava, mi pare.

«Be', che combinate?»

«Discutevamo di te, come ti dicevo. Che succede, Odell, sembri parecchio nervoso.»

«No, no.»

«Be', allora posso esserti utile?»

«Pensavo alla cena» dissi.

«Anch'io ci pensavo, pensavo se Cole mi porta da qualche parte con tovaglioli non di carta o se per l'ennesima volta si mangia in un postaccio. Cole è un noto spilorcio.»

Sentii il tizio ridere ancora e volevo strangolarlo, e volevo strangolare anche Lorraine.

«Com'è, vai a cena con lui?»

«Te l'ho detto, stiamo parlando di robe di lavoro, ossia anche di te. Sei nell'ordine del giorno degli argomenti da discutere. Ti serve altro?»

«No, credo di no.»

«Be' allora a posto così, ci sentiamo domani.»

«Ok...»

E agganciò. Fissai il telefono a lungo senza pensare a niente di preciso, poi agganciai e andai alla porta, a prendere l'aria fresca sulla veranda. Passando attraverso la porta vidi un biglietto a terra e immaginai fosse caduto a Chet. Ma quando lo raccolsi lessi *Sharon Ziegler Tg Channel 12* e sotto i due numeri di telefono aveva scritto *Devo parlarti, chiama in qualsiasi momento.* Dovevo esserci passato sopra senza notarlo quand'ero entrato con Chet. Per poco non lo strappavo. Vaffanculo

Channel 12, potevano passare ieri con quegli altri della tv, ma non l'avevano fatto, affari loro, che mi frega a me. Solo che mi era venuta un'idea: se Lorraine era con Cole Connors in qualche ristorante elegante allora anch'io potevo avere un po' di compagnia femminile e vediamo se a Lorraine faceva piacere.

Eravamo di molto oltre l'orario d'ufficio per cui chiamai il secondo numero, il cellulare, e dopo un paio di squilli mi rispose.

«Pronto?» Ha una voce molto sexy, sarà per quello che lavora in tv.

«Sì, pronto, Sharon?»

«Sono io.»

«Senti, mi hai lasciato un biglietto da visita per chiamarti in qualsiasi momento.»

«Chi parla?»

«Odell Deefus.»

«Prego?»

«Odell Deefus. Mi hai lasciato il biglietto da visita.»

«Ne ho molti di biglietti da visita. Di che si tratta?»

«Sono il tizio che vive in casa di Dean Lowry e si occupa delle sue cose.»

«Ah...» mi fa, cambiando tono, «ah, ok... chiedo scusa, non sapevo il tuo nome. I miei colleghi mi hanno detto che laggiù alla casa c'è qualcuno ma nessuno a quanto pare sa il tuo nome. Come hai detto che ti chiami?»

«Odell Deefus.»

«Bene. Volevi parlare con me, Odell?»

«Per questo ti chiamo. Ho una storia esclusiva se la vuoi.»

«Riguarda l'omicidio?»

«Riguarda un altro omicidio che potrebbe verificarsi, ma stavolta è roba grossa.»

«Di chi si parla, Odell?»

«Mi sa che è meglio se vieni qui a scoprirlo. Posso chiamare quegli altri canali se stasera sei occupata.»

«No, no... arrivo subito! Dammi un minutino per raccogliere il mio operatore e arriviamo in un lampo! Non è uno scherzo, vero?»

«Niente scherzi. È roba esclusiva, e tu puoi essere la prima a sapere.»

Il che era una bugia, sarebbe stata la seconda dopo Chet Marchand, ma questo non c'era bisogno di dirglielo. Chet, lui avrebbe parlato a Bob il Predicatore, non ai tg nazionali.

«Ok, non ti muovere.»

Agganciò. Adesso mi sentivo felice. Cole Connors, che possibilità aveva lui di finire sul tg come ci stavo per finire io? Nessuna, scommetto, per cui Lorraine non ci sarebbe più andata a cena nei ristoranti elegantoni. Può essere che stavano parlando di un lavoro per me al carcere e può essere che no, ma non c'è niente che a una donna piaccia più che un tizio famoso, perfino quelli brutti, basta che hanno soldi o fama o entrambi, non serve altro. Ho letto da qualche parte che le donne non possono farci niente, ce l'hanno dai tempi delle caverne, che era il cacciatore che si prendeva le donne più attraenti perché quelle volevano uno che portasse da mangiare. Oggi non è la caccia, è la fama, ma sulla bellezza vale la stessa regola.

Passò meno di mezz'ora, poi li sentii salire il vialetto. Non era un minivan con il marchio della tv come mi aspettavo, ma un'auto privata, il che non fa differenza, c'è un tizio tutto magro che scende dal lato del passeggero con la telecamera sulla spalla, mentre dal lato di guida scende una donna. Salgono i gradini e la donna mi porge la mano con aria simpatica e un sorriso e dice di essere Sharon e che quest'altro è Huey. Li porto in soggiorno dove possiamo metterci seduti comodi. Sharon non è proprio bella come mi aspettavo ma non importa, sono io la persona che finirà sullo schermo a dire quello che sa, io quello che Lorraine guarderà. Huey venne spedito su a fare riprese e Sharon mi fa «Per non dovertelo chiedere davanti alla telecamera, Odell, di che storia si tratta?».

«Si tratta di quello che Dean mi ha detto prima di sparire con quei suoi fratelli musulmani. Non sono veramente suoi fratelli, lui ha solo una sorella, ma lui li ha chiamati così, i suoi fratelli.»

«Capisco. Cosa ha detto?»

«Ha detto che ucciderà il senatore Ketchum.»

«Stai scherzando.»

«No, l'ha detto forte e chiaro. Puoi farmi la macchina della verità.»

«Ok, ti credo. Dammi un po' di retroscena, fammi capire, Odell, come hai conosciuto Dean e cosa è successo, con parole tue.» Si voltò verso il cameraman. «Pronto?»

«Sto riprendendo.»

Sharon fece un respiro lungo e mi dice, «Odell, dicci di come hai conosciuto Dean Lowry.»

Lo feci, raccontai tutta la storia, bugie e verità mescolate insieme come avevo fatto con Lorraine e Andy e Chet. Sharon ogni tanto mi faceva una domanda per chiarire meglio le cose e io le raccontai quello che voleva sapere, finché alla fine disse, «Si può parlare di minaccia specifica fatta da Dean prima della partenza verso luoghi sconosciuti?»

«Sì, una di quelle, certo, ecco come: dice che vuole sparare al senatore Ketchum perché il senatore ce l'ha su così tanto coi terroristi nascosti in America. Non ci ha girato intorno, vuole sparargli per aver detto quelle cose alla gente alla tv.»

«E hai ritenuto tuo dovere far sapere al senatore del pericolo cui va incontro.»

«Sì, esattamente. Nel mondo, be', si spara troppo, dovrebbero smettere tutti subito, ma mi sa che non lo faranno.»

«Sei anche al corrente del tipo d'armi che hanno a disposizione?»

«No, la Polizia gli ha requisito il fucile. Non so che altro tenesse nascosto. Per un lavoro del genere ti serve una canna bella potente con mirino telescopico.»

«E dalle parole di Dean Lowry, puoi riferire una data precisa per l'assassinio del senatore?»

«Probabile che sia tra oggi e le elezioni» presi in prestito l'idea da Chet, non se la sarebbe presa.

«Quanto è serio l'attaccamento di Dean alla causa terrorista?»

«È serio. Mi ha detto che i musulmani hanno le risposte per tutto, noi invece no, per questo ha cambiato. Aveva libri che ne parlavano. Me li ha mostrati.»

«Ha provato a convertirti, Odell?»

«Ci ha provato, ma ho resistito a ogni suo approccio. Non mi serve un libro con la copertina verde per sapere cosa è giusto o sbagliato.»

«Si è arrabbiato con te?»

«No, ce l'aveva solo col senatore Ketchum.»

Chiese un altro paio di cose poi l'intervista finì. Huey si sistemò in un altro punto della stanza e puntò la telecamera su Sharon, che si rimise a guardarmi annuendo alcune volte. Chiesi cosa stessero facendo, mi risponde «Qualche controcampo con le mie reazioni, serve a collegare le immagini. Vedrai come funziona quando mandiamo il servizio». Si guardò l'orologio. «Ok, se ci sbrighiamo ce la facciamo per l'edizione delle dieci. Forza.»

Huey ripiegò il piccolo schermo video della telecamera e si diressero alla porta. Voltandosi Sharon mi disse «Grazie, Odell. Se ti viene in mente altro fammi una telefonata».

«Ok.»

Sparirono dalla circolazione levando il culo dal cortile come un'ambulanza sparata verso il luogo di un incidente. Finito tutto mi chiesi se avevo fatto la cosa giusta, agitare la gente per qualcosa che non accadrà mai, ma poi mi misi a pensare che non era un grosso danno e alla fine magari ci avrei guadagnato con Lorraine, chi lo sa.

Tutta la faccenda mi aveva talmente distratto che non avevo

ancora cenato! Una capatina al freezer e ficcai nel forno un'altra pizza. Mi stavo stancando della pizza ma non ce n'erano più di quelle cene già pronte che avevamo scaldato con Dean la prima sera. Se solo avessi saputo che ero seduto a cena col diavolo, come si suol dire. Dean mi era sembrato una brava persona, era un peccato che aveva fatto come il lupo travestito da agnello con questa storia del terrorismo, il che va solo a confermare che il vecchio detto dell'abito e del monaco è proprio vero.

La pizza era buona, marca Deep Dish Meat Lover, ma scommetto che a Lorraine e Cole era andata meglio. Mi scocciava ancora questa cosa, anche se dopo averci riflettuto capii che lo stava facendo per me, per quel lavoro al carcere. Ero geloso, devo ammetterlo, e dicono che il mostro dagli occhi verdi ti fa combinare cose strane. Ma parlare con Sharon non era stato strano, era mio dovere raccontare ciò che sapevo per non far succedere niente al senatore Ketchum, l'uomo che sarebbe diventato molto probabilmente il nostro prossimo presidente, per cui avevo salvato la vita del presidente! O almeno così sarebbe parso, che è quasi la stessa cosa.

Non riuscivo a stare tranquillo mentre aspettavo le dieci, facendo zapping tra programmi di merda. È una cosa eccitante essere al telegiornale se è la prima volta che ti capita, e per me è così. Una volta a Yoder un giornalista del quotidiano della contea mi aveva chiesto che ne pensavo del suicidio di un adolescente di quelle parti. Così è andata, stavo tornando a casa ed ero passato per un vecchio cimitero che c'è là, l'hanno riempito di pionieri e simili, autentiche lapidi vecchissime che pendono a destra e a manca senza quasi che si legge quello che c'è scritto, e vidi un ragazzo a terra con la faccia blu. Non lo scorderò mai questo particolare. La sua faccia era blu e lui era morto, lo capii subito perché stava sdraiato troppo immobile tra una tomba e l'altra. Tornai a casa e lo raccontai a mia madre che a quell'epoca era ancora viva e lei chiamò il poliziotto che avevamo là, ce n'era uno solo per quanto era piccola Yoder. Praticamente venne fuori che il ragazzo, Anfer Sheen si chiamava, si era fatto una grossa litigata con la fidanzata che l'aveva mollato per un altro e Anfer aveva rubato le pillole della madre per non so che malattia e ne aveva ingoiato una boccetta intera in un luogo appartato del cimitero, dove non ci andava nessuno. Il giornalista venne a intervistarmi. Avevo undici anni mi pare. Ma non era il telegiornale per cui non è paragonabile a questo. E quella volta nell'articolo su Anfer Sheen non avevano usato il mio nome, avevano scritto Ragazzo del luogo.

Alle dieci in punto l'annunciatore disse di non cambiare canale, c'erano nuovi sorprendenti sviluppi nel caso Dean Lowry. Chiamai Lorraine per dirle che era meglio se accendeva la tv ma non rispose per cui era ancora in giro con quel tizio a parlare del mio lavoro alla prigione. Mi aspettavo che fosse il servizio d'apertura ma quello lo fecero su un terremoto in Cina che aveva ucciso migliaia di cinesi. Di solito da quelle parti vengono decimati da problemi tipo alluvioni ma stasera era un terremoto. C'erano immagini di distruzione e di cadaveri, poi un paio di pezzi su altre cose, poi la pubblicità, ma dissero di nuovo dei nuovi sorprendenti sviluppi prima di sommergerci di sciampi e altre stronzate che non vedevo l'ora che finissero. Poi ci furono altri pezzi che non avevano a che fare con me. Cominciai a incazzarmi e alla fine quasi rimpiansi di aver telefonato a Sharon, ma poi quindi eccoli, i nuovi sorprendenti sviluppi.

Mi osservai molto attentamente per vedere se facevo errori ma non ne facevo, nemmeno guardavo la telecamera mentre mi intervistavano come fanno alcuni e li fa sembrare dei veri buzzurri quando fanno così. Ma non cadevo in quella trappola e me la cavavo proprio bene, pensai, a raccontare la mia storia in cui c'erano un po' di pezzi mancanti qua e là, brani che avevo tolto diciamo, ma nel complesso era tutto come l'avevo raccontato, con Sharon che ogni tanto faceva sì con la testa mentre parlavo, così scoprii com'è che funzionava. Squillò il telefono ed era Lorraine, non me l'aspettavo.

«Odell» mi fa «Ti ho appena visto alla tv.»

«Sì.»

«Non avevi dètto che eri al telegiornale.»

«Be', sono venuti in missione speciale per intervistarmi su questi nuovi sviluppi di cui si parla.»

«Del senatore? L'ha detto davvero, Dean, insomma?»

«L'ha detto davvero.»

«Non me ne avevi mai parlato, com'è?»

«Mi era uscito di mente, poi l'ho ricordato. Questa roba che mi ha detto Dean, sono storie grosse.»

«Non gli hai raccontato niente di quelle altre cose, vero?»

«Quali altre cose?»

«Di lui che ci ha provato con te, dei sussurri all'orecchio, non gli hai raccontato quelle cose, vero? Perché sarebbe un imbarazzo pazzesco, soprattutto per Bree. Era una persona molto all'antica, conservatrice, lei.»

«Ma... non può mica sentirlo ormai.»

«Be', lo so, Odell, voglio dire che la gente non c'è bisogno che sappia questa cosa di lui, non ha niente a che fare con l'essere terrorista, è una cosa privata, non c'è bisogno di parlarne in pubblico. Te lo chiedo come favore, ok?»

«Ok.»

«Per cui non esce dal tuo cappello?»

«Ce l'avessi, un cappello» feci la battuta, poi mi ricordai che un cappello ce l'avevo, il mio cappello hawaiano di paglia per tosare l'erba sotto il sole. Pensai di dirlo a Lorraine ma lei si era rimessa a parlare.

«Ehi, ho parlato a Cole di quel lavoro per te. Dice di venir fuori dalla prigione settimana prossima, venerdì tipo, così ne parlate. Ci sono buone possibilità, Odell.»

«Ok, ci sarò.»

«Un grosso grazie non me lo merito?»

«Eccome.»

«Bene. Credi davvero che Dean cercherà di ammazzare il senatore Ketchum?»

«Potrebbe, è abbastanza pazzo da provarci.»

Fece un lungo sospiro. «Sarà una vergogna per la famiglia, se lo fa. Il nome di Dean finirebbe sui libri di scuola così tutti lo possono odiare come quello che ha ucciso JFK e quello che ha ucciso John Lennon. Dovrei cambiarmi il nome per evitare guai, magari sposarmi, così il problema non ci sarebbe.»

«È una buona idea.»

«Be', comunque, volevo solo dirti che ti avevo visto alla tv.»

Oltre la sua voce sentii rompersi un bicchiere o una bottiglia.

«Cos'era?» le chiesi.

«Cos'era cosa?»

«Quel rumore, tipo un bicchiere, qualcosa che si è rotto.»

«Oh, è il gatto, ha buttato giù qualcosa dal tavolo della cucina.»

«Non sapevo che avevi un gatto.»

«È del vicino, gli bado io.»

Sentivo sullo sfondo che il gatto bestemmiava come un uomo ubriaco.

«Ti saluto, Odell» fa Lorraine agganciando di corsa.

Abbassai delicatamente la cornetta per non schiantarla contro la base del telefono. Magari il vicino era tornato a riprendersi il gatto e quello non voleva lasciare una persona tanto carina come Lorraine per cui si era messo a fare i capricci ed era andato addosso a qualcosa che si era rotto. Probabile che era andata così per cui non dovevo pensarci oltre, non aveva senso. Ho scoperto che pensare non è detto che sia sempre la cosa migliore da fare, altrimenti ti ritrovi con la mente ingarbugliata in pensieri su questo e su quello e quell'altro ancora e non sai quale delle cose è vera, quindi fermati.

E mi fermai. Con l'aiuto del Capitano.

Poi squillò ancora il telefono e afferrai la cornetta pensando fosse Lorraine che ora che il vicino si era ripreso il gatto e che la cucina era stata messa a posto si sentiva sola e voleva compagnia per il resto della serata. Invece non era lei.

«Odell?»

«Sì?»

Voce maschile.

«Sono Andy Webb, Odell. Mi hanno appena detto che sei apparso al tg delle dieci con una storia su Dean Lowry che vuole uccidere il senatore Ketchum, ho sentito bene?»

«Ha sentito bene.»

«Bene, dunque. Sto qui a chiedermi perché non mi hai dato questa informazione ieri, Odell, o forse pensi che il tg sia il posto migliore per rivelare informazioni importanti mentre il commissario di Polizia che per coincidenza si occupa di fare indagini sul caso quello invece non lo è. È questo che hai pensato, Odell?»

«Be'...»

«E poi, è vero? Come mai non glielo hai detto ieri al tg? Mi si dice che ieri sono venuti lì da te.»

«Me l'ero dimenticato... poi mi è ritornato in mente.»

«Bene, la prossima volta che ti ricordi un dettaglio così importante mi chiami e mi dai la notizia, Odell, non voglio sentirla di seconda mano da qualcuno alla tv. Pare che la persona che deve conoscere tutti i particolari sono proprio io. Avrei potuto passare l'informazione alla Sicurezza nazionale ieri stesso, e adesso vorranno tutti sapere perché non gli era arrivata la notizia che proprio adesso hai ricordato e comunicato alle persone sbagliate. I tipi della Sicurezza nazionale sono gente seria che non ama che si cerchi di fotterla, Odell, per cui quando prenderanno in mano il caso è meglio che non cerchi di fotterli come hai cercato di fottere me, siamo intesi?»

«A-ah...»

«Che cazzo!» fa, e sbatte il telefono, o forse l'ha agganciato delicatamente, non sai mai, ma scommetto che l'ha sbattuto.

Avevo fatto incazzare il commissario di Polizia, mai farlo, così mi toccò di nuovo andare a cercare consolazione dal mio vecchio amico, il Capitano.

otto

L'indomani verso mezzogiorno fermai il lavoro per il pranzo e passando per un'edicola vidi che le mie recenti rivelazioni erano circolate parecchio, in prima pagina c'era una foto di Dean e una del senatore con sopra la griglia di un mirino, e il giornale titolava SOTTO TIRO!. Comprai una copia da leggere mentre mangiavo il mio hamburger, c'era la stessa storia che avevo raccontato a Sharon Ziegler, grossomodo, e infatti nell'articolo c'era il suo nome insieme al mio.

Era la prima volta in assoluto che vedevo il mio nome su un giornale, mi diede una strana sensazione al petto che mi fece smettere di masticare per un attimo finché non mi passava. Sono famoso!

Finito il pranzo andai a comprare altre copie del giornale, sei, otto, poi tornai a tagliare l'erba, ma faceva un effetto strano dopo essere stato in prima pagina. Mi sa che dovevo essere il tosaerba più famoso nella storia dei tosaerba, e ho cominciato solo questa settimana, quel che si dice Avanzamento di Carriera.

Stavo mettendo lo spandiconcime nel furgone dopo il prato numero quattro quando una macchina accostò sul marciapiedi dietro di me, una Cadillac beige con Chet al volante. Scese e mi venne incontro. Si era tolto la giacca, il che vuol dire che faceva proprio caldo, Chet è il tipo d'uomo che non si leva la giacca finché non gli si dice ok la può levare.·Ancora una volta mi pare più un uomo d'affari che di fede, ma magari è colpa del completo e della Cadillac.

«Come vanno gli affari, Odell?»

«Gli affari vanno bene. Quell'erba, non se la smette di crescere.»

«I barbieri rispondono la stessa cosa se glielo chiedi» disse, il che dev'essere vero, l'erba dei barbieri non è mica diversa.

«Sei in prima pagina» fa.

«Già.»

«Stai diventando famoso.»

«Eh sì.»

«Ma l'erba bisognerà pure tagliarla.»

«Esatto.»

Guardò i miei tosaerba e il furgone, poi fa, «Terrai in piedi l'attività fino a nuovo avviso?»

«Finché non mi danno un altro lavoro.»

«Quale altro lavoro, Odell?»

«Al carcere. Ho un appuntamento per parlarci settimana prossima.»

«Che genere di lavoro possono dare a uno come te, al carcere?»

«Guardia. È facile, dicono.»

«Sei sicuro che è quello che vuoi dopo tanto sole ed aria fresca?»

«Be', tosare l'erba non mi dispiace, soldi li faccio, ma non è esattamente la carriera che avevo in mente.»

«E cosa avevi in mente?» vuole sapere.

«Be', pensavo magari l'Esercito, ma mi sono in qualche

modo ritrovato coi prati. L'ufficio reclutamento di questa città è stato chiuso per cui devi andare giù fino a Manhattan se vuoi arruolarti. Manhattan Kansas, non New York.»

«È una professione molto rischiosa, più rischiosa della guardia carceraria. Sei sicuro che sia il lavoro giusto per te, Odell?»

«Be', pensavo di provarci.»

«Sai, io e Bob abbiamo parlato di te, pensavamo a come si poteva aiutarti, intendo a livello professionale.»

«Oh, no, grazie, non sarei un buon predicatore.»

«No, quello a cui pensavamo era più come aiutarti nel ramo prati.»

«Oh. Davvero?»

«Pensiamo di aver individuato cosa ti manca, al momento, per dare il meglio nel tuo campo.»

«Un tosaerba di quelli col volante?»

«Pensavamo più a un cellulare.»

«A-ah.»

«Vedi, Odell, quando hai nuovi clienti che vogliono entrare nella tua lista magari ti chiamano ma a casa non c'è nessuno che risponde. Con un telefono cellulare e un po' di pubblicità puoi raccogliere prenotazioni da nuovi clienti mentre sei al lavoro. Una differenza sostanziale, non credi?»

«Sembrerebbe di sì.»

«Insomma, io e Bob pensavamo che ci piacerebbe procurarti un telefono cellulare. Gratis.»

«Gratis?»

«Esatto, pagheremmo noi. In contanti. Stamattina guidando per la città ho notato un'offerta di cellulari al negozio di telefoni di Torrent Street. Puoi fare un bell'affare tutta la settimana, ma i saldi finiscono domani, quindi, invece di farti tutta la strada fino in centro il prossimo fine settimana quando vorrai piuttosto goderti il meritato riposo, una buona idea potrebbe essere andarci ora, prima del tuo prossimo cliente, e assicurarti uno di quei bei cellulari finché gliene rimangono. Ti interessa, Odell?»

«Mi... certo.»

Tirò fuori il portafogli ed estrasse del denaro.»

«Sono quattrocento dollari, abbastanza per fare il contratto che preferisci.»

Tese il denaro. Sarebbe stato scortese rinunciare perciò li presi.

«Sicuro, Chet?»

«Sono assolutissimamente certo che è la cosa migliore per te.» Si guardò l'orologio. «Ho affari da sbrigare, perché non vai subito a sceglierti un telefono, ne hanno di ogni marca e modello, e quando ce l'hai fatta ti prego: la prima telefonata del tuo telefono nuovo falla a me, d'accordo? Il mio numero ce l'hai ancora, vero?»

«Proprio qui nel portafogli.»

«Bene allora, non ti trattengo. E goditi il telefono. Credimi, ti cambierà la vita.»

Fece un risolino e tornò in macchina mentre io restavo lì immobile coi soldi in mano, lui salutò con la mano e partì. Misi i soldi in tasca pensando che Chet e Bob il Predicatore si stavano occupando di me come due zii, e Lorraine si stava occupando di me come... be', una sorella. Insomma, non volevo deludere nessuno di loro.

Feci ciò che mi aveva detto Chet e andai di filato al Telephone Store, dove avevano un sacco di telefoni, da quelli da scrivania per uffici incassati in quelle specie di console con pulsanti dappertutto, a quelli da muro che li appendi al muro oppure sul tavolo se preferisci, e ne hanno di tutti i colori che non sapevo li facessero per i telefoni: rosso e verde e giallo, ce n'era perfino uno rosa che sarebbe per le donne.

Mi si avvicinò un giovane. Capelli corti zeppi di gelatina per farli stare su come spilli e mi fa, «Cosa posso fare per lei?»

«Voglio un telefono» gli spiegai «di quelli da passeggio.»

«Da questa parte» mi fa «Questa settimana abbiamo un'offerta sui cellulari.»

Sotto la vetrina di un bancone c'era pieno così di cellulari di ogni tipo, decine e decine di ogni colore e perfino con le figure. Il tipo si mise a parlare del piano tariffario X che ti dà un certo numero di chiamate gratuite a settimana, o del piano Y che ti dà un'altra combinazione, o il piano Z che ti dà un altro sistema ancora. Era difficile da seguire, ciacolava tutto rapido, ma intanto che parlava io sceglievo il telefono che faceva per me, mi rimaneva da scegliere fra due che mi piacevano com'erano fatti. Sul primo c'era un Bart Simpson con la mano di Bart che regge in mano lo schermo, e l'altro era di un verde metallizzato troppo elegante ma senza figure, solo il verde. Ero tentato da El Barto ma sapevo che si sarebbe detto che è un telefono per ragazzini, per cui mi imposi di non desiderarlo e scelsi il verde.

«Prendo quello.»

«Il nuovo Fumatsu nove-zero-nove» mi fa, «ottima scelta, e lo offriamo in un pacchetto speciale: l'Aerodinamic Start, e ti cellularizzi in un lampo.»

Mi spiegò tutto, cosa faceva, gli sms eccetera, lo seguivo a fatica ma scommetto che nella scatola c'è un bel librettino che può spiegarmi le stesse cose ma più lento in modo che riesco a capire. Ma la cosa migliore era che nel telefono c'era una telecamerina, stava dentro allo sportellino per parlare, e puoi fare un filmino e spedirlo a chi ti sta parlando! Ho fatto proprio la scelta migliore, se ha dentro un affare del genere. Scribacchiò una serie di dettagli tipo il mio nome e l'indirizzo e mi dice che il numero sarà attivato tra cinque-dieci minuti, e dopo il telefono è ufficialmente mio. Pagai e mi avanzava pure qualcosa, Chet aveva valutato la spesa praticamente alla perfezione. Tenevo in mano il telefonino, satinato, sciccoso, era proprio fatto per me.

Poi il ragazzo con i capelli a spilli mi mostrò come scegliere la suoneria, come suonava quando chiamava qualcuno, e c'era una scelta tale, un sacco di suonerie diverse e di effetti sonori da Betoven alla vocetta che grida, «E rispondi al telefono, cretino!».

Questa qui era divertente ma non che mi chiamano cretino, per cui scelsi per la canzoncina che avevo sentito mille volte, *Greensleeves*, che la cantavamo a scuola quand'ero piccolo – Vieni, vieni, vieni via con me, Dove l'erba cresce folta e il vento soffia fiero, Vieni, vieni, vieni via con me, E ti costruirò una casa sul prato... ma non parlano di gente con le maniche verdi quindi non capisco proprio il senso del titolo.

«Questa non è male» disse il commesso dai capelli a spilli, ma si vedeva che non lo pensava. Probabile che pensi che non è fico avere una suoneria così dolce. Scommetto che la sua fa, «Rispondi o ti stacco la testa, idiota!»

Uscito dal negozio chiamai immediatamente Chet. Fu un'impresa spingere quei tasti minuscoli uno per volta con le grosse dita a salsiccia che mi ritrovo, ma alla fine ebbi la meglio e i numeri balenavano sullo schermo mentre premevo i pulsanti per cui avevo la prova che ci stavo azzeccando. Chet rispose all'istante.

«Ehi, Chet. Odell.»

«Odell, ci hai messo un attimo.»

«Be', volevo approfittare finché erano in offerta. Ne ho preso uno verde, verde metallizzato mi pare si dice. Li immaginavo meno piccoli, questi cosi.»

«Un modello compatto ti entra nella tasca della camicia e neanche lo senti addosso» mi fa. «Sto già inserendo il tuo numero nella rubrica.»

«Ma non te l'ho ancora dato.»

«Mi è comparso sullo schermo, succede quando ricevi una telefonata» mi fa. «Tecnologia digitale, Odell, una cosa meravigliosa.»

«Altroché.»

«Goditi il telefonino nuovo, Odell, e chiamami quando vuoi parlare, qualunque cosa sia.»

«Contaci, Chet, e grazie per il telefono, mi piace un sacco. E ringrazia da parte mia anche Bob il Predicatore, va bene?»

«Non mancherò. Ora ti devo salutare.»

Avevo fatto metà prato della casa al 9846 di Siefert Street, con il mio telefonino nuovo proprio qui nel taschino, quando udii il dolce trillo dalla mia zona toracica. Il mio telefonino nuovo stava squillando! Doveva essere Chet, è l'unico che conosce il mio numero. Lo tirai fuori e premetti il tasto che serve per parlare, ma non sentivo bene la voce di Chet per il frastuono del tosaerba, così lo spensi e ora lo sentivo.

«Odell?»

«Sì?»

«Odell Deefus?»

Non era la voce di Chet, ma qualcun altro, un uomo.

«A-ah?»

«Odell, lascia che mi presenti. Sono l'agente Jim Ricker, Sicurezza nazionale.»

«A-ah?» Il cuore all'improvviso mi faceva *budumbudumbudum* perché era la Sicurezza nazionale all'altro capo del telefono! Ma non gliel'avevo dato il numero, com'era possibile?

«Come va la vita?» si informa.

«Tutto ok.»

«Stavo ripassando i fatti del caso Lowry come li conosciamo alla data di oggi» mi fa. «Hai niente da aggiungere a ciò che hai raccontato a Sharon Ziegler ieri sera, altre illuminazioni sulla mentalità del nostro bestione?»

«Be', no.»

«Perché noi le cose le dobbiamo sapere prima di tutti, Odell. Da questo momento in poi tu parli a me e solo a me, non ai giornalisti dei telegiornali e nemmeno a nessun commissario di Polizia di Callisto che peraltro hai già fatto infuriare per la storia del senatore Ketchum. Niente informazioni ad altri che a me, chiaro?»

«Ok. Allora mi dia il suo numero, per favore...»

«È sul tuo schermo. Premi cancelletto per aprire l'indice e salvalo nella rubrica. Sarà il numero più importante che ci metti, Odell. Se Dean Lowry si mette in contatto con te voglio che tu mi avvisi immediatamente, notte o giorno non fa differenza. Mi sono spiegato, Odell?»

«A-ah?»

«Non hai ancora salvato il numero nella rubrica?»

«Ci sto provando... Ho dita enormi...» Fu complicatissimo premere i pulsanti e tenere il telefono abbastanza vicino all'orecchio da sentire la voce del tipo. «Cancelletto... ok, ecco la rubrica.»

«Adesso scorri giù fino ad *Aggiungi*.»

«Ok...»

«Andiamo, premilo, Odell, mica ti morde.»

«Ecco... Fatto.»

«Ora digita J-I-M.»

«Questi pulsanti sono troppo piccoli... Ok, fatto.»

«Complimenti» mi fa, ma lo dice tipo con sarcasmo.

«Com'è che ha il mio numero?» gli chiesi. «Il telefono l'ho appena comprato.»

«Me l'ha detto un uccellino appeso a un filo del telefono» mi fa.

«Dovresti cambiare suoneria, Odell, hai gli stessi gusti di mia figlia che ha nove anni. Sono più adatti a lei che a te.» Come cavolo fa a conoscere la mia suoneria? «Adesso ricordati bene» mi fa, «non fidarti di nessuno tranne me. Su questo siamo d'accordo?»

«A-ah...»

Riattaccò. Fissai il telefonino. Ero proprio ai Piani Alti, ormai. La Sicurezza nazionale aveva il mio numero e io avevo il loro numero personale per chiamare notte e giorno e dare informazioni ulteriori da me su Dean, che peraltro non ce ne sarebbero state di nuove a causa che c'era stata la prematura scomparsa di Dean. Era un problema se l'agente Jim Ricker voleva ulteriori sviluppi su cui farsi aggiornare.

Mi faceva star male sapere quel che sapevo, che Dean era

morto. Era quasi peggio che sapere che ero stato io a ucciderlo. Jim Ricker sarebbe stato molto deluso, non ci piove. L'uccellino appeso al filo del telefono non gli avrebbe più raccontato niente che già non sapesse, il che comunque erano quasi tutte bugie. Questa faccenda si stava rivelando l'ennesima pessima conseguenza nella lista delle azioni della mia vita, tutto è dovuto a cattiva pianificazione o a decisioni che non dovrei prendere, forse, solo che è difficile capirlo quando decidi qualcosa, se hai preso la decisione giusta lo capisci solo dopo, quando si verificano le conseguenze.

In giro per l'America tutti parlano di Dean e del suo terribile complotto per uccidere il senatore. E si stanno preoccupando tutti, specialmente il senatore Ketchum, ci scommetto. Sua moglie è probabile che gli ha detto, «Oggi non uscire dalla porta, o Dean Lowry ti troverà!» Ma lui è uscito comunque perché la nazione deve andare avanti nonostante tutto. Questo penserà la gente ed è molto probabile che voteranno per il senatore per il suo coraggio nell'affrontare la minaccia terroristica a quel modo uscendo dalla porta di casa ogni mattina caschi il mondo. E Dean Lowry non ce n'erano più in giro. E io sono il solo in tutto il paese a sapere questa cosa. E se scoprono che ho mentito sono in guai serissimi, anche uno stupido lo capirebbe. Per cui mi tocca sedere su questo Grosso Segreto come una gallina sulle sue uova, solo che la gallina vuole che le uova alla fine escano dal guscio mentre io spero il contrario, perché quello che uscirebbe fuori non sarebbero pulcini, ma draghi.

Rimisi in tasca il telefonino, che in qualche modo pesava più di prima. Devo tenere chiusa la bocca e tutto andrà bene, mi dico. Se solo riesco a farlo il tempo passerà e la minaccia Dean Lowry si sgonfierà come quella di Jesse James e John Dillinger che sono anche loro belli che morti. Rèstatene in silenzio e l'interesse morirà come le foglie d'autunno, e per quell'ora avrò un buon lavoro al carcere e magari Lorraine mi sposerà. È vero, è più grande di me ma è ancora molto attraente e formosa per cui la volevo proprio sposare, e lei pure avrebbe voluto, vista la mia affidabilità in tema di paga settimanale regolare, questione cui le donne prestano molta attenzione quando pensano a un uomo. *Chi non lavora non fa l'amore.* Ci scommetto che il lavoro al carcere sono più soldi che tosare l'erba.

Tornando a casa venerdì sera avrei dovuto sentirmi felice con il fine settimana alle porte per rilassarmi e divertirmi. Ma non mi sentivo così mentre parcheggiavo il furgone vicino alla mia defunta Monte Carlo e tiravo giù le buste di plastica con l'erba tagliata per aggiungerle alla pila in fondo al cortile. Il fatto è che il fine settimana è fatto per stare con la gente, gli amici, la famiglia, e queste erano cose che al momento non avevo, non lì a casa per lo meno. La sola persona lì ero io, e Dean, certo, ma lui non contava.

Dopo aver svuotato le buste entrai in casa e mi feci una doccia, poi sedetti al tavolo della cucina rimpiangendo di non essere un fumatore perché era la situazione ideale per una sigaretta e una birra, e non avevo nemmeno quella, giusto un quarto della bottiglia del Capitano mi restava, ma non ero dell'umore giusto per il rum. Quando suonò il telefono – quello della cucina, non il mio dolce cellulare nuovo – fu quasi un sollievo, perché a quel punto ero seduto a fissare il muro da troppo tempo.

«Pronto?»

«Odell, commissario Webb.»

«Oh, salve, commissario.»

Cattive notizie in arrivo, mi dico, da uno a cui non piaccio proprio.

«Hai niente in programma per sabato?» mi sorprese.

Mi dico che il commissario deve sentirsi in colpa per la ripassata che mi ha dato stamattina e ha deciso di essere gentile, in pratica di invitarmi a casa sua per delle costolette alla brace in famiglia.

«No, commissario, ho tutta la giornata libera.»

«Perfetto, perché ti mando a casa un agente a filmare il cortile.»

«Chiedo scusa?»

«Passa da te alle dieci.»

«A filmare?»

«La tomba che Dean ha scavato e riempito. Ci dev'essere una registrazione video con lo scavo e la buca vuota.»

«Ma... lo avete già fatto... e la buca è ancora vuota.»

«Ma non abbiamo fatto una registrazione, ti sto dicendo. L'agente riprenderà anche la disposizione della casa, passerà di stanza in stanza con la telecamera in funzione e riprenderà tutta la casa da cima a fondo.»

«Per quale motivo?»

«È la Sicurezza nazionale, Odell, sono loro che insistono. Gli piace farsi il loro schema video della casa in modo che se c'è un assedio sanno da dove cominciare l'assalto e come andare dalla stanza A alla stanza B mentre l'aria è piena di fumo per i loro lacrimogeni. Li allenano così, ormai.»

«Ma non ci sarà nessun assedio. Credete che Dean tornerà a casa e ci si barricherà dentro?»

«Chissà cos'hanno per la testa, loro sono la Sicurezza nazionale. Non posso mandarti più di un uomo perché sabato abbiamo una partita di baseball liceale, viene gente da tutto il paese. Devo usare tutti i miei uomini per il traffico.»

«Ma allora... se c'è solo un agente con la telecamera, chi scava?»

«Tu, Odell. Ci sono problemi?»

«Ma, no...»

«Quando la Sicurezza nazionale è coinvolta in una situazione del genere è tutta un'altra cosa. Se non avessi detto quella cosa, che Dean era musulmano, sarebbe stato un semplice omicidio, ma ora che è un sospetto terrorista è tutto cambiato, in un caso c'è da fare riprese video, nell'altro no. Be', è un bel vantaggio sapere che sarai a disposizione per darci giù di vanga,

Odell. Il dipartimento di Polizia di Callisto ti è grato per l'assistenza così gratuitamente offerta. Viene alle dieci.»

E riagganciò, quel pezzo di merda. Può essere che la Sicurezza nazionale si fosse presa questo caso per la faccenda del senatore Ketchum, ma può anche essere che il commissario Webb si fosse inventato 'sta cosa per vendicarsi della ripassata che si era preso da loro. Sia come sia, mi trovo in Merdalandia visto dov'è Dean, e fu un vero peccato aver sprecato la doccia appena fatta visto che ora dovevo risporcarmi tutto da capo per tirar fuori Dean dalla buca.

Non mi è successo spesso di provare cosa vuol dire essere accecato dall'ira, ma mentre andavo a prendere guanti e vanga mi sentivo esattamente così. Era ridicolo dover continuare a spostare un uomo morto a quel modo, e levandogli ogni dignità, anche se è un assassino. Ogni uomo morto merita di stare in pace una volta sotto terra, senza essere disturbato all'infinito per nessuna ragione. Il fantasma di Dean non avrebbe apprezzato.

Scavai come una ruspa tanto ero fuori di me. Non fu una grossa fatica, la terra era ancora morbida, ormai era stata scavata tre volte compresa la prima per mano di Dean. No, era stata la completa perdita di tempo e di energie che mi aveva fatto arrabbiare. Quando arrivai a Dean ormai ero così infuriato per tutto quanto che forse sollevandolo fuori devo averlo trattato con poca delicatezza. Lo trascinai fino alla pila d'erba respirando dalla bocca perché Dean puzzava come non avevo mai sentito prima, un uomo morto da quattro giorni e che ci tiene a farlo sapere al mondo. Lo posai per terra e mi imposi di non vomitare, poi aprii un bel buco in mezzo alla montagnola di erba tagliata e stavo per mettercelo dentro quando mi venne in mente che dalla pila d'erba la puzza sarebbe uscita fuori facilmente e magari il tipo con la telecamera se ne sarebbe accorto e avrebbe lanciato il campanello d'allarme.

Dean doveva essere a prova di puzza, per cui presi due delle grandi sacche di plastica in cui stava l'erba tagliata e ce lo infilai, una sopra e una sotto, poi presi dello scotch dalla panca degli attrezzi del granaio e incollai una all'altra le sacche facendo molta attenzione che erano a tenuta stagna come volevo. Fatto questo non si sentiva quasi odore, e quel poco di tanfo veniva probabilmente dalla mia camicia perché me l'ero stretto addosso per trascinarlo. Averlo seppellito dentro un solo lenzuolo non era stata un'idea geniale, ma adesso il problema era risolto, mi dicevo mentre lo piazzavo nel buco e ci sistemavo sopra mezzo metro di erba.

Poi tornai dentro e mi feci un'altra doccia e misi tutti i miei vestiti in lavatrice per il tanfo fetido schifoso che emanavo. Poi mi feci di nuovo la pizza, due visto che sono le Sottili&Croccanti e non i Deep Dish e io ho una fame che non ricordo di averne mai avuta tanta. Ma almeno il problema era risolto.

Fu allora che ricordai che non avevo riempito la buca, il che mi fece gridare male parole adeguate ai miei sentimenti, avevo i nervi a pezzi e mi stramaledicevo. Per cui di nuovo giù in cortile e la buca fu di nuovo piena. Non sembra proprio una buca scavata e riempita due giorni fa, sembra una buca riempita appena ora, ma non ci posso fare niente salvo sperare che lo sbirro cameraman non è intelligente abbastanza da notarlo prima che domani ci rificco dentro la vanga. Dio com'ero stanco.

Si stava facendo notte per cui feci un'ennesima doccia e stesi il bucato mentre l'ultima luce del giorno colava color sangue verso ovest. Finito di stendere tornai dentro e accesi la tv in cerca di un tg, che era interamente concentrato sulla caccia all'uomo, a Dean, per tutto il Midwest e sugli avvertimenti tipo Non avvicinarlo è troppo pericoloso, come fosse coperto d'antrace o qualcosa del genere. Lo volevano a tutti i costi per cui c'era una ricompensa per le informazioni. Centomila, un mucchio di soldi ed è un peccato che io non li possa ritirare senza mettermi in ulteriori casini che già ne ho abbastanza.

Scommetto che Dean non avrebbe mai pensato un giorno di valere così tanto.

Per l'enorme sforzo di trasferire Dean ero così stanco che mi addormentai di fronte alla tele come fanno tanti e mi svegliai molto dopo con una voce che mi dice che dovevo cambiare me stesso e diventare migliore o rischiavo di perdermi la felicità, che è la ricompensa naturale per ogni anima che accoglieva il Signore come suo salvatore. Mi si aprirono gli occhi ed eccomi di fronte Bob il Predicatore in persona.

Non è un uomo affascinante e non si sforza di sembrarlo, a differenza di quei tipi alla tv che provano a rifilarti il Libro Sacro, con i loro capelli ossigenati e denti così bianchi che ti bruciano gli occhi. Bob il Predicatore sembrava averci dormito in quel suo vestito ed essersi svegliato con una bottiglia vuota al fianco, ed è per questo che la gente lo ama tanto, perché è come loro, non è il tipo di predicatore tutto leccato da show business che si vede in giro. A guardarlo non diresti che è un multimiliardario con il suo college di studi biblici a Topeka che sforna predicatori e quant'altro per mandarli in giro per il mondo a convertire i pagani alle vie cristiane come pure i peccatori locali statunitensi. Bob il Predicatore, la sua congregazione non ama le robe esibizioniste piene di cori con la cappella che sembra un posto che ci puoi fare la cerimonia degli Oscar. L'impresa di Bob il Predicatore è tutta un'altra cosa, un palco semplice semplice con un piccolo leggio in cui tiene una Bibbia aperta. Niente coro e niente aiutante accanto che parla in quel modo in cui parlano gli aiutanti, in quelle che chiamano Conversazioni su Cristo. Bob il Predicatore non imbastisce conversazioni, fa il suo sermone come si faceva ai vecchi tempi senza fronzoli e luci d'atmosfera e denti bianchi. Bob, quello non è proprio il suo stile. Lui ha degli occhialetti a mezza luna che gli pendono dal collo con una catenella, quando vuole leggere un passaggio da qualche punto della Bibbia che al momento gli interessa, il

Giudeuteronomio o i Saldi, quello che è, li prende e se li posa sul quel naso che in punta ha come un bulbo che pare una cipolla rossa e comincia a leggere a voce alta. Veramente alta. Se Bob il Predicatore ha una faccia bonaria è stato però compensato con una voce che pare Dio in persona, tutta seria, franca, profonda. Cattura l'attenzione, quella voce, anche se non sei un tipo religioso. Quella voce ti viene incontro e ti prende come una grossa mano calda da cui non ti puoi più separare, e una volta che quelle dita ti si stringono intorno Bob ti ha in pugno e ti tiene dove vuole lui, ossia lì ad ascoltare la Voce che ti dice dov'è che hai Smarrito la Via nella tua vita e come aggiustarla, farla tornare Come Nuova, ossia grazie a Gesù Cristo e in nessun altro modo possibile. Per come parlava volevi credere a tutto quello che diceva, è che se lo dice lui tutto suona semplice e vero. Devi solo entrare per la porta della chiesa che Bob il Predicatore ti tiene aperta proprio per te, e da quel momento in poi tutto andrà bene perché sei sotto l'ala di Gesù da una parte e di Bob il Predicatore dall'altra, perfettamente al sicuro per il resto della tua vita. Adesso parla di decime, devi dare il dieci per cento del tuo stipendio al Signore, è importante tanto quanto pregare per restare amici stretti di Gesù. È il solito vecchio Caccia-i-soldi che ti propinano tutti, ma con Bob il Predicatore suona genuino, vero, come se ogni centesimo dei soldi veramente sarà usato per aiutare piccoli africani affamati a trovare la loro via a Gesù con il Tuo Aiuto e quelle generose donazioni in contanti sono Deducibili dalle Tasse, fratelli. Stavo praticamente infilandomi la mano in tasca per prendere il portafogli, da come parlava.

Lui è la persona che ha ricevuto una lettera da una persona che non contava nulla nello schema supremo delle cose, perché così era zia Bree, e non l'aveva ignorata come ti aspetteresti che faccia un vip come lui, no, aveva mandato Chet Marchand fino a Callisto per cercare di salvare l'anima di Dean prima che la perdesse per sempre passando dalla parte dei musulmani. Quello che aveva fatto era sorprendente, che fosse venuto a cercare una sola anima a rischio di Dannazione Eterna per salvarla mentre aveva tutte le sue cose di cui occuparsi, per cui devi ammirarlo un minimo anche se non sei un praticante e io non lo sono stato mai.

Smise di parlare per mezzo minuto circa come fa ogni tanto per riprendere fiato, e cammina avanti e indietro per il palco mentre raccoglie i pensieri e si prepara a tuffarsi nel resto del sermone e intanto la congregazione che gli stava di fronte e il pubblico a casa attendevano pazienti che ricominciava il discorso.

«Ditemi, qual è il tema caldo del giorno?» domanda, per rispondersi da solo. «Il Terrorismo. Che parola terribile, amici, e la sentiamo ogni volta che vediamo il tg. Terror-ismo. Solo da che vivo io abbiamo avuto il Naz-ismo, il Comun-ismo e adesso un'altra cosa altrettanto terribile e malvagia: il Terror-ismo. Il dizionario definisce Terrore come paura intensa e schiacciante, abilità di incutere una simile paura, violenza verso i privati cittadini, la proprietà pubblica e i nemici politici promossa da un gruppo per ottenere o mantenere il potere. Dice tutto, vero? Ma amici miei, queste definizioni non sono in grado di includere un altro aspetto del Terrorismo, e mi riferisco all'aspetto non-cristiano. La Chiesa cristiana non pratica il Terrorismo, mentre la religione musulmana sì. Lo fa apertamente, nel nome di Allah.

«Ora io non voglio implicare che tutti i musulmani sono terroristi, in quel caso la situazione sarebbe centomila volte peggiore di quella che è. Dico altresì che nel nome del loro dio, certi praticanti della religione musulmana hanno trasformato il mondo in un campo di battaglia. Il loro scopo, e lo ammettono apertamente, è la conversione di ogni uomo sul pianeta alla loro visione del mondo. Immaginate. Ogni singolo uomo, donna e bambino che abita la Terra deve abbandonare Gesù e accettare

Maometto come colui al quale Dio ha rivelato la verità. Non Gesù. Maometto. Usare la spada per ottenere i propri scopi è sempre stata usanza di questi maomettani. Cominciarono all'epoca in cui la spada era una novità. Ora ovviamente usano bombe e proiettili per raggiungere il loro obiettivo. Secondo l'islam, noi dobbiamo fare tutto ciò che ci chiedono, altrimenti ci uccideranno. Semplice e terribile. Pensate alla nostra maniera, pregate alla nostra maniera, o vi uccideremo, ecco il messaggio di questa gente»-

Bob si mise a tremare tutto, si vedeva la rabbia montargli dentro e bucare lo schermo per arrivare a te. «Che faccia tosta» fa, poi ancora, per farcelo entrare nella testa, «Che faccia tosta! Amici, noi non andiamo a dire ai musulmani in giro per il mondo di pensare e pregare come noi. Magari glielo suggeriamo che la nostra via è la vera via, ma non minacciamo di togliere loro la vita se non sono d'accordo, la scelta sta a loro. Non dimentichiamocelo, siete voi a scegliere di essere cristiani, non potete esser costretti o minacciati o convinti con i soldi. Eppure questi... diavoli con le loro bombe e i loro proiettili insistono che facciamo come vogliono loro. Per essere salvati, amici miei? Salvati da cosa? Dallo stile di vita per cui io e voi e milioni e milioni di cristiani abbiamo vissuto e pregato per generazioni negli ultimi duemila anni. Duemila anni! L'islam ne ha molti meno. L'islam ha secoli in meno del cristianesimo, eppure questi ritardatari cercano di dire a noi dov'è la verità!»

Bob era infervoratissimo per questa storia dei terroristi. «E nel caso pensiate che un terrorista è una persona che se ne sta lontano in Medio Oriente con uno straccio in testa, permettetemi di ricordare che ce ne sono anche qui in America. E non discendono dal ceppo arabo. Non sono immigrati giunti al nostro suolo generoso dal loro paese torrido e desertico. No, parlo di americani cresciuti in America e allevati dalla cultura e dalla Chiesa cristiane. Com'è possibile, la sento la vostra domanda, com'è possibile che accada una cosa del genere? Che un ragazzo americano che viene dal cuore del paese abbandoni ciò che sa essere giusto, le tradizioni e le lezioni e lo stile di vita con cui è cresciuto... abbandoni queste cose per abbracciare il credo islamico? Com'è possibile? Ve lo dico io, e la risposta non sorprenderà quanti di voi mi ascoltano ormai da molti anni. Il diavolo sussurra, amici miei. Sussurra nelle orecchie del debole e dell'incauto, e penetra nella sua testa e svia i suoi pensieri da Gesù, proprio così. Ti può sviare e farti diventare un drogato. Ti può sviare e farti diventare un molestatore di bambini. Ti può sviare e farti diventare uno di quelle decine di tipi diversi di mostri, financo compresa la peggiore categoria di tutte, amici miei: l'assassino.»

Bob il Predicatore prese un sorso d'acqua dal bicchiere accanto alla Bibbia. «E non un semplice assassino ma un tipo speciale di assassino, forse il peggiore. Parlo dell'assassino che colpisce all'interno della propria famiglia. Pensateci. Immaginiamo che ci sia stata già una tragedia in questa famiglia. Un marito ha abbandonato il suo figlioletto appena nato. Un fardello terribile con cui cominciare la propria vita, ma non il peggiore, perché la moglie ha una sorella che non si è sposata, e quella sorella da brava cristiana, amici miei, si è infilata a riempire quel vuoto e ha allevato il bambino da sola! È successo davvero. Sono fatti. È successo proprio qui in Kansas. E sapete cosa è successo tempo dopo? È mica cresciuto sano e robusto quel bambino, fino a diventare un bravo cittadino seguendo l'esempio di sua zia che l'aveva preso con sé e aveva dedicato a lui la propria vita? No. Il diavolo ha sussurrato nell'orecchio di quel giovane... e lui ha trucidato quell'onesta donna.»

Per la congregazione passò una scia veloce di sussurri. Bob restò lì a scuotere la testa con le labbra premute insieme, strette come se a stento poteva sopportare che una tragedia simile era accaduta proprio qui in Kansas. «L'ha trucidata con un fucile, amici.» Un secondo sussurrio corse attraverso la cappella tv di Bob, ora io sono attentissimo a ogni dettaglio. «E ha messo il corpo lacerato e storpiato dentro a un freezer intanto che valutava come liberarsi di lei. Questa brava donna che lo aveva salvato dal disastro e lo aveva tratto al petto. Che razza di giovane è questo di cui ci troviamo a parlare? Ve lo dico io di che razza è. Il diavolo gli ha sussurrato nell'orecchio non una, ma due volte. Due volte! E quale causa perorava il secondo sussurrio? Ve lo dico io cosa. Islam. Anelava a che il giovane omicida si convertisse all'islam.»

Pronunciò queste parole in modo così teatrale e riuscito che poi dovette aspettare che il mormorio di indignazione corresse da una parte all'altra della congregazione, poi fa «E credete che il diavolo si accontentasse di quello? Tutt'altro. Il diavolo sussurrò una terza volta nell'orecchio ricettivo del giovane e lo invitò a prendere un'arma... per abbattere a colpi di proiettile uno degli uomini di maggior valore nella sfera politica che questa grande nazione abbia mai avuto il privilegio di inviare a Washington!».

La congregazione, quelli si erano fomentati parecchio e cominciarono ad applaudire. Bob non ha nemmeno fatto il nome del senatore Ketchum, ma è chiaro che sanno tutti di chi sta parlando. Non ha fatto nemmeno il nome di Dean, magari non può per ragioni legali, non lo so, ma se la gente si stava chiedendo prima di quale giovane sviato e sussurrato dal diavolo si stava parlando, adesso è sicuro come l'inferno che l'hanno capito, per Dio.

Bob aspettò che diminuisse la confusione, poi riprese «Non abbiamo già avuto una razione sufficiente di presidenti eccezionali assassinati? Lincoln, abbattuto a colpi d'arma da fuoco dopo aver salvato la nazione e liberato gli schiavi! Kennedy, abbattuto a colpi d'arma da fuoco quando ancora era giovane e forte dopo aver fatto abbassare lo sguardo al mostro comunista per la faccenda di Cuba? Non permetteremo che accada un'altra volta!».

Un'esplicita ovazione, adesso, perfino qualche fischio d'entusiasmo. Solitamente queste cose non le vedi in un programma religioso. Bob si lavora la folla come uno che vende Pillole della Giovinezza ai pensionati. «Ora, amici miei» fa, «so che l'uomo in questione non è ancora il nostro presidente. Non lo sarà fino all'arrivo del novembre 2008...» conclude con un largo sorriso.

Ancora fischi, lui li respinge con un gesto e continua «Ma il messaggio è chiarissimo. La speranza più luminosa e migliore che abbiamo noi americani per proseguire nella battaglia contro i terroristi viene minacciata ancora prima di assumere il più alto incarico del Paese. Minacciata prima ancora che cominci la sua campagna ufficiale per la presidenza. Minacciata dal più vile dei vili: un individuo talmente corrotto e privo di scrupoli che ha assassinato la zia che lo aveva cresciuto come un figlio! Un individuo così privo di gratitudine per essere nato cristiano e americano che ha rifiutato la luce e ha abbracciato le tenebre! Ha giurato di togliere la vita a un uomo amato da milioni di persone. Ha giurato di togliergli la vita! Ora però il suo bersaglio, un uomo noto per il cuore fiero e il coraggio, non arretrerà di fronte alla sfida. Non quell'uomo! Lui sarà lì, senza nascondersi, libero sotto il grande cielo di Dio, a viaggiare per il paese per chiedere il vostro voto quando sarà il momento, mentre nell'oscurità quel giovane assassino lo inseguirà nel nome di Allah! Ma non prevarrà! Non finché le nostre preghiere sono con lui, e lo proteggono come fosse dietro l'ala del Signore nostro salvatore!»

Con questo praticamente fece scoppiare la sala, e quando i titoli di coda cominciarono a scorrere la gente ancora applaudiva. Avevo già guardato programmi del genere qualche volta ma non ne avevo mai visto uno che fomentava così tanto la gente su un tema che non fosse la guarigione dal dolore e dalla malattia con l'imposizione delle mani. Chissà se il senatore stava guardando anche lui, mi dicevo, chissà se si chiedeva quanti voti in più gli aveva appena procurato Bob il Predicatore.

Spensi la tv e udii un rumore lontano e benvenuto, il rombo di un tuono. Come mai benvenuto? Perché significava che la terra che riempiva la buca in cortile si sarebbe bella e inzuppata e compattata, fino a sembrare una montagnola fatta mercoledì e non venerdì, proprio ciò che mi serviva per gabbare lo sbirro cameraman di domani. Quasi come se Bob il Predicatore avesse visto i guai in cui mi trovavo e avesse mandato giù pioggia per coprire il mio crimine. Esco in veranda a vedere i lampi a ovest, il vento mi accarezza la faccia. La tempesta veniva in questa direzione, come dire che la Salvezza si era incamminata da questa parte. Amen.

nove

Sabato mattina lo sbirro si presenta puntuale, le ruote della sua macchina schizzano fra le pozzanghere. A vederlo sembra un novellino, ha la mia età e dei bei capelli, ha portato la telecamera. Mi dice che è qui per riprendere l'interno della casa e la buca mentre la svuotiamo, e non fa i salti di gioia visto che non era nel turno straordinari per il fine settimana ma il commissario ha insistito. Pareva incazzato un po' in generale da come parlava.

Lo porto sul retro e gli mostro la montagnola, che ormai grazie alla pioggia pareva stare lì da un pezzo. La riprese per qualche secondo, voleva mostrarla così com'era, poi mi lancia un'occhiata di scuse che vuol dire che il commissario Webb l'ha avvisato che la vanga spetta a me. La raccolgo e mi metto a scavare mentre mi riprendeva, poi dice che tanto valeva che riprendeva la casa mentre io finivo di fuori. Se ne andò per la porta sul retro mentre io sentivo il primo sudore della giornata contro la camicia. Maledetto commissario Webb! Il primo mezzo metro di terra era molto pesante di pioggia e mi dava filo

da torcere quanto era zuppo, per cui procedevo lento e mi spor-
cavo tutto. Giurai che non avrei più preso in mano una vanga
finché vivevo. Il mio cane preferito, ne avessi mai avuto uno,
non l'avrei seppellito in giardino, l'avrei appeso ai rami di un
albero come facevano gli indiani coi loro parenti, l'avrei lasciato lì a farsi consumare dal vento e dalle intemperie. Più andavo a fondo più la terra era asciutta e facile, solo ormai mi ero
stancato per cui non era una passeggiata manco adesso. Il
novellino tornò di fuori che ero a metà dell'opera e mi dice che
la casa l'ha ripresa. Avrei dovuto pulire un po' prima delle
riprese ma ormai è tardi per farlo.

Si accese una cicca e mi guardò lavorare, cosa molto seccan-
te, e mi disse che al dipartimento di Polizia erano così taccagni
che neanche avevano una telecamera con dvd ma solo questa
cacata di vecchia videocamera che è un dinosauro, così la chiama anche se è una Sony. Questa cassetta verrà spedita alla
Sicurezza nazionale per essere archiviata, nessuno ci registrerà
più sopra. È una cassetta speciale, mi spiega, è legata alla
vicenda delle minacce al senatore Ketchum di cui parlano tutti.
Si capisce che anche se non gli andava di sputtanarsi il sabato
lavorando in qualche modo però è orgoglioso di essere lui a fare
delle riprese così importanti. Se ne stava in piedi là sopra a
fumare la sua sigaretta e a raccontare, ciccò perfino la cenere
nella buca proprio accanto a me, che mi fece venire voglia di
tirargli una palata di terra addosso per sfregio, solo che certe
cose non le fai a uno sbirro anche se è un novellino.

Arrivai finalmente alla fine. Lo sbirro mi riprese che arrivavo al fondo e non trovavo niente. La visione di questo nastro
sarebbe stata davvero emozionante per i tipi della Sicurezza
nazionale. Mi arrampicai fuori e lui fece una ripresa della buca
vuota, poi mi dice che non deve riprendere la buca mentre la
riempio ormai che è stabilito in via ufficiale e registrata che la
buca è vuota. Insomma lui se ne può anche andare mentre a me
mi tocca riempire quella maledetta buca per l'ennesima volta.

Il che però mi andava bene, visto che prima di rimettere la terra dov'era ci dovevo aggiungere una cosettina, e ovviamente non volevo sbirri con videocamere tra i piedi a riprendere quella parte della procedura a beneficio della Sicurezza nazionale.

Lo accompagnai alla macchina e lo vidi uscire. Aspettai finché non spariva all'orizzonte poi andai a tirar fuori Dean dalla pila d'erba. Le buste di plastica avevano funzionato a dovere e il fetore quasi non si sentiva, e perfino così non mi andava per niente di accollarmelo addosso e trascinarlo come alla fine feci, ma tanto ero già completamente zozzo. Feci il conto, era la quinta volta che quella palla di buca veniva scavata: prima da Dean per seppellirci Bree, poi dagli sbirri per vedere cosa c'era, poi da me per seppellire Dean, poi da me per tirarlo fuori, poi da me stamattina per la quinta e ultima volta, spero.

Con Dean non fui proprio carino, ce l'avevo fin sopra ai capelli con questo soggetto che aveva creato tanti guai e tanta agitazione per tutti. Stavolta non scesi con lui nella buca per stenderlo con la cura che occorre con un essere umano, no, lo scaricai dentro e pace che atterrò tutto storto invece che dritto e sdraiato come esigeva il sacrosanto rispetto. Aveva lasciato Bree nel freezer tutta storta e ripiegata, senza dignità, e allora chi cavolo si credeva di essere da voler un trattamento di tutto punto ora che è morto. Bob il Predicatore aveva visto abbastanza giusto su Dean, la pensavo così mentre mi misi a spalargli la terra addosso sotto lo sguardo curioso di alcune galline. Mi feci una doccia, pranzai, poi telefonai a Lorraine dal mio bel cellulare nuovo. In qualche modo mi pareva che se la mia ultima telefonata non era andata a buon fine era perché l'avevo fatta da quel triste vecchio telefono della cucina. Col cellulare nuovo invece avrei avuto ciò che volevo, l'avrei approcciata da un'altra lunghezza d'onda, per così dire. O almeno così speravo mentre premevo quei tastini minuscoli.

«Pronto?»

«Ehi, Lorraine, sono io.»

«Odell, ti stavo per chiamare.»

«Sì?»

«Sto andando in città alle pompe funebri per organizzare il funerale di Bree. Devo essere lì prima possibile, il sabato chiudono a mezzogiorno e mezzo. Non posso farcela da sola, Odell. Ho i nervi a pezzi. L'hai visto il programma di Bob il Predicatore ieri sera?»

«L'ho visto sì.»

«È andata come pensavo. Dean dev'essere il Nemico Pubblico Numero Uno del Paese. È una disgrazia per il buon nome della mia famiglia.»

«Bob il Predicatore non ha fatto nomi.»

«Ma lo sanno tutti di chi parla! Il suo nome è su tutti i giornali e i tg, c'è pure la sua foto. Non hai raccontato a nessuno che è frocio, vero?»

«Te l'ho detto che non lo facevo.»

«Perché sarebbe troppo per me, se la gente lo venisse a sapere.»

«Non lo dirò mai a nessuno, prometto.»

«Grazie, Odell. Ti stai dimostrando un vero amico. Verrai alle pompe funebri ad aiutarmi per tutto?»

«Ci sarò.»

«È sulla Quinta Strada, Regis Chestfeld Pompe Funebri. Io mi muovo adesso.»

«Ok.»

Agganciò. Mi ero scordato di chiederle se avevo una voce diversa col mio nuovo cellulare, ma potevo anche chiederglielo dopo. Mi misi addosso i miei jeans migliori e controllai che la camicia migliore non avesse macchie di cibo o altro, e me ne andai al furgone.

Mentre guidavo non smettevo di pensare a Lorraine. Sentire di nuovo la sua voce mi aveva dato un brivido, che è la prova che sono profondamente innamorato, come dice il detto. Non era la mia donna ideale, che sarebbe piccola e sottile e bruna, se ci penso. Lorraine era grande e sostanziosa e bionda, l'opposto esatto. Sempre stato un problema per me, questa faccenda della donna ideale. Cosa significa, e perché un tipo in particolare piuttosto che un altro? Non so dire, ma mia madre era piccola e sottile e bruna per cui forse c'è una ragione psicologica da non esaminare troppo in dettaglio.

Insomma, prima di incontrare Lorraine, quando pensavo alla mia donna ideale, a sposarmi e tutto il resto, non pensavo a mia madre precisamente, quello sarebbe da malato, mi sa. No, pensavo a Condoleezza Rice, strano a dirsi, che è più vecchia di me, più vecchia perfino di Lorraine, ma ecco, per diversi anni fu a Condoleezza Rice che pensavo quando ragionavo sul matrimonio, che non l'ho mai detto a nessuno perché nessuno mi poteva credere, oppure avrebbero fatto commenti per cui me la potevo prendere. Condi mi colpiva, era la donna più intelligente del pianeta, e anche la più rispettabile, sempre a correre da un paese all'altro sul suo aereo per sistemare le cose tra le nazioni, a fare tutto il possibile per la pace del mondo e quant'altro, e intanto aveva quell'aria impeccabile e di classe coi suoi tailleur e le perle e il sorriso sempre in bocca. Adoro quella fessura tra gli incisivi. Scommetto che è molto pudica e non se la tira come fanno i politici di solito ogni volta che c'è una telecamera, come il senatore Ketchum, per dire. No, Condi è di un'altra pasta, e la rispetto per questo, e poi è anche l'affetto che provo per lei a farmi pensare di sposarla come altri uomini vogliono sposare invece una stella del cinema o una cantante o una persona che non potrebbero mai nemmeno sperare di andare a buttare la spazzatura per lei.

Ovviamente avrei fatto del mio meglio ora che c'era Lorraine a non pensare troppo a Condoleezza. Non ne ho parlato fino adesso perché non ce n'era bisogno. Sono cose private e personali, quando pensi alle donne. Ma adesso che c'era Lorraine non dovevo tradirla nel mio cuore e nella mente concedendomi pensieri su Condi come avevo fatto per tanto tempo, per cui addio, Condoleezza, augurami di essere felice con un'altra donna, intendo Lorraine.

Ero arrivato in città, mi mancava poco alla Quinta Strada quando vidi dei lampeggianti nello specchietto, rossi e blu ossia la Polizia. Correvo troppo? Mi pareva di no ma non puoi fare finta di niente quando quelle barre sulle macchine della Polizia cominciano a sfarfallare nello specchietto, così accostai e aspettai che gli sbirri venissero a dirmi cos'avevo fatto. Quando vidi chi era mi scese un brivido lungo la schiena, era il commissario Webb. Si avvicina al finestrino che ho abbassato con grande educazione e mi fa «'Sera, Odell», ha ragione, il cruscotto dice 12:03. Non troppo tempo a disposizione per raggiungere Lorraine alla Cistifellea Pompe Funebri per cui spero in una cosa breve.

«'sera, commissario.» Gli feci un gran sorriso così non se la prendeva troppo per quello che avevo combinato, qualunque cosa fosse.

«Passato il mio uomo stamattina?»

«Sissignore, fatto tutto, ha ripreso ogni centimetro e se n'è andato.»

«Io e te dobbiamo farci una chiacchierata, Odell.»

«Ok.»

«Su Dean Lowry.»

«Magari adesso no, commissario. È un argomento che mi mette un po' di depressione visto il casino terribile che sta succedendo».

«Depressione? Tu credi di sapere cos'è la depressione. Ti assicuro che dopo la nostra chiacchieratina sì che lo saprai.»

«Solo che devo correre alle pompe funebri con Lorraine. Sta organizzando il funerale di sua zia e tutto il resto, mi vuole lì per starle vicino e aiutarla.»

«Davvero? Be', ci sono altri gravissimi problemi che hanno la presidenza, qui. Problemi come rilasciare informazioni false alla Polizia in un caso d'omicidio.»

«Eh?»

«Ripensaci un attimo, Odell. Mi hai o non mi hai raccontato di essere arrivato a casa Lowry sabato pomeriggio quando ti si è rotta la macchina? Pensaci bene un momento.»

Così gli avevo detto, certo, anche se ero arrivato veramente solo domenica. Una cosa ho imparato dai programmi tv con gli sbirri, odiano quando gli racconti una cosa e poi gliene racconti un'altra che è l'opposto di quello che gli hai detto la prima volta. Li spinge a sospettare che menti, e infatti mentivo, ma avevo buone ragioni.

«È stato sabato» risposi.

«E ne sei assolutamente certo.»

«Certamente.»

«E lo giureresti in tribunale?»

«In tribunale?»

«È un modo di dire.»

«Ok, sì.»

«Mi stai dicendo che tu sabato notte sei stato a casa Lowry assieme a Dean Lowry, tutta la notte.»

«Proprio così.»

«È solo che ho chiesto un po' in giro e pare che Dean sabato notte fosse da un'altra parte.»

«Sul serio?»

«Sul serio. Ci sono dei testimoni, parecchi.»

«Testimoni di cosa precisamente»

«Di dov'era.»

«Non credo di capire, commissario. Le pompe funebri chiudono tra venticinque minuti e Lorraine mi aspetta...»

«Che aspetti. Mai stato all'Okeydokey Karaoke Bar?»

«Mai sentito» dissi.

«Be', Dean c'è stato. Un po' di volte, compreso sabato scorso. È un noto ritrovo di froci. Ai finocchi piace sempre salire su un palco e cantare a squarciagola. Sabato scorso Dean, è salito sul palco e ha cantato *Do you know the way to San José*. La conosci, Odell?»

«L'avrò sentita alla radio.»

«All'Okeydokey Karaoke c'era uno con la telecamera dvd. Ha ripreso tutto, e in basso all'angolo dello schermo c'era uno di quei cosi, i display, che danno il tempo, giorno, notte, data. Con quelle cose non ci puoi pasticciare, sono tipo stabilite da dentro il computer, o qualunque sia il congegno che hanno dentro. Dean era lì, e non a casa insieme a te, per cui che mi dici del suo sabato notte adesso, Odell?»

«Be'... allora sarà stata domenica.»

«Domenica.»

«A-ah.»

«Stai cambiando la tua versione, questo mi vuoi dire?»

«Pensavo fosse sabato, ma se ha un filmino in cui c'è Dean da un'altra parte mi devo essere sbagliato, chiedo scusa.»

«Chiedi scusa?» Mi squadrò a lungo dagli occhiali da sole. «Quello che non riesco a capire, Odell, è se sei il più rimbambito figlio di puttana che ho mai incontrato, o il più furbo.»

Risposi con una risata, o almeno ci provai, perché mi venne fuori un sibilo tipo torace tumorato di un vecchio fumatore. «Mi dimentico le cose, non sono rimbambito.»

«Certo che no.»

«Io e Dean ci siamo ubriacati, ecco che c'è, per cui magari è per questo che mi ricordo sabato e non domenica.»

«A-ah. Nient'altro?»

«Be', fossi uno che va a messa non ci sarebbero problemi, mi ricorderei di essere stato a messa, quel giorno, ma non è così per cui forse è per questo che pensavo fosse sabato. Perché, è importante?»

«Importante? L'hai guardato Bob il Predicatore, ieri sera?»

«Come no...»

«La nazione intera si è mobilitata contro questo terrorista assassino che minaccia di assassinare una figura pubblica di primaria importanza, e mi chiedi se è importante? Fingi solo di essere stupido, vero, Odell?»

«Nossignore, no.»

«Allora sei veramente stupido.»

«No, volevo dire che...»

«C'era altra gente con voi domenica sera, Odell? Gente che pregava Allah, che teneva marchingegni fabbrica-bombe, eh? Li stai coprendo?»

«Assolutamente no, eravamo solo io e Dean e ci siamo sbronzati col Captain Morgan. Avrei giurato che era sabato però magari mi sbaglio...»

«Ti sbagli eccome, maledizione.» Mi punta un dito in faccia. «E non credere che non riporterò tutto questo alla Sicurezza nazionale. Le bugie che mi racconti vengono tutte riportate, Odell, e alla Sicurezza nazionale non trattano coi guanti i bugiardi che cercano di sviarli dalla verità. Quelli della Sicurezza sono segugi a caccia di fatti. Non potrai farla franca raccontando balle, non con quella muta alle calcagna.»

«Ok.»

«Per cui mi dici che stai ufficialmente cambiando la tua versione della storia? Perché se vuoi cambiare ufficialmente la tua storia devi scendere alla stazione di Polizia e fare una dichiarazione ufficiale davanti alla telecamera. Alla Sicurezza nazionale vogliono tutto su nastro per i loro archivi.»

«Posso farlo dopo le pompe funebri?»

Mi squadrò un'altra volta da capo a piedi per mettermi paura, e con successo. Quest'uomo è incazzato nero con me e non riesco a capire il motivo.

«Ok» mi fa. «Presentati alla stazione di Polizia tra due ore e vedremo quanta voglia hai di metterti a cambiare i fatti.»

«Non voglio cambiare i fatti, commissario, sto solo dicendo che magari mi sbaglio.»

«Due ore» mi fa, puntandomi addosso l'indice un'altra volta. Mi guardò con aria disgustata e tornò alla sua macchina di pattuglia che aveva continuato a lampeggiare tutto il tempo, mi sa che le macchine da sbirri hanno batterie lunga durata per sostenere tutta quell'elettricità in più che gli serve. E poi tutta la gente che passava di là vedeva le luci lampeggianti e ci guardava, il che sarebbe stato imbarazzante se avessi conosciuto qualcuno dei passanti, ma per fortuna non era così.

La macchina del commissario Webb mi schizzò accanto e voltò l'angolo. Io accesi il motore e guidai fino alle pompe funebri con una bruttissima sensazione su come si mettevano le cose. Volevo che il commissario Webb venisse inghiottito da un terremoto, che ne so, così non poteva più scocciarmi come stava facendo, che sembra che mi considera un criminale. Veramente fastidiosa, questa cosa, perché io non ho fatto niente.

Sono già le 12:14 quando trovo il posto e accosto ed entro, c'era Lorraine vestita tutta in tiro e parla con un ciccione in abito scuro. Anche lei era incazzata nera, si capiva, ma continuò a sorridere al tipo mentre parlavano, poi venne da me e il tipo entrò nel suo ufficio o quello che è.

«Che ora del pomeriggio la chiami, questa?» vuole sapere.

Mi guardai l'orologio per risponderle, ma mi diede uno schiaffone sul polso, comportamento singolare, credo, poi mi fa, «Ho dovuto fare tutto da sola, scegliere.»

«Senti, mi dispiace...»

«Avevi un sacco di tempo per venire. Ti sarai perso.»

«No, mi hanno fermato.»

«Gli sbirri?» Sembrava non credermi.

«Il commissario Webb, pensa che sono un bugiardo.»

«Che?»

Le spiegai cos'era successo tra me e Andy Webb, compresa la parte sull'andare in stazione a registrare una dichiarazione ufficiale in cui dico se è sabato o domenica che sono stato con Dean per via del dvd che hanno fatto al locale col karaoke.

A Lorraine non fece piacere una sola parola del mio discorso. «Ripeti che eri ubriaco, è la storia migliore. La gente non ci capisce mai un cazzo quando è ubriaca, sbagliano pure a dire l'ora e che giorno era, se sono veramente sbronzi.»

«Ok.»

«È un guaio però, questa storia dell'Okeydokey Karaoke. È un locale gay. Ho detto a Dean di non andarci mai e adesso salta fuori che un tizio gay gli ha fatto una ripresa mentre canta delle cavolo di canzoni facendo il gay... Cristo santo, pensavo cosa pagherebbe un canale nazionale per mostrare questa cosa in tv... Mi sa che devo vomitare...»

Non sapevo che fare. Avessi avuto un cappello gliel'avrei dato per rimettere, ma alla fine non le servì un cappello, si riprese in qualche modo, mi fa, «È Andy, ti dà il tormento per arrivare a me.»

«E perché?»

«Il perché lascialo stare. Non scorre buon sangue da molto tempo fra me e lui.»

«Ma è un tuo vecchio amico, mi avevi detto.»

«Lascia perdere, Odell. Non piangiamo sul latte versato. Portami a pranzo. No, anzi, aspetta, devi vedere la bara che Bree si è scelta.»

«Ma... come ha fatto a scegliere se è morta?»

«Aveva preparato il funerale. Quaranta dollari al mese. Da sempre lo preparava.»

Lorraine mi portò a vedere i modelli di bara. Erano disposti per file. Alcune erano enormi, con maniglie e cose varie d'oro e belle imbottiture interne, non che una persona morta abbia bisogno di cuscini imbottiti, ma mi sa che serve a riempire la bara se è una di quelle grosse. «Quella» indica. Non era un modello grande, e la lucidatura del legno non era molto brillante. «Cinquemila, funerale e sepoltura inclusi.»

«Wow, è un sacco di soldi.»

«La politica di Bree è pagare. Ti piace?»

«È ok. Era piccolina lei.»

«La vuoi vedere? È nell'altra stanza. L'hanno sistemata bene.»

«No.»

«Perché no? Sei tu che l'hai trovata, Odell. Ci sei dentro. I morti ti fanno paura?»

Be', no, stamattina avevo trascinato a mano un morto e non mi ero spaventato per niente, solo mi aveva disgustato ed ero incazzato perché avevo dovuto spalare una montagna di terra. Ma non sono cose da raccontare alla fidanzata, per cui ce ne andammo nell'altra stanza ed ecco Bree, sdraiata sul tavolo con un vestito, portava persino le scarpe, che non aveva quando l'avevo trovata nel freezer, me li ricordo quei piedini rugosi da vecchia, con le scarpe è molto meglio. «Avvicinati» mi fa Lorraine, io obbedisco. Bree ha la faccia truccata per sembrare viva, non ha più quell'aria bianca e gelida di quando l'hanno tolta dal freezer, è un miglioramento, ma le hanno messo troppo rosso sulle guance, mi dico.

Lorraine sospirò, inghiottendo le lacrime. «Sembra quasi che dorme, vero?»

«No.»

«Sì invece. In questo posto fanno miracoli, è il migliore della città. Guardale la pelle, guardale i capelli, è così vero tutto che giurerei che respira.»

«A-ah.»

Non avevo mai visto un morto più morto di Bree. Sembrava più morta perfino di Anfer Sheen, su a Yoder, e Anfer lui aveva la faccia blu da quanto era morto. Ma Lorraine non voleva sentirle certe cose.

«Ha l'aria serena» dissi «tipo che sta riposando.»

«Eh già, povera Bree. Si meritava di meglio che un nipote assassino. È una vergogna, ciò che le ha fatto. Bob il Predicatore ha visto giusto. Si beccherà la pena di morte quando lo prendono, la gente protesterà se non lo fanno, soprattutto se uccide il senatore Ketchum. È mio fratello, e ha combinato cose terribili...»

«Non va bene» confermai, volevo prenderla per il verso giusto.

Mi posò la mano sul braccio e mi vennero ancora quei brividi elettrici dell'altra volta. Questa donna mi era proprio entrata sottopelle.

«Grazie, Odell, ho bisogno di qualcuno su cui appoggiarmi un po'. Di solito no, ma al momento è tutto così difficile.»

«È un piacere.»

«No, Odell, non credo proprio. Non è un piacere prendersi cura di qualcuno nel momento del bisogno, è un dovere.»

«Ok.»

«Soprattutto quando ci sono di mezzo omicidi e terrorismo. Che spazio ti resta per il piacere?»

«Perdonami, volevo dire dovere.»

«Ok, portami a pranzo.»

Mi costrinse a prendere la macchina anche se era così piccola che mi devo piegare tutto per starci, e spostare indietro il sedile. Lei il furgone non lo voleva prendere perché era il furgone di Dean e lei al momento ce l'ha molto con Dean, e non vuole essere vista in un furgone per tosaerba con i tosaerba ancora dentro e il malvagio nome di Dean sullo sportello. Lorraine guidò a tutta birra mentre io mi domandavo se il commissario Webb non ci poteva fermare per eccesso di velocità e rovinare la mia giornata una seconda volta, ma arrivammo al ristorante senza prendere una multa. Era lo stesso posto in cui era andata con Cole Connors l'altra sera, mi spiega, il cibo qui è pazzesco.

Ci fanno aspettare un po' per il tavolo, il posto è molto frequentato, Caprice, si chiama, senza l'aggiunta di Café o Ristorante per spiegare cos'è. Finalmente ci riusciamo a sedere e questa ragazza vestita molto carina viene a darci i menù. Be', non avevo idea di che cibo servissero a parte l'insalata. Il resto potevano averlo scritto in un'altra lingua per quanto mi riguardava, e infatti pareva che metà dei piatti fossero in un'altra lingua, il francese. Insomma, è un ristorante francese senza la parola Ristorante. Avevo sentito parlare di questi posti e di quanto ci si mangia bene, ma quando lanciai un occhio a cosa mangiava la gente degli altri tavoli nei loro piatti non trovai niente di riconoscibile, tranne i rotolini nei cestini che erano pane, quello lo sapevo.

Lorraine mi chiese cosa mi pareva buono a vederlo, domanda difficile. Le chiesi, «Patatine ce le hanno?»

«No, non ce le hanno.»

«Ma è un ristorante francese, devono avere le French fries.»

«Be', non ce le hanno, prendi qualcos'altro.»

Fu dura indovinare cosa fossero i piatti del menù, ma a quel punto arrivò la ragazza a prendere le ordinazioni. Lorraine rantolò un nome incomprensibile, di sicuro quello che aveva preso l'altra sera con Cole Connors perché lo conosce già, ma io non riuscivo a decidere tra questo cibo X e quell'altro cibo X, finché Lorraine non si incazza e dice alla ragazza che io prendo il piatto taldeitali, e dopo che la ragazza se n'è andata mi spiega che sono patate ma fatte diverse, visto che volevo tanto le patatine fritte. Mi rendevo conto che non me l'ero cavata bene e me ne sto zitto per un po', il che peggiora ulteriormente l'umore di Lorraine. Mi fa, «Non riesci a parlare mentre aspettiamo?»

«Ok.»

Lei aspetta, poi strabuzza gli occhi e mi chiede con voce sarcastica se ho letto qualche buon libro ultimamente. Un vero sollievo per me sentire la sua domanda, visto che si dà il caso che ho letto un buon libro di recente. «*Il cucciolo*» rispondo «davvero libro fantastico.»

«*Il cucciolo*? Quello che parla del bambino e del cane?»

«No, è un cerbiatto. Tipo lo adotta quando sparano a sua madre e...»

«Sì, me lo ricordo, dovevamo leggerlo a scuola e farci la relazione. Sai cosa mi piaceva del libro, che non era lungo. Ma sulla relazione non l'ho scritto.»

«Il libro che danno a scuola» spiegai «non è tutto intero. È una versione accorciata per bambini. Il libro intero è lungo il doppio e molto meglio, non ci sono parti eliminate. È un Pulitzer. Ho letto questo libro di recente. Be', sono a metà. Sono stato un po' distratto nell'ultima settimana.»

«Quando le cose si calmano un po' potrai finirlo, magari» mi fa, guardandosi intorno, tra la gente che mangiava o aspettava che i cuochi preparassero i loro piatti.

«L'ho già finito un'altra volta» le dissi.

«Stai leggendo lo stesso libro due volte?»

«Sedici volte.»

Ne andavo fiero. Scommetto che nessuno ha mai letto *Il cucciolo* sedici volte, è una specie di record, magari lo possono mettere nel Guinness dei Primati. Dovrei chiedere a qualcuno, forse possono mettere il mio nome anche nel Guinness dei Primati oltre che sul giornale. Lorraine ne andrebbe fiera.

«Sedici volte?»

«A-ah. È il miglior libro che ho mai letto.»

«Piuttosto è l'unico che hai mai letto.»

Mi diede una lunga occhiata, poi ne diede un'altra al piano del tavolo. «Odell» mi fa, «quando vai al carcere al colloquio con Cole, non dirgli che hai letto un libro sedici volte, va bene?»

«Perché?»

«Perché suona un po' strano. Non la vogliono gente strana a guardia dei carcerati, è un lavoro troppo serio. Sono i carcerati quelli strani, in carcere è sempre andata così, quindi non fare casini. Alto come sei, e grosso come sei, hai proprio l'aria adatta a questo lavoro. O per lo meno in quella camicia ci stai bene.»

«È la mia camicia migliore» risposi, ed era vero, aveva pure gli svolazzi da elegantone appuntati alle tasche. Ce l'avessi avuta alla Kit Carson High School mi avrebbero chiamato Buzzurro, non ci sono dubbi, ma all'epoca portavo solo camicie a scacchi, che comunque bastava per farti chiamare Buzzurro, ma con il modello a svolazzi ti chiamano Buzzurro Del Sabato Sera, e questo proprio non lo volevo.

«Per cui è meglio se dici a Cole che non li leggi proprio i libri. Gli andrà meglio così. Ma digli che leggi riviste. Per avere il lavoro devi saper leggere. Fanno un test. Te la cavi coi test?»

«Ho superato i test della patente alla seconda botta. Ho sbagliato la domanda sulla distanza dal marciapiede nei parcheggi, più un altro paio.»

«Farai benissimo. Quando ti danno il lavoro c'è un piccolo bonus anche per me.»

«Un bonus?» Il bonus, mi dico, è che io e Lorraine lavoreremo nello stesso posto e ci vedremo tutti i giorni nessuno escluso, quello sarebbe un grosso bonus.

«Duecentocinquanta dollari, te li danno se porti una persona affidabile su cui garantisci tu e la persona alla fine si rivela in gamba, ossia dopo il periodo di prova di tre mesi. Credo dovrebbero dare di più, diciamo cinquecento, se chi hai portato fa bene. Trovare gente giusta non è facile come sembra. E comunque, non dire delle sedici volte.»

«Non lo dirò.»

«Tutto a posto allora. Di che altro parliamo adesso?»

Per caso avevo in testa un altro argomento di conversazione su cui volevo conversare ed ecco l'occasione giusta. «Il gatto sta bene?»

«Il gatto?»

«Il gatto del vicino che ha fatto cadere qualche oggetto l'altra sera.»

«Quale gatto del vicino? Il mio vicino ha un pappagallo.»

«Tu hai detto che era un gatto.»

Cambiò espressione in un secondo, dalla noia a un sorrisone. «E anche un gatto, giusto, solo che il gatto prova sempre a mangiarsi il pappagallo, come Gatto Silvestro con Titti, per cui sì, mi ha chiesto di stare io appresso al gatto. Ma dovrà riprenderselo quando mi trasferisco da Bree.»

Di colpo mi pizzicarono le orecchie. «Quando ti trasferisci?»

«Oh, appena il testamento viene omologato e la casa diventa ufficialmente mia e di Dean, tanto non credo che Dean tornerà a breve.»

Se solo sapesse, Dean è tornato in via permanente e definitiva.

«E io?» le domandai.

«Be', tu cosa?»

«Posso restare qui?»

«Ho già detto che mi serve qualcuno che si occupi del posto, tenga lontani i vandali e i cacciatori di souvenir ora che Dean è così famoso. Se ti va puoi occuparti tu di controllare che certa gente non si impicci.»

«Dico dopo che ti ci trasferisci tu. Potrei essere tipo il tuo pensionante.»

«Parlo di settimane e settimane, Odell. Una cosa che ho imparato, qualunque sia il piano si fa un passo alla volta, in modo da non accumulare orari e programmi che poi non vanno come speravi. Calma e gesso e vediamo che esce fuori. Rilassati e goditi la casa senza affitto e i profitti del giardinaggio che ti lascio intascare, per ora è già molto.»

Da come lo dice sembra che mi è andata di lusso, e forse era proprio così, intanto abbandonai un momento la conversazione e restai ad ascoltare Lorraine che descriveva il funerale di lunedì prossimo, io dovevo presentarmi con un completo a noleggio per dare una buona impressione, e il posto migliore per noleggiarlo è il negozio di vestiti da cerimonia in centro, anche se non sa se avranno qualcosa della mia taglia.

Poi arrivò il cibo e lo mangiammo. Mi disse che erano patate ma ci credevo solo perché l'amo, e il piatto lo mangiai ma non lo ordinerò mai più qualunque sia il suo nome. La cucina francese non mi fece una grossa impressione come mi aspettavo da come ne parla sempre la gente, ma non lo dissi a Lorraine, che invece mangiò tutto senza fare una piega. C'era anche del vino ma non mi piaceva, il sapore era troppo acuto, non era morbido come la birra, né aveva quel che di forte del Capitano, ma Lorraine dice che è grandioso per cui ne bevo due bicchieri per farla felice. Questo significa essere innamorati, far felice la persona che ami, per questo mangio e bevo quella roba. Almeno durante il pranzo non dovevo fare conversazione, e poi Lorraine mangiava come stesse morendo di fame. Alla fine mi dice di andare a pagare alla cassa mentre lei è in bagno, e non ci credereste quel poco di cibo e quella bottiglia di vino a quanto ammontava in dollari, uno choc dal mio punto di vista ma pagai perché stava a me. Lorraine mi mollò alle pompe funebri dove avevo lasciato il furgone. Disse di andare alla stazione di Polizia e aspettare lì finché non mi raggiungeva così entravamo insieme per darmi, disse, supporto morale. Feci come mi aveva detto, portai il furgone fino alla stazione di Polizia e parcheggiai fuori. Di lì a poco mi passò accanto ed entrammo insieme, e lei fa al tipo all'ingresso «Il commissario dov'è?», che proprio in quel momento sbuca dal suo ufficio Andy Webb e ci vede.

«Che ci fai qui?» domanda.

«Me l'ha detto lei, commissario» risposi, ma parlava con Lorraine.

«Ci sono motivi per cui non potrei?» domanda lei, e il commissario scrolla le spalle.

Indicò il corridoio. «Seconda porta a sinistra, Odell» mi fa, con tono amichevole, non come prima che mi ha fatto accostare. A Lorraine dice, «Sei il suo avvocato?»

«Be', direi di no, tu che dici?»

«Tanto per chiedere. Il suo avvocato può assistere, nessun altro.»

«Non ce l'ha un avvocato.»

«Va bene, può rinunciare a chiederlo, così cominciamo.»

«Odell, non devi fare niente se prima non viene un avvocato.»

«Va bene così, non mi serve un avvocato. Non ho fatto niente.»

Mi guardarono entrambi, poi Andy fa, «E che ci vorrà mai? Trovare un avvocato di domenica pomeriggio, e che ci vuole?»

«Non sei obbligato, Odell» ripete Lorraine.

Iniziai a camminare per il corridoio per far vedere che ero un uomo dalle idee chiare e che potevo cavarmela senza consigli di altri, che non mi servivano comunque. Il vino che avevo bevuto mi faceva girare un po' la testa, quindi era più forte di quanto sembrava dal sapore. Andy mi tenne dietro, entrai nella sua stanza, che aveva un piccolo tavolo e delle sedie e una videocamera già sistemata con lo stesso sbirro novellino di stamattina in piedi e pronto a filmare.

«Conosci già l'agente Dayton» mi fa Andy, e lo conoscevo anche se non mi aveva detto il suo nome. Ci salutammo con un cenno del capo, io mi andai a sedere sulla sedia di fronte alla telecamera. Accanto alla sedia c'era una macchina su un carrellino con dei cavi attaccati e tutto il resto, pensai fosse una specie di registratore come li facevano una volta per accompagnare il video che mi stavano per fare. Poi entra un altro tizio più anziano, una sigaretta gli pende dal labbro come attaccata con la supercolla. Ha le maniche arrotolate e non sembra un poliziotto a causa che non ha l'uniforme. «Non si fuma» gli fa Andy, il tipo gli dà un'occhiata che non definirei amichevole e lancia la cicca nell'angolo perché in una stanza con il divieto di fumare il posacenere non c'è. Il gesto mi sorprese, comunque. Alza il coperchio della macchina e vedo il rotolo di carta con i braccetti metallici che scendono fino a toccare la carta. A quel punto mi rendo conto di cos'è: è un registratore di terremoti.

«Che ci serve quel coso?»

«Normale procedura» mi risponde.

«Piegati in avanti» mi fa l'altro tizio, e quando mi sporgo lui prende una specie di elastici e me li avvolge assieme a dei fili attorno al torace, e a quel punto mi rendo conto che non era una macchina per terremoti, ma una macchina della verità. Andy non mi aveva detto niente di questa cosa, solo della dichiarazione video, così al momento ero confuso per la situazione.

«È una macchina della verità» dissi, perché capissero che non mi facevo fregare.

«Allora meglio che dici la verità» disse Andy sorridendo appena.

«Io quella volevo dire.»

«Benissimo. L'onestà è sempre la cosa migliore, o no, ragazzo mio? Odell, ti presento Dan Oberst, diciamo lo specialista che abbiamo portato qui oggi in tuo onore, quindi ricordati che sei oggetto di un trattamento speciale.»

«'Sera» gli dissi, Dan rispose con un grugnito, era scazzato per qualcosa, magari non voleva lavorare di sabato proprio come mi aveva detto l'agente Dayton stamattina a casa di Dean. Scommetto che ero l'unico nella stanza a non brontolare perché era sabato, è che stare seduto a farsi riprendere in video è più facile che tosare l'erba in qualsiasi altro giorno della settimana. Dan Oberst mi mise al braccio una di quelle fasce per misurare la pressione, poi mi ficcò nel palmo della mano un paio di aggeggini di plastica.

«Tutto pronto» fa Dan. «Ora ti farò una serie di domande a cui risponderai senza esitare Sì o No. Non rispondere alle mie domande in nessun altro modo, solo Sì o No, mi sono spiegato?»

«Sì» risposi, e risi perché era una bella battuta ma non l'avevano capita.

Accese la macchina e la carta cominciò a scorrere lentamente, poi la fermò perché era un test per vedere se funzionava, e funzionava, allora riportò il carrello dietro di me e si sedette lì accanto su una sedia di metallo.

«Guarda avanti a te, Odell» mi disse Andy, riferendosi alla telecamera, che l'agente Dayton fece un cenno per dire che era partita. La macchina della verità si accese di nuovo e da dietro di me sentii Dan parlare lentamente, «Il tuo nome è Odell Deefus?»

Ero molto tentato di rispondere No e vedere se la macchina

faceva un bip o che ne so, ma erano tutti troppo seri là dentro perciò non lo feci. «Sì» risposi, molto fermo e pure serio se era questo che volevano.

«Sei nato il 21 novembre 1985?»

«Sì.»

Mi fece altre domande con risposte scontate. Se i quiz in tv fossero così facili sarei miliardario, mi dissi.

«Sei in rapporti con Dean Lowry?»

«Sì.»

«Sei a conoscenza del luogo in cui si trova al momento?»

«Be', ovviamente lo sapevo, era sepolto in cortile. Sapevo che se mentivo su questa cosa la macchina lo capiva. Risposi di Sì. A quel punto mi sento in salvo perché non potevano chiedermi dov'era visto che non è una domanda Sì e No.

Andy allora si infilò in mezzo, «Tu sai dov'è?»

Dan sibilò «commissario, le dispiace? Ora dobbiamo ricominciare».

«Be' questa domanda va affrontata direttamente» fece Andy che si era incazzato, «Se sai dov'è quell'uomo, lo dobbiamo sapere subito. Odell, dov'è Dean?»

«In America» dissi, risposta perfettamente sincera.

«In America dove?»

Dan spense la macchina. «Se ricevo altre interferenze mi vedrò costretto a sgombrare la stanza da chiunque non sia coinvolto direttamente nelle domande o nella registrazione, sono stato chiaro?»

«La domanda andrebbe posta in un altro modo» fa Andy.

«Ha avuto modo di controllare la lista» fa Dan. «Non se la prenda con me se non si è preso la briga di controllarla prima. Ora dobbiamo ricominciare da capo.»

Si mise a trafficare con la macchina della verità. L'agente Dayton chiese a Andy «Devo continuare a filmare?»

«Continua a filmare.»

A questo punto mi ero reso conto che volevano fregarmi e

farmi dire cose che sapevo e che loro non sapevano, ossia cose incriminanti tipo dov'è Dean, per cui era un bene che Andy avesse incasinato l'interrogatorio visto che adesso sapevo cosa fare. Avevo sentito dire che l'unico modo per battere una macchina della verità è non essere te stesso. Ossia devi pensare a cose che non hanno niente a che vedere con le domande che ti fanno, così le tue risposte diranno alla macchina che menti anche se la domanda posta è del tipo Oggi è sabato? Che tu rispondi Sì, solo che stai pensando al giorno in cui il tuo cane è stato investito o il giorno in cui tuo papà è inciampato di fronte a un sacco di persone per nessun motivo solo che è un coglione, roba del genere. Il che ti fa sudare, ti aumenta il battito cardiaco, la macchina allora dice che menti su una cosa scontata come Che giorno è oggi, il che significa che non ci si può più fidare di come reagisce la macchina a nessuna delle altre domande, così il test è un fiasco totale. Ma devi essere bravo a concentrarti per farlo funzionare, così mi concentrai e parecchio su me che ero Jody nel *Cucciolo* quando gli dicono che il suo cerbiatto dev'essere abbattuto perché sta mangiando tutto il raccolto che la famiglia ha tanto faticato per ammassare. Il cerbiatto deve morire anche se Jody lo amava tanto che fa male anche solo pensare a quella creaturina che verrà abbattuta, con le orecchie tremolanti, e le piccole scie di macchioline lungo il dorso e quegli occhioni castani e il suo musetto bagnato e gli adorabili zoccoletti che ha e quella piccola coda bianca all'insù che gli ha dato il suo nome: Flag. Flag il cerbiatto che perfino dormiva nel letto con Jody quando era piccolo tanto si volevano bene, e adesso Flag dev'essere abbattuto, fatto fuori come una creatura cattiva, un lupo, un serpente, morto trafitto da un proiettile in quel suo piccolo cuore che batte dietro il piccolo torace dove il pelo cresce a piccole spirali che finiranno coperte di sangue quando il proiettile arriverà al bersaglio...

«Che diavolo fai, Odell?» La voce di Andy era di nuovo molto arrabbiata.

Non potevo rispondergli, ero troppo triste, sospiravo e il mio corpo si scuoteva tutto sulla sedia, le lacrime mi scendevano dal viso al solo pensiero di che cosa tremenda è prendere il tuo cerbiatto che tanto ami e sparargli. che ti ricambia con affetto e tenerezze, ma sei costretto perché il papà te l'ha ordinato...

«Oh Cristo santo... Che diavolo hai, Odell?»

Dietro di me Dan disse «L'interrogatorio è annullato da questo momento. Se vi dice bene sarà Inconcludente/Senza Esito. Ho degli standard professionali, io, e qui proprio non ci siamo. Se vuole inoltrare reclamo, commissario, non lasci fuori che è stata ripresa ogni cosa in video come supporto del mio lavoro».

Si mise a staccare gli adesivi e la fascia per la pressione, respirava in fretta col naso, mi rendevo conto che era incazzato quanto Andy per come erano andate le cose, solo che non era incazzato con me, ma con il commissario. «Tu puoi andare» mi fa, io mi alzai.

«Lui può andare quando lo dico io che può andare!»

L'agente Dayton chiese, «Devo smettere di filmare, adesso?»

«Che cavolo, certo!» fa Andy.

«Posso andare?» domandai, ancora sospiravo perché ero triste.

«Sparisci!»

Andai in corridoio dove mi aspettava Lorraine. Mi guardò un momento e disse, «Odell, cosa succede?»

«Non volevo...» dissi, le guance ancora bagnate. Stavo dicendo, non volevo sparare a Flag il cerbiatto gli volevo troppo bene, ma Lorraine non lo capì, ovviamente.

«Non volevi cosa? Che hanno combinato là dentro?»

«Avevano una macchina della verità... Il tizio mi ci ha attaccato...»

«Cosa!»

Andy spuntò nel corridoio e lei gli fa, «Macchina della verità? Non avevi parlato di macchina della verità, Andy, solo di una telecamera. Che razza di criminalata stai mettendo su, eh? Una macchina per scoprire chi mente! E quale genere di menzogne ti aspetti esattamente da lui, la differenza fra sabato e domenica? Ti ha già detto che era sbronzo, e adesso te lo porti là dentro a farsi il poligrafo senza nemmeno il parere di un avvocato? Che cazzo, Andy...»

«Stanne fuori, Lorraine, tu non c'entri niente.»

«Col cavolo che non c'entro! È il mio stronzissimo fratello a cui danno la caccia, è mia zia che è stata uccisa ed è il mio amico che si sta facendo inculare senza motivo tranne che ha avuto la sfiga di incappare in qualcosa di storto solo perché la sua stronzissima macchina l'ha lasciato a terra! Cazzo!»

«Ok, basta così.»

«Stai sbagliando tutto stavolta, Andy, fidati.»

«Fidarmi! Di te?»

Rimasero a sputare fiamme e a lanciarsi strali come dice il detto. Non ero più sconvolto da Flag il cerbiatto, ero solo curioso per come Andy e Lorraine stavano litigando a causa mia. Lorraine mi aveva chiamato il suo amico, questo l'avevo sentito chiaro e tondo, e speravo che entro breve la parola che cominciava con am- sarebbe stata un'altra, cioè am*ante*.

«Vieni, Odell, ce ne andiamo.»

Mi afferrò il braccio e mi trascinò fuori dalla stazione. «Figlio di puttana di un complottatore» mi fa. «Non aveva il diritto, non aveva il diritto... Che gli hai raccontato, Odell?»

«Niente di che, il mio nome e quanti anni ho, dopodiché Andy voleva sapere dov'è Dean e io gli ho detto In America e lui si è incazzato per qualche motivo... poi l'altro tizio ha detto che annullava l'interrogatorio.»

«Tutto qui?» Siamo fermi in piedi tra la sua macchina e il furgone, Lorraine continuava a guardare la stazione come se Andy dovesse uscire da un momento all'altro con un lanciarazzi o chissà cosa.

«L'ha annullata, e Andy ha sbroccato.»

«Non ti hanno preso a sberle o cose simili, niente di fisico? Perché è contro la legge quello.»

«Niente.»

«Be', sembrava che stessi quasi piangendo quando sei uscito dalla stanza. Devono averti fatto qualcosa per sconvolgerti così.»

Non potevo dirle che volevano costringermi ad ammazzare Flag, non avrebbe capito, soprattutto visto che mi ha detto di non parlare a nessuno di quel libro.

Dissi, «Com'è Cole?»

«Eh?»

«Cole Connors, che aspetto ha?»

«Che aspetto ha? Perché, c'era anche lui dentro?»

«No.»

«Ha una quarantina d'anni, sta perdendo tutti i capelli.» Per cui non può assolutamente trovarlo più bello di me, il che era un sollievo visto che me lo domandavo, e forse anzi mi stavo perfino innervosendo.

«Perché mi fai questa domanda?»

«Be'... ho una mente curiosa.»

«Odell, hai mica problemi a concentrarti? Ti hanno mai detto che hai questo problema?»

Be', non ce l'ho no, l'ho appena dimostrato concentrandomi seriamente sull'abbattimento di Flag, così seriamente che ho fatto finire l'interrogatorio, l'ho proprio levato di mezzo, tutta l'operazione, per cui non ha motivo di accusarmi.

«No.»

«È solo che alle volte ho la sensazione che io e te siamo su due lunghezze d'onda differenti, sai, tipo tu parli così strano.»

«Non è vero.»

«Comunque, d'ora in poi se il commissario Webb vuole che fai una cosa, un interrogatorio, quello che è, me lo vieni subito a dire e ti cerchiamo un avvocato.»

«Non lo voglio un avvocato, non ho fatto niente.»

«E allora? Siamo in America. Se non hai un avvocato sei carne morta.»

«Mi sa che voglio andare a casa.»

«Sicuro che stai bene?»

«Sto a posto» dissi, e ci stavo, Lorraine sembrava così in pensiero per me, voleva dire che ci tiene, chiunque se ne sarebbe reso conto.

«Da qui ci sai arrivare?»

«Conosco Callisto a menadito ormai, col giardinaggio.»

«Be', evita la Eagle Avenue. Al liceo c'è una partita di baseball, ci trovi traffico.»

«Tu ci vai alla partita? Potremmo andarci insieme.» Pensavo a quanto sarebbe stato bello, io e lei nelle tribune con Coca e hotdog a fare il tifo per la squadra di casa, i Callisto Puma – Vai Puma! – ma lei fece no con la testa, mi fa, non vuole beccare Cole Connors di sabato pomeriggio, sarà là perché suo figlio grande è in squadra.

«Ma non è tuo amico?»

«Io e Cole ci vediamo tanto durante la settimana, Odell. Anche gli amici hanno bisogno di pause.» Filosofia che condivido, solo che poi mi fa, «E poi ci sarà anche la moglie e non la sopporto quella troia. Per cui senti, tu intanto torna a casa, semmai ti chiamo stasera.»

Aprì la portiera. Se ne andò a tutta velocità senza farmi ciao. Guardai la sua piccola macchina sparire all'angolo, col fumo dallo scappamento che gli serve una messa a punto, poi mi voltai e vidi il commissario Webb in cima agli scalini della stazione di polizia che mi guarda e fuma una sigaretta, solo che vuole che io creda che è solo uscito a fumare, ma io la so più lunga infatti vedo i suoi occhi che mi guardano anche se la faccia ce l'ha girata in un'altra direzione. Quell'uomo io proprio non gli piacevo, e non avevo fatto nulla. Stavo per salire sul furgone quando mi squillò il telefono nuovo. Lo tirai fuori, spinsi un tasto, era l'agente federale Jim Ricker.

Mi fa, «Come stai, Odell?»

«Non c'è male.»

«Fatto l'interrogatorio?»

«Interrogatorio?»

«So che dovevi fare un interrogatorio oggi. Già fatto?»

«A-ah.»

«E com'è andata?»

«Non molto bene.»

«E come mai, Odell?»

«Il commissario Webb pensa che mento su tutto perché ho confuso sabato e domenica.»

«È il lavoro del commissario Webb esser sospettoso per natura.»

«Ma non ho fatto niente io.»

«Questa l'ho già sentita molte volte, ma la legge richiede che si effettui una serie di passaggi, compreso interrogare innocenti certe volte.»

«È così sospettoso che mi tiene d'occhio anche in questo momento.»

«Dici davvero? Fagli una foto e spediscimela, Odell, mi piacerebbe vedere che faccia ha.»

«Ok! Un momento...»

Inquadrai il commissario e lo ripresi per circa cinque secondi finché non se ne accorse e prese a fissarmi direttamente, con l'aria incazzata, poi premetti il tasto Invia.

Jim mi fa «Ok, arrivato. Non ha un'aria malvagia, Odell».

«Aspetti di conoscerlo. E comunque, che ne sa che mi interrogavano oggi?»

«Non stare a tormentarti con certe domande, Odell. Sono tuo amico e il mio uccellino tiene un occhio su tutti i miei amici, ovunque e comunque.»

Mi guardai intorno in cerca dell'uccellino, mezzo mi aspettavo di vederlo che mi spiava da dietro l'angolo, tipo, ma c'era solo Andy Webb lì fuori dalla stazione che lanciava la sua cicca nel parcheggio con una schicchera, e allora come può Jim Ricker tenermi un occhio addosso come dice... o forse mi segue da un satellite spia! Guardai in alto ma ovviamente queste cose non le puoi vedere sono troppo alte, soprattutto di giorno. La Sicurezza nazionale, era ovvio ora che ci pensavo, hanno questa tecnologia da miliardi di dollari per spiare i terroristi e i Nemici della nazione a questo punto tanto valeva usarla per tener d'occhio anche un amico visto che Jim mi ha detto che lui lo pensa di me, che sono un amico. La cosa ormai si è fatta seria, se ci sono satelliti spia che sparano raggi giù su di me in questa maniera protettiva.

«Ok» gli dissi, salutando il cielo con la mano così mi vede sul suo schermo segreto nella stazione spionistica segreta della Sicurezza nazionale che è sepolta sotto una montagna da qualche parte che diresti è solo rocce e alberi, mentre sotto è come un film di James Bond, con i computer e le luci lampeggianti e della gente molto seria che tiene d'occhio i cattivi dagli angoli remoti dell'universo. «Capisco.» Il commissario Webb mi guardava salutare. Quando alzai la mano anche lui guardò verso il cielo, poi mi fissò molto a lungo, senza nemmeno fingere il contrario, poi scosse il capo e se ne tornò dentro la stazione di Polizia.

«Ben fatto, Odell» mi fa Jim. «Ora cerca di capire, stiamo gestendo la situazione a distanza, diciamo così, il che significa che io e te non ci incontreremo di persona, faccia a faccia, questo lavoro sul campo lo faranno altre istituzioni compresa la Polizia, mi segui? Non ci vedrai mai di persona. Perché? Perché, amico mio, tu sei un'esca.»

«Un'esca?»

«Per catturare un terrorista.»

«Tipo Sammy Bin Laden?»

«No, tipo Dean Lowry.»

«Ah, giusto.»

«Magari tu ancora lo consideri un amico, posso capire, solo che a volte i nostri amici rivelano aspetti che non sospettavamo, Odell, e quando alla fine lo scopri, l'amicizia come dire ne risente. È il caso di Dean. Tu non sapevi che era un assassino e un terrorista, no?»

«No, è stata una sorpresa enorme.»

«Per l'appunto. Ora, può darsi che Dean voglia mettersi in contatto con te, Odell, metti che si trova in brutte acque. Può darsi che voglia approfittare della vostra amicizia per chiederti di aiutarlo in qualche maniera, per esempio accompagnarlo in macchina oltre il confine, o cose simili. Come ti comporteresti in una situazione del genere, se Dean Lowry ti contattasse in cerca di aiuto?»

«Sarei sorpreso» risposi, ed era vero visto che è morto e sepolto.

«Be', non esserlo, potrebbe succedere, e se succede, usa il tuo nuovo telefono per chiamarmi e tenermi informato. Sei un protagonista in questa storia, Odell, e forse uno dei più importanti. Aspettati presto un nuovo interrogatorio, forse perfino oggi. Il Bureau è stato lento a mettersi in moto, stavolta, troppo lento. Salteranno delle teste.»

«Bureau?»

«L'FBI. La tua minuscola cittadina è al centro dell'attenzione nazionale. Non hai ancora cambiato suoneria.»

«Come lo sa?»

Ma agganciò senza neanche salutare. L'agente federale Jim Ricker aveva un modo stranissimo di parlare ma probabilmente è un uomo molto occupato e non ha tempo per perdersi in chiacchiere perciò è comprensibile. Sembrava una brava persona ed era un peccato non potersi conoscere faccia a faccia. O magari no, perché a quel punto avrei dovuto mentirgli sfacciatamente su quello che abbiamo fatto. La cosa a pensarci mi rese triste per un attimo, ma non ho scelta adesso, posso solo continuare a mentire su Dean o sono Guai Molto Seri su tutti i fronti.

dieci

Era stata una giornata lunga, non c'è dubbio, e volevo andare a casa, ma prima vado al negozio di alcolici a comprare altra birra e un altro bottiglione del Capitano. Avevano un'offerta sulla Carlsberg per cui presi quella, più i Cheetohs e i Doritos come variante perché variare è necessario per una buona salute, e anche noccioline, che contengono nutrimento, per questo le scimmie e gli elefanti le mangiano.

Quindi tornai a casa ma dimenticai il traffico di Eagle Avenue e rimasi bloccato lì per un po' che c'era la grande partita, ma finito l'ingorgo ero di nuovo in viaggio e quasi mi sentivo di nuovo bene perché è così che sono fatto. C'è gente che pensa negativo e se ne sta sempre accigliata per questo o quel motivo ma io non sono come loro, no, io non vedo cosa ci si guadagna. Quando le cose mi andavano male, a Yoder col mio vecchio, io non rimuginavo e mettevo il muso come altri al posto mio avrebbero fatto. Corky Busch, per esempio, aveva questo gran problema con il suo vecchio che lo voleva con sé al negozio di ferramenta perché un giorno il figlio lo potesse sostituire, era l'impresa di famiglia da generazioni, solo che Corky voleva fare il gangster e parlava come un ragazzo nero, *Yo muthafuckuh* eccetera e portava vestiti extralarge come uno skater ma senza skate. Corky era il solo Gangsta in città, per cui si sentiva solo, mi sa, senza una gang che lo aiutasse a uccidere la gente e a fare affari con la droga e via dicendo. Il suo vecchio insisteva che Corky venisse a lavorare al ferramenta finché un giorno Corky trovò una pistola per completare il costume da Gangsta, la usò per far secco il suo vecchio e infine scappò dalla scena del delitto. Corky andò fino in Colorado e lì sparò a un'altra persona in un emporio e finì in carcere dove riuscì infine a entrare in una gang, la Fratellanza ariana, per cui mi sa che smise di parlare come un nero. Ecco cosa ti succede quando pensi negativo, quindi è meglio che eviti.

Il pomeriggio era già a metà quando misi la birra in frigo e accesi la tv per non sentirmi solo. A quell'ora presto non ci sono tg tranne il canale delle notizie allora misi quello pensando che magari davano qualcosa su Dean che ancora non avevo visto, ma è quasi tutta roba su una guerra da qualche parte in Africa dove c'è sempre qualche guerra in corso. Non vedo perché visto che non hanno niente tranne l'Aids e la gente che muore di fame, da quelle parti, e allora che combattono a fare? Molto presto non ci saranno più africani per farsi la guerra, saranno tutti morti di malattie e proiettili e gli animali prenderanno di nuovo il potere, leoni e zebre e tutti gli altri che hanno lì per i turisti. Be', non potevo fare niente per la situazione africana ma mi intaccò il morale veder tutti quei bambini con nient'altro che stracci sui corpicini e al limite un AK-47 tra le mani se non avevano ancora l'Aids.

Mentre aspettavo qualcosa su Dean sentii una macchina che risaliva il vialetto e mi alzai di scatto pensando È Lorraine che viene per stare con me, ma poi andai a vedere e non era la sua macchina ma qualcun altro, magari l'FBI che voleva interrogarmi come aveva detto Jim Ricker. Alla fine era l'agente Dayton, lo vidi scendere dall'auto. A quel punto sentii qualcosa stringermi il cuore, delle dita, temevo gli servissero altre riprese della tomba, poi mi accorsi che non aveva la telecamera per cui ok, però che diavolo ci faceva qui?

Sale in veranda e mi fa «Salve» con tono molto amichevole e non scorbutico come stamattina che faceva gli straordinari e di nuovo oggi pomeriggio alla stazione. E non indossa l'uniforme quindi non è per storie di Polizia che è venuto a trovarmi.

Aprii la porta e lo accompagnai in soggiorno.

«La prendi una birra?»

«Come no.»

«Con la Polizia per oggi hai finito?»

«Per oggi basta.»

Gliene portai una fresca, la stappò. «Non guardi i Red Sox?»

Be', no, non la stavo guardando, lo vedeva da sé, ma capii dove andava a parare e feci zapping fino a quando trovai la partita così era felice perché uno sbirro felice non ti fa del male, mi dico. Guardammo la partita per qualche minuto, lanciò un urlo quando fecero un fuori campo, poi tipo mi lanciò uno sguardo come se solo ora si era accorto che non era solo a casa a guardare il suo di televisore.

«Allora» mi fa, «giornata intensa, la tua. Posso chiamarti, Odell?»

«Ok.»

«Io sono Larry. L'interrogatorio che il commissario Webb ha provato a farti, mica male come casino, eh?»

«È andata bene.»

«Bene per te, che te ne sei andato. Non altrettanto bene per il commissario. Voleva trovare qualcosa contro di te, coinvolgerti nell'assassinio, in qualche modo. E anche nella storia dei terroristi se ci riusciva. Tu non sei coinvolto in nessuna delle due, vero, Odell?»

«Io mi si è solo rotta la macchina e sono salito qui a cercare un bicchier d'acqua.»

«Il che dimostra come a tutti possono succedere certe cose, e in qualunque momento. Coincidenze. Sei al posto sbagliato nel momento sbagliato ed eccoti in trappola. È il posto sbagliato se sei innocente e senza peccato.»

«Be', lo sono. Non ho fatto niente.»

«Questo lo so. Quando sei un poliziotto arrivi a capire chi è colpevole e chi no. Il commissario Webb questa capacità la sta perdendo.»

«Mi sa che non gli piaccio.»

«Può essere, è il tipo da farsi stare antipatico qualcuno senza motivo, l'ho notato.»

Guardammo la partita per un po', poi Larry mi fa «Sai, quello che ti ha fatto oggi, secondo me è legalmente perseguibile».

«Davvero?»

«Altroché. Per come ti ha fatto crollare e nemmeno ha ottenuto niente, si è messo in cattivissima luce dal punto di vista professionale.»

«Non mi ha fatto crollare.»

«Hai finito in lacrime. Ne ho parlato con Dan Oberst, dopo, e lui dice che non ha mai visto un interrogatorio con poligrafo condotto così male. Dan è un vero professionista e odia quando la gente si intromette come ha fatto il commissario, è una cosa imperdonabile ed è lì che ha deciso di lasciar perdere. Mi ha detto che non ha mai visto una reazione emotiva come la tua e che non sei comunque un buon soggetto per il poligrafo, non mi ha detto bene perché, ma l'opinione di Dan Oberst la puoi mettere in banca.»

«Be', stavo solo fingendo.»

«Sì, certo, senti però, vengono molti giornalisti qua fuori?»

«Adesso no, prima sì. Adesso si parla solo di Dean, non di me.»

«Bene. Dean è roba che scotta. Le notizie su Dean per i canali nazionali valgono oro. Per notizie su Dean tirerebbero fuori i soldi veri. Notizie nuove, non la roba già vecchia. Quanto guadagni tosando prati, Odell?»

«Non mi lamento.»

«Non ti lamenti? Che peccato.»

Avevo capito cosa voleva. Voleva cavarmi notizie su Dean e venderle al telegiornale, solo che non c'era niente da cavarmi fuori che non avessi già detto, più quel piccolo dettaglio che non era successo niente in verità, per cui ho raccontato già troppo su Dean, gli ha detto male. E perché poi dovrei dividere i soldi dei tg con Larry Dayton? Lui che c'entra?

«È solo che pensavo che magari volevi una copia del cosiddetto interrogatorio con poligrafo, sai, da tenere per te, per i tuoi archivi, che ne so. Per il tuo avvocato, magari.»

«Non ce l'ho un avvocato.»

«Questo lo so, sto solo pensando a occasioni future in cui un avvocato potrebbe farti un mondo di bene.»

«E come?»

«Dichiarando in tribunale che sei stato vittima di molestie da pubblico ufficiale per non dire dell'incompetenza del commissario Webb, che merita di farsi cacciare a pedate nel culo per aver condotto la cosa a quel modo. Toglimi una curiosità, non te lo aspettavi il poligrafo quando sei entrato, vero?»

«Certo che no. È stata una grossa sorpresa.»

«L'ho capito subito, e anche Dan Oberst, ci scommetto. Sarebbe perfetto aver lui dalla tua parte per far reggere l'accusa, come sostegno alla prova filmata, voglio dire. Oberst, lui ti aiuterebbe senza fare una piega, è assolutamente professionale, il tipo d'uomo che vuoi nel tuo reggimento e non in quello del nemico. Con lui l'accusa sarebbe solidissima.»

«Accusa? Ma io non ho fatto niente...»

«No, quello che dico è che tu sosterresti l'accusa, insomma, il tuo avvocato. Contro il commissario Webb.»

«Il commissario Webb?»

«Proprio così, perché ha abusato dei tuoi diritti legali incastrandoti a quel modo, il che è un reato e pure grosso, poi ha incasinato tutto il procedimento comunque perché non ha tenuto la bocca chiusa. Davvero credeva che tu sapessi dov'è Dean, è questo che l'ha portato a incasinare tutto.» Prese un sorso di birra. «Ma nemmeno c'è bisogno di finire in tribunale.»

«No?»

«Assolutamente. Il dipartimento di Polizia si precipiterebbe a cercare un avvocato per Webb perché l'illecito ha avuto luogo su suolo di proprietà della Polizia e nell'ambito di operazioni di Polizia. Il dipartimento non vorrebbe rischiare di avere problemi coi media, non dopo aver visto il nastro. Ti offriranno un compromesso sostanzioso per farti tacere e nascondere il nastro ai nasi di quei segugi di notizie. Puoi alzarne centomila, duecento, trecento, dipende da quanto è bravo il tuo avvocato. Il mio consiglio è prenditi uno squalo. Ma purtroppo niente nastro niente accusa. Il tuo avvocato può fare causa per farsi dare il nastro dal dipartimento e dovremmo fornirvelo per legge, sennonché ci sono buone probabilità che il nastro sparisca nel giro di ventiquattr'ore. Webb può andare dove vuole là dentro, anche negli archivi. Due minuti là dentro e addio nastro, Odell. Quel nastro è storia, bruciato o lanciato da un ponte, o seppellito dove nessuno lo può trovare. Niente nastro, niente accusa. Niente accusa, niente compromesso. Niente compromesso, in bocca al lupo coi tosaerba.

«Magari l'ha già fatto» dissi, pensando ad alta voce.

«Magari l'ha fatto, per questo mi sono mosso in fretta e ho registrato una copia.»

«Hai fatto una copia?»

«Certo. Ti interesserebbe averla per te?»

«Certamente.»

«Immaginavo. Su quel compromesso ci puoi contare. Potresti beccarti mezzo milione, perfino di più, e tutto questo perché ho avuto la lungimiranza di fare ciò che ho fatto, e che distruggerà la mia carriera al dipartimento di Polizia quando salterà fuori che ho fatto io la copia. Lo scopriranno, probabilmente mi citeranno in giudizio perché lo ammetta pubblicamente, ed ecco che il mio lavoro se ne va giù per il cesso, e tutto perché volevo aiutare un essere umano in difficoltà.»

«Ti ringrazio.»

«Tenendo presente la distruzione della mia carriera, mi aspetto un compenso per il rischio.»

«Soldi?»

«O un lingotto d'oro se ce l'hai» rispose, poi rise molto forte.

«Quanto?»

«Be', senti, aspetta un secondo. Mi pare di capire che non hai proprio una montagna di soldi qui con te altrimenti non taglieresti l'erba, dico bene?»

«Sto per avere un altro lavoro.»

«Mi fa piacere, ma di certo non è direttore della Banca d'America.»

«No, infatti, è giù al carcere.»

«Al carcere? Stai scherzando? E dove, nelle cucine? Quello lo fanno i carcerati con buona condotta, mi pare.»

«Guardia carceraria.»

Rise un'altra volta, tipo che gli pareva divertente, poi si fermò ma aveva ancora un ghigno in viso. «Senti, Odell, ti giuro che non ti piacerebbe un lavoro là. È il lavoro più infimo che puoi trovare. Lascialo perdere, comunque non ti prenderebbero mai.»

«E perché?»

Larry sospirò come per dire che aveva finito la pazienza, e non sorrideva più. «Non sei il tipo adatto. Hanno bisogno di gente dura e con le palle per gestire una discarica simile. Tu non sei un duro, Odell.»

«Sono grosso.»

«Certo, ma non significa che sei un duro. Quello che ti offro qui è molto di più di quanto alzeresti in tutta una vita da guardia, ammesso che trovi l'avvocato giusto. La cassetta ti regalerà un futuro luminoso, è garantito.»

«Però non ho soldi, non molti.»

«E sapendolo ho trovato un altro sistema: una percentuale sui profitti, anche l'avvocato prende da lì la sua fetta, che è il motivo per cui lui ci darà dentro e punterà in alto, minimo a sei cifre. Ti interessa?»

«Direi.»

«Diresti. Ok, la cosa implica che stiliamo un contratto legale per la vendita del nastro, a te o a chi ti rappresenta, in cambio di una certa percentuale della cifra che il tuo rappresentante legale riuscirà a strappare al dipartimento di Polizia. Che sarà molto, credimi, abbastanza da far felici tutti.»

«Ma non ti dispiace se perdi il lavoro e non gli piaci più agli altri sbirri?»

Posò la sua lattina, era di nuovo serio. «Scherzi? Il lavoro mi serviva solo per finire gli studi. Col lavoro posso risparmiare anni di corsi, perché faccio il tempo pieno, e non ci pago le tasse.»

«Che genere di scuola?»

«La migliore, bello: Legge.»

«A-ah.»

Si alzò. «E allora, siamo d'accordo?»

«Direi di sì.»

«Cercati un avvocato e torna da me, sono sull'elenco.»

Il telefono si mise a squillare, dico il telefono della cucina.

«Non c'è bisogno che mi accompagni» fa Larry, diretto alla porta. Andai in cucina.

«Pronto?»

«Odell, Lorraine. Sono stati qui e ora vengono da te.» Era agitata, le mancava il fiato.

«Chi?»

«L'F-B-I, Odell. Mi hanno torchiato di brutto su Dean e faranno lo stesso con te, quindi preparati.»

«Ah, ok, li aspettavo.»

«Li aspettavi?»

«Oggi mi hanno detto che forse facevano degli interrogatori. Uno di questi giorni. Il Bureau è stato lento, troppo lento. Salteranno delle teste.»

«Ma di che parli?»

«Me l'ha detto un uccellino.»

«Odell, hai bevuto?»

«Sì, una birra.»

«Be', piantala subito, devi essere sobrio quando ti faranno le domande. Lo sai di cosa non devi parlare, vero?»

«Be'...»

«Del fatto che è gay, eravamo già d'accordo.»

«Certo... ma adesso c'è uno con un video di Dean in quel locale, l'Okeydokey.»

«Ma non significa che è gay, non è una prova. Non prova niente tranne che era lì sabato notte, e tu devi dire che ti eri confuso su questo, Odell, domenica, non sabato, è domenica che l'hai conosciuto, ok, o gli verranno sospetti come a Andy Webb. E ti ricordi quell'altra cosa su cui tacere, vero?»

«Mh...»

«Il pacco, Odell, il cacchio di pacco che non è mai stato consegnato e non verranno altri pacchi il martedì perché quei pacchi Non Esistono. Chiaro?»

«Ok.»

«Vai a sciacquarti la bocca e metti via la birra. Fallo adesso.»

«Dopo passi qui?»

«Ti faccio uno squillo. No, fammelo tu quando se ne vanno, così confrontiamo i nostri appunti.»

«Devo prendere appunti? Penseranno che non è normale.»

«Appunti mentali, Odell. Chiamami quando avete finito, non combinare casini o continueranno a impicciarsi.»

Agganciò. Mi andai a lavare i denti e pettinarmi i capelli che però è una perdita di tempo perché sono cortissimi che non c'è bisogno, ma così mi pareva di essere pronto per l'FBI. Andai alla porta ad aspettarli. Larry Dayton se n'era già andato e il cortile era vuoto. Aspettai a lungo finché arrivarono in una grande Ford blu.

Erano due, portavano abiti ben stirati, uno dei due aveva gli occhiali. Salirono gli scalini e dissero di essere l'agente Kraus e l'agente Deedle, che è quello cogli occhiali. Li feci entrare e accomodare, si misero a interrogarmi, ma non andrò nei dettagli perché raccontai tutto come l'avevo raccontato alla Polizia che sarebbe noioso ripeterlo tutto da capo. Solo stavolta fui attento a dire che la Monte Carlo doveva essersi rotta domenica e non sabato. Fecero le stesse domande degli sbirri e li portai in cortile per vedere la montagnola di terra, e fui attento a spiegare per filo e per segno come gli sbirri l'avevano svuotata due volte ormai per vedere che non c'era niente dentro, e l'agente Kraus disse che questo lo sapevano, era nel rapporto. Restarono credo un'ora poi mi ringraziarono per la collaborazione e se ne andarono, che fu un sollievo che era finito per cui feci il numero di Lorraine sul cellulare nuovo.

«Com'è andata?» vuole sapere.

«È andata bene. Se ne sono andati appena adesso.»

«E non hai parlato di cose di cui non dovevi parlare?»

«No.»

«Meno male. Dio santo, è stata una giornata sfiancante, e siamo nel fine settimana. Il fine settimana dovrei rilassarmi e non ficcarmi in discussioni con il commissario di Polizia e fare interrogatori con l'FBI e andare alle pompe funebri a prendere accordi per la mia zia assassinata. È uno stress enorme, sto crollando a pezzi.»

«Vuoi che vengo da te?» Mi dico, forse un bel massaggio alla schiena le farebbe bene e potrebbe portare a dell'altro.

«No, ho bisogno di un bel bagno caldo e di cercare di rilassarmi un po'.»

«Ti posso lavare la schiena se vuoi.»

«Per quello ho una bella luffa, spugna vegetale genuina. Fatti anche tu un bel bagno, Odell, la tua giornata è stata pesante quanto la mia. Sai, questa pressione durerà finché non beccano Dean, io lo so. Scommetto che *Sixty minutes* mi chiamerà per un'intervista su cosa si prova a crescere con un fratello terrorista. Solo non credo che pagano gli intervistati.»

«No, c'è gente della tv che paga. A me mi hanno offerto cinquanta dollari.»

«Gli altri programmi non hanno il prestigio di *Sixty minutes*, Odell. Non è solo questione di soldi, è questione di mettere le cose in chiaro su Dean.»

«Tranne la parte sui gay.»

«Giusto. Andy Webb è meglio se non sparge troppo la storia dell'Okeydokey. Secondo me non lo farà, insomma, è proprietà della Polizia, non la può vendere al miglior offerente. Non ha niente a che fare con il terrorismo, e non prova niente sulla sessualità di Dean. I musulmani ce l'hanno un sacco coi gay. Che cazzo, manco chi beve gli piace, e a Dean bere piace e anche la droga e chi più ne ha più ne metta, per cui sarebbe penoso come musulmano. Ma la cosa non deve fregare a nessuno. È per il terrorismo che lo sbatteranno dentro a vita quando lo beccano, e solo per quello. Mi ascolti, Odell?»

«A-ah. Tu li conosci degli avvocati?»

«Un paio, ma non sono bravi. A Dean gli servirà qualcuno strapotente per farsi tirare fuori, sì insomma, se lo beccano prima che uccida Ketchum. Se viene beccato dopo non farà nessuna differenza chi sia l'avvocato, si becca l'iniezione letale.»

«No, un avvocato per me.»

«E perché ne vuoi uno?, ti serve se il commissario Webb ti trascina un'altra volta alla stazione di Polizia?»

«Tipo, sì.»

«Aspetta e vedrai se ha il coraggio. Magari gli interrogatori sono finiti ora che abbiamo parlato con l'FBI.»

«È solo che... non lo so, forse non sono adatto a fare la guardia carceraria.»

«Ma sì che lo sei, te l'ho detto, e con Cole siamo in parola per cui devi solo presentarti al colloquio venerdì e dimostrargli che ti sai allacciare le scarpe da solo e avrai il lavoro. Non mi deludere, Odell.»

«Solo stavo pensando che magari non sono... capito, abbastanza tosto.»

«Ma di che parli, uno grosso come te? Non pensare così di te stesso. Certi dubbi sono come una forza negativa che ti divora dall'interno, ho letto un libro che ne parla e quel libro diceva il vero, quindi piantala subito.»

Agganciò. Anche stavolta mi scordai di dirle che stavo usando il mio telefono nuovo. La prossima volta. Mi era rimasta in testa una cosa che aveva detto, che gli oggetti che sono proprietà ufficiale della Polizia come il dvd dell'Okeydokey secondo lei non si possono vendere. Il nastro del mio interrogatorio è proprietà ufficiale della Polizia ed è già sul mercato. Ma Lorraine ha già troppe preoccupazioni per raccontarle anche questo.

Il cibo francese non poteva saziare l'uomo interiore, per cui scesi al freezer a prendere qualcosa di vero da mangiare come snack da tardo pomeriggio o da cena presto, e misi insieme cubetti fritti di patate Tater Tots, una pannocchia, più una cheesecake Sarah Lee, solo che dovevo aspettare che la cheesecake si scongelasse con tutta la dolcissima calma che gli serviva, per cui il dessert sarebbe arrivato dopo. Poi mi misi a riflettere un po' sulle parole di Larry Dayton e sulla proposta che mi aveva fatto. Mi rigirai in testa il problema per un bel pezzo intanto che scaldavo i Tater Tots e la pannocchia, e quando furono pronti non mi ero ancora fatto un'idea precisa, per cui decisi di dormirci su come dice il detto e al limite prenderla domani una decisione. Quello che avevo preparato era buon cibo americano e mi andò giù liscio, dopodiché feci un sonnellino davanti alla tv col volume a zero, accoccolato comodo sul divano. Dopo la prima notte in camera di Bree avevo sempre dormito in quella di Dean. Mi aspettavo di fare incubi in tutt'e due le stanze, ma non fu così, vuol dire che non ho la coscienza sporca né niente di simile, ecco la prova.

Ma sul divano questa volta feci un incubo, eccolo: sto guidando la mia macchina che eccezionalmente corre che è una meraviglia e ho accanto Dean che si fuma un cannone e guarda il mondo che scorre dal finestrino, ma io non vedo bene il paesaggio, potremmo essere ovunque. Dean era proprio come me lo ricordavo tranne che ha addosso una tuta arancione brillante, quella che portano i carcerati, però non è in prigione visto che è in macchina con me.

Si volta e mi fa «L'ho fatto solo per farla incazzare, sai, per scherzo».

«Per far incazzare chi?»

«Bree, e chi sennò. È da quando sono piccolo che mi mena perché non vado a messa, e mi ero troppo stufato per come mi imbocca Gesù a forza che ho comprato dei libri sui musulmani e le ho detto che sarei andato alla moschea invece che in chiesa. E l'avrei fatto se ne avessimo avuta una in zona ma non ce l'abbiamo. Cavolo, gli è venuta una crisi isterica, si è incazzata di brutto e mi ha detto che la mia anima era in pericolo. Be', io stavo scherzando e basta, ma mi sono messo a leggere quei libri e mi pareva che ci fosse dentro roba vera, sai, tipo saggezza. E me ne serviva un po', a tutti serve. Allora mi dico ok, smetto di bere tanto lo so che è una brutta cosa, e smetto di mangiare carne di maiale e vediamo cosa cambia, tipo un passetto alla volta, mi segui? Comincio a fare il musulmano ma solo un po', del tipo che non sono ancora sicuro sicuro ma lo faccio per un periodo per vedere come va, no?»

«E com'è andata?»

«Mi hai ucciso, bello, per cui non saprò mai se potevo diventare un buon musulmano. Magari era quello che ci voleva per dare una svolta alla mia vita, solo che tu sei venuto a incasinare tutto, Odell, figlio di puttana divoracazzi che non sei altro!»

Si sporse e afferrò il volante e finimmo giù da un dirupo che manco avevo visto, e mentre cascavamo lui si mette a cantare a squarciagola con la sua voce da matto «Sono una piccola teiera tonda e bella, Ecco la mia maniglia, Ecco la mia cannella...» Fu un volo lungo lungo. Quando toccammo terra mi svegliai così di botto che scattai dal divano come fosse un letto di chiodi arroventati. Caddi sul pavimento, avevo la gola sbarrata e respiravo a fatica, poi la gola si aprì e ingoiava aria come una pompa, grondavo sudore come fossi appena uscito da una piscina tipo e il cuore mi batteva faceva *budumbudumbudum*. Puzzavo come un pesce morto da quanto sudavo. Feci una doccia e mi sentii meglio ma non per molto. Intanto il cheesecake si era scongelato e ne mangiai metà per calmarmi e misi il resto in frigo per domani. A quel punto stavo bene, dopotutto era un sogno, niente di cui preoccuparsi troppo.

Era arrivato il tramonto. Uscii in cortile e mi misi a guardare la montagnola, dicevo a Dean di non avvicinarsi che non era colpa mia e non avrebbe mai dovuto svegliarmi sussurrandomi nell'orecchio che c'era un intruso del cazzo gli pareva di averlo sentito, e soprattutto non con un fucile in mano sì lo so che era scarico. Era colpa di Dean quello che era successo, non mia, lui e la sua merdosa personalità incasinata! Mi sentivo solo e senza un amico al mondo.

Ma un amico ce l'avevo. Era l'agente Jim Ricker, me l'aveva detto lui. Il suo uccellino teneva d'occhio tutti i suoi amici e io ero uno di loro, l'aveva detto. Così presi il mio piccolo telefono e spinsi il tasto Rubrica ed ecco che spunta fuori il numero di Jim. Premetti il tasto Chiamata. Non devi nemmeno fare il numero, il telefono fa tutto da solo, cioè è la tecnologia digitale che ora sono un suo sostenitore accanito.

«Salve, Odell.»

Lo disse prima che io dicessi chi ero perché l'identità del chiamante gli lampeggia sullo schermo. Tecnologia digitale!

«Ehi, Jim.»

«Che mi racconti?»

«Mah, niente di che. L'FBI è venuto da me, abbiamo parlato di tutto quanto.»

«Ah sì? E com'è andata?»

«Be', tutto ok, mi pare. Sono stati più gentili del commissario Webb.»

«La cortesia professionale è tutto, Odell.»

«Già.»

«Nient'altro?»

«Be'... Sono in cortile e sta tramontando il sole. Aspetta... te lo faccio vedere.»

Gli inviai un filmino, puntando il telefono per fargli vedere la montagnola di terra e il tramonto sullo sfondo.

«È mica la cosiddetta tomba vuota quella che vedo?»

«A-ah, e dentro non c'è altro che terra, hanno controllato due volte, la Polizia.»

«Fa piacere sapere che sono stati accurati.»

«Eh sì, ma ho dovuto scavarla io una seconda volta.»

Rise. «È per questo che ce l'hai con il commissario Webb?»

«No... be', forse sì. Ehi, Jim, mi puoi vedere?»

«Perché me lo chiedi, Odell?»

«Ero curioso. Se questi satelliti sono sempre in giro intorno alla Terra certe volte il tuo dev'essere dall'altra parte del mondo, e quelle volte non mi puoi vedere.»

Fece una risatina molto amichevole poi disse, «Ogni sistema degno di questo nome ha più frecce al suo arco, Odell. Ci sono centinaia di satelliti là sopra, per cui mentre uno passa sotto la linea dell'orizzonte ce n'è un altro che arriva dall'orizzonte opposto, e con ogni probabilità ce n'è anche uno in mezzo che grossomodo sta giusto sopra la tua testa proprio adesso che ti parlo.»

«Per cui tu mi puoi vedere?»

«La risposta alla tua domanda è riservata, Odell. Non vuoi che mi metta a disfare le regole, vero?»

«Direi di no.» Mi venne un'ideona e alzai il braccio sinistro.

«Allora dimmi quale braccio ho alzato.»

Rise ancora. «Il sinistro» disse, facendomi cadere la mascella. Allora mi può vedere davvero! «Wow!»

Rise ancora. «Sei destro tu, vero, Odell?»

«A-ah?»

«E allora è con la destra che tieni il telefono, il che significa che hai alzato il braccio sinistro, giusto?»

«Be'... già. Allora non mi puoi vedere?»

«Te l'ho detto, è un'informazione riservata. Passa un buon sabato sera, Odell.»

Agganciò. Era una delusione che non mi poteva vedere, dopo tutto. Per un momento mi ero sentito felice sapendo che lui mi teneva d'occhio come un fratello grande. Ma magari lui poteva vedermi e non poteva ammetterlo chiaro e tondo perché è un'informazione riservata.

Mi versai un sorso di Capitano e lo scolai alla goccia, me ne versai un altro. Niente mi rende calmo e sereno come il Capitano. Facendo zapping trovai uno di quei programmi sulla Natura che parlava di lupi del Canada o non so che posto. In America non ci sono più lupi tranne alcuni che hanno riportato nei parchi nazionali per far fuori i bufali che anche quelli non ce ne sono rimasti molti, ma allora a che serve portare qui dei lupi apposta per ucciderli? In ogni caso non erano lupi di qua, ed erano sei che vivevano in branco ma poi capita una tragedia che uno dei lupi diventa cieco e ha le cataratte agli occhi.

Questo povero lupo, si muoveva a tentoni, non vedeva nulla e si comportava in modo strano perché era cieco, e gli altri lupi non capivano perché si comportava così perché sono solo animali e non sanno nulla della cecità, sanno solo che questo lupo si comporta in modo strano. Non provano compassione per questo povero lupo e tentano di azzannarlo quando si avvicina a tentoni per stare con loro. Non lo vogliono tra i piedi e allora lo mordono per farlo andare via, e quel povero cazzo di lupo è sempre più solo e praticamente non mangia mai perché non può cacciare e si ciba degli avanzi che riesce a trovare annusando l'odore. Per cui dopo un po' muore e gli altri lupi non gli si avvicinano neanche da morto nemmeno per una snasata d'addio o niente. Era la cosa più triste del mondo. Non era colpa del lupo se era diventato cieco ma era stato punito uguale, non solo con l'essere cieco, la cosa peggiore era il modo in cui gli altri lupi gli si sono rivoltati contro e l'hanno scacciato solo perché era così diverso da loro, era questa la parte più triste della storia, e mi fece piangere come un bambino tanto era triste. Di regola non lo faccio, voglio dire non piango, ma ero così triste per quella povera creatura che non aveva fatto niente di male ma era stata punita comunque e poi era morta senza mai aver saputo perché era successo tutto ciò. Fui contento quando finì e potei guardare dell'altro.

Per quanto cambiassi canale, trovavo ovunque le pubblicità dei politici anche se le elezioni erano fra più di un anno. Facevano sempre così, si mettevano a spiegarti per chi votare un secolo prima di quando dovevi decidere. E non puoi evitarli neanche se premi muto. Quelle bandiere continuano a sventolare e quella gente continua a sorridere fiera di essere americana, soprattutto la bambinetta adorabile che sventola la sua bandierina stelle e strisce, che ha quattro anni e un sorriso grosso così e sotto c'è scritto *Fallo per lei*.

Il senatore Ketchum compare in quasi tutte le pubblicità dei repubblicani con la sua aria seria e saggia e fiera e dice cose del tipo «L'America fu costruita con il duro lavoro e la promessa di Giustizia per Tutti. La stessa promessa può funzionare anche in altre nazioni se si dà loro la possibilità. Per questo siamo lì con loro. Gli americani non scappano quando vengono chiamati a portare aiuto. È questa l'essenza di essere americani». La squadra avversaria dice cose tipo «Squadra che non vince, si cambia. Non un passo di più sulla Strada Sbagliata». E anche loro hanno il loro bambinetto adorabile che sventola la bandiera e dice «Riportate a casa il mio Papino, mi manca da morire».

217

Quale che fosse la pubblicità in onda, quella era la mia preferita, e quello era il partito per cui volevo votare. Ma poi arrivava l'altra squadra a dire l'opposto e mi pareva che erano loro quelli che parlavano giusto ed era loro che dovevo votare. Solo che poi i primi insistevano di nuovo sul Tenere la Linea e Non Retrocedere e mi dico che sono loro ad avere il messaggio migliore, insomma feci l'altalena tra le due squadre finché non mi venne voglia di andare in letargo come un orso per non sentire una sola parola di più sulle elezioni e lasciare che qualcuno più intelligente di me decidesse chi doveva andare alla Casa Bianca.

Ora, secondo la mia personale opinione, dovrebbe essere Condoleezza Rice a candidarsi alla presidenza e non il senatore Ketchum. A lei il mio voto lo darei a prescindere dal partito di cui fa parte, per quanto mi piace. E quello che i più non sanno è che Condi è un'ottima pianista, non è solo politica è anche artistica, e quante ne trovi di persone così a Washington? Non troppe, questo è certo. Se eleggessero Condi la prima cosa che fa è dire alle guardie forestali di prelevare ogni lupo cieco che trovano nelle foreste e fargli fare un'operazione alle cataratte così non muoiono soli e senza capire perché. Condi lo farebbe perché siccome è donna è sensibile ai bisogni degli altri, mentre il senatore Ketchum mica lo so se lo è.

undici

La domenica a Yoder, Wyoming, era il giorno più deprimente della settimana nessuno escluso, non sto scherzando. La domenica a Yoder è buona solo per prepararsi a diventare qualunque cosa in qualunque altro posto del mondo, perché nella tua vita non vuoi essere qualcosa che si trova a Yoder, e di domenica. Il discorso vale per tutti quelli che ci vivono anche se a parole dicono altro. Feenie Myers una volta mi ha detto che nove yoderiti su dieci affermano apertamente di non sopportare quel posto, e il decimo sta mentendo.

La domenica a Callisto invece mi piaceva. Mi svegliai sul divano dove mi ero addormentato sbronzo perso con la tv accesa che mi sussurrava all'orecchio. Mi trascinai in cucina dove avevo bevuto dell'acqua seguita da aspirina come antipasto alla colazione e poi tornai a sdraiarmi sul divano.

Feci un sonnellino aspettando che la testa mi smetteva di martellare a quel modo, mi alzai una seconda volta e andai a prepararmi delle focaccine e delle crocchette di patate prese dal freezer che era ancora pieno zeppo di cibo. È sorprendente quanto ne avanza dopo che un corpo intero è stato rimosso da là dentro, ma Bree non era una donna corpulenta.

Verso l'ora di pranzo mi sento meglio e mi dico che magari dovrei chiamare Lorraine per sentire se posso fare qualcosa per lei, magari portarle tipo sei lattine di birra per pranzo. Non mi ha mai invitato a vedere se è una casa o un appartamento, quello che è, e non conosci veramente una persona finché non ti invita a vedere dove vive, per cui non è un buon segno e comincio a chiedermi se lei ci tiene davvero a me o cosa.

Poi sento una macchina che saliva qui da me, ma prima di andare alla porta sapevo che non era lei per via del suono del motore, troppo potente per cui non mi sorpresi a vedere che era Chet che tornava a trovarmi. Ero felice di vederlo perché Chet e Bob il Predicatore avevano avuto il cuore di comprarmi quel cellulare per cui vado tanto pazzo. Mi salutò con la mano e salì in veranda dove io dissi di entrare ma rispose È talmente una bella giornata che ne dici se non ci mettiamo a sedere sul dondolo, e così facemmo. Non aspettai, portai fuori il telefono per mostrarglielo e spiegargli tutte le cose che sapeva fare.

«Bel modello, Odell. Mi fa piacere. Ora devi mettere il numero nella pubblicità, così avrai nuovi clienti che ti chiameranno per farsi tagliare il prato.»

«Me ne occupo lunedì» dissi. «No, un momento... Devo cancellare qualche giardino lunedì per il funerale di zia Bree. Nemmeno so a che ora è. Me ne occuperò martedì.»

«È un bel gesto» fa lui «andare al funerale. La signorina Lowry dev'esserti molto grata. Voi due sarete diventati intimi dopo tutta questa vicenda.»

«È un modo orribile per conoscere qualcuno, ma tant'è. Lorraine ha bisogno di qualcuno su cui contare adesso.»

«E tu sei una spalla forte. È bene, Odell. È molto cristiano. Sei un buon esempio di fede.»

Deve avermi visto a disagio per il complimento che non mi merito, infatti mi dice «Tu sei cristiano, vero?».

Mentirgli non sarebbe stata una bella cosa, un uomo che mi ha dato denaro contante per comprare un telefono che adoro, ma allo stesso tempo odiavo esser costretto a deludere un praticante come Chet dicendogli che non credevo alla storia che dicono per cui Dio ci guarda dall'alto. Se Dio ci guardasse dall'alto, quei bambinetti africani vestiti di stracci non se ne andrebbero in giro con gli AK-47 a morire di Aids, se volete la mia opinione. Per cui feci un po' il vago, cercavo una buona risposta, e Chet che era una persona acuta vide quanto ero in difficoltà e mi fa «Parla come ti senti, Odell. La verità è nel cuore dell'uomo».

Allora gli diedi la mia verità, nuda e liscia come una busta di carta. «Non proprio.»

Chet mi diede una pacca sul braccio come un vecchio zio e mi mise in pace il cuore. «Non essere definitivo, Odell. Non tutti scelgono di farsi illuminare dalla luce, e ci sono persone che raggiungono la luce più tardi degli altri. Non è mai troppo tardi per aprire gli occhi al bagliore speciale che dà la presenza di Dio.»

«Ok.»

Ce ne stiamo lì seduti in silenzio per un momento, poi mi fa, «Odell, te la senti di dire che una volta presi in considerazione i vari aspetti della cosa, potresti un giorno diventare cristiano?»

Chet si preoccupava per la mia anima, cosa molto buona e dignitosa da parte sua ma francamente anche una perdita di tempo, non c'era modo che cambiassi idea sulla complicata questione di Credere o Non Credere. Volevo rispondergli che avrei potuto un giorno, solo per mettergli l'animo in pace, ma a quel punto avrebbe voluto inginocchiarsi con me per pregare che succedesse prima possibile, e non volevo che succedesse niente di così imbarazzante per cui risposi «Non proprio».

Mi sentii in colpa di avergli dato quella risposta, e Chet, lui fece sì con la testa, calmo e posato, senza guardarmi, poi disse, «C'è una ragione per cui le cose sono come sono, solo che a volte non riusciamo a capire quale sia.»

Queste parole suonavano molto profonde e per facilitare le cose dissi che ero d'accordo.

Mi fa «Credo di aver bisogno di un bicchiere d'acqua, Odell, ti spiace?»

«Ghiaccio?»

«Liscia di rubinetto. I profeti dei tempi antichi non avevano l'acqua ghiacciata per calmare la sete nel deserto.»

Gli portai l'acqua profetica che voleva e se la scolò, poi si alzò in piedi e mi diede la mano. «Torno a Topeka domani, questo è un addio, Odell. È un peccato che sia andata così per Dean, ma non è colpa tua, tu non sapevi.»

«Eh no.»

«La vita è un mistero» mi fa, «o così appare a occhi umani.»

«A-ah.»

Mi diede un'ultima stretta di mano solida e cristiana e se ne scese alla macchina. Salì, mise in moto e si avviò verso l'uscita, lasciandomi dentro un po' di tristezza. Era un brav'uomo che vedeva le cose non come le vedevo io perciò non poteva crearsi quel legame speciale che si chiama amicizia. Guardando la sua Cadillac allontanarsi lentamente mi chiesi con chi era che avevo quello speciale legame dell'amicizia, e dopo aver scorso l'elenco di tutti quelli che conoscevo dovetti ammettere che non mi era ancora successo mai, non lo so perché, ma tanto sono ancora giovane e ho tempo a bizzeffe. Avevo grandi speranze su Lorraine. Magari domani al funerale avrei avuto modo di dirle cosa penso. Ma poi pensai che i giorni di funerale sono giorni tristi in cui non devi parlare dei tuoi problemi personali, solo i parenti della persona, dei loro problemi si deve parlare, per cui quella cosa di dirle cosa provavo doveva aspettare ancora un po'.

Guardando dalla veranda la desolazione del Kansas mi mise l'ansia di fare cose, ma non sapevo bene cosa, e lo so che suona strano ma così è, tipo come quando hai un piano ma poi ti danno una botta in testa e perdi la memoria e non ricordi il piano, ma ricordi che ce l'*avevi* un piano, e adesso ti corre per la testa in cerchi concentrici come un disco e vuole trasformarsi in realtà, ma non puoi realizzarlo perché hai scordato qual era. Il che mi rese irrequieto e infelice di essere com'ero, ma che ci puoi fare in questi casi: niente.

Alla fine però l'ho capito cosa volevo fare. Era la cosa più ovvia del mondo. Volevo dire a qualcuno che avevo ucciso Dean per errore e che non sarebbe mai sbucato dal nulla con una pistola per uccidere il senatore Ketchum come si aspettano tutti. Il Paese intero è nel panico per Dean soltanto perché io non ho detto quello che so, e il Gran Segreto mi pesa dentro come un sacco di farina da cinquanta chili piantato sulle spalle. Volevo raccontare tutta quanta la verità a Condoleezza Rice. Non volevo raccontarla a nessun altro. Mi fido solo della mia amica Condi, solo lei può capire cos'è successo e perdonarmi, sapendo che nessuno voleva che andasse così. E ora che sapevo cos'era che volevo fare fin dall'inizio, niente poteva impedirmi di farlo.

Mi aggirai per casa e trovai una penna e della carta e una scatola di buste con pure dei francobolli dentro, poi sedetti al tavolo della cucina con un bicchierino del Capitano per calmarmi i nervi tanto ero eccitato. E le scrissi una lettera, ed eccola qui.

Cara Condoleezza Rice,

lei non mi conosce ma magari mi ha visto al tg per la storia di Dean Lowry perché ha ucciso sua zia Bree la settimana scorsa. Dean è andato al tg per quella faccenda, e anche per il suo legame con i terroristi musulmani che lui conosce. Solo che ecco qual è il fatto veritiero di questa storia: lui non conosce nessun terrorista, solo aveva pensato di diventare musulmano per fare arrabbiare sua zia, niente di serio, ma lei forse gli ha urlato addosso un po' troppo per questa cosa e l'ha portato al limite come si suol dire. Ed è a questo punto che l'ha uccisa, in quel-

lo stato di pazzia non come quando è un Io Normale. Ma sì, ha fatto quella cosa terribile. Ma adesso tutti pensano queste cose su Dean che uccide il senatore Ketchum, perché lui l'ha detto ma stava scherzando. E anche se diceva sul serio, questa cosa mica può succedere perché Dean non è più Tra Noi. L'ho ucciso io con una mazza da baseball ma giuro che è un caso che è successo. Mi ha svegliato con un fucile in mano e io sono andato nel panico credo e l'ho colpito con la mazza da baseball senza nemmeno chiedermi se dovevo farlo o no. Stava bene fino al giorno dopo che è morto, ma all'inizio pensavo che dormiva e basta. Poi ho scoperto che era morto. L'ho seppellito in cortile qui a casa, per cui può dire al senatore Ketchum da parte mia che non c'è nessun pericolo, Dean è bello che morto. Lo giuro non volevo che andasse così. E ora che ho confessato spero che lei mi può perdonare per aver mentito infatti dovevo mentire, lo so che lei mi capisce. È per questo che ho spedito questa lettera proprio a lei cara signorina Condoleezza Rice.

Suo affezionatissimo
Odell Deefus

La controllai due volte per vedere se c'erano errori ma non c'erano, allora la infilai nella busta e la chiusi leccando l'orlo, feci lo stesso con il francobollo in alto a destra poi scrissi il nome di Condi, *La Casa Bianca, Washington DC*. Non scrissi il codice postale, non lo sapevo, ma all'Ufficio Postale lo sanno dov'è Washington, mica sono idioti. Poi misi la busta tutta bella piatta e piena sul piano sopra il camino fra la testa di capo indiano di bronzo e la conchiglia posacenere Souvenir della Florida. Poi sedetti sul divano a fissare la lettera come fosse un quadro famoso appeso al muro. Volevo spedirla subito, ma è domenica per cui a che serve, tanto la cassetta della posta non la svuotano prima di lunedì. Cosa avrei fatto, l'avrei spedita dopo il funerale. Sapere di aver fatto finalmente la cosa giusta fu un enorme sollievo. Un motivo per cui non l'avevo fatto prima, mi sa, era l'interrogatorio che avrei dovuto fare con il commissario Webb, quello lì non mi piaceva e io non piaccio a lui, per cui pensa che brutta esperienza. In questo modo invece è Condi Rice a sapere per prima la verità e lei è una persona gentile anche se a volte dev'essere molto dura con i leader degli altri paesi che non la pensano come noi, ma soprattutto è una persona retta e giusta per cui bella dritta da parte mia andarlo a dire a lei invece che al commissario Webb. Condi inviterà i pezzi grossi dell'FBI e della Sicurezza nazionale e il senatore Ketchum a casa sua a prendere un caffè e qualche dolcetto per spiegargli che io a Dean non volevo fargli quello e di non sbattermi in prigione. Avevo voglia di piangere per quanto ero contento del sollievo procuratomi da me medesimo.

Squillò il telefono della cucina, era Lorraine! Il che dimostra che oggi era un giorno diverso dagli altri perché mi succedevano tante cose buone. Per prima cosa mi fa «Il funerale è alle undici, devi trovarti al noleggio vestiti alle nove per metterti in ghingheri. 2389 di Kerwin Street, è giù in città. Si chiama Shocking Smoking e hanno vestiti per gente grossa, lo dice la pubblicità nell'elenco telefonico. Ma non affittano camicie scarpe e cravatte. Tu ce le hai? Devono andar bene».

«No, be', ho solo stivali e scarpe da ginnastica.»

«Gli stivali vanno bene, voglio dire, sono neri?»

«A-ah.»

«Mica hanno i tacchi consumati?»

«No, sono ancora buoni.»

«Ok, allora lucidali, dagli un'aria decente, e corri al Target a prendere una camicia e una cravatta, niente strisce, niente fantasie, niente di acceso, chiaro?»

«Chiaro.»

«E già che sei al Target comprati dei pantaloni e qualche polo, vestiti decenti da tutti i giorni per il colloquio con Cole, e una giacca sportiva. Quando non sembri uno che taglia i prati sembri un cowboy, che non è il massimo per avere successo, vero?»

«Vero.»

«Soldi per tutto questo ce li hai?»

«Sì.»

Fece un gran sospiro e disse, «Quando finirà tutto sarò tanto felice, e non dico solo per Bree, anche per Dean. Non ti ha chiamato, vero?»

«No.»

«Be', se ti chiama, tu digli di arrendersi ma di tenere la bocca chiusa sul pacco del martedì. Non c'è motivo che lui parli di quella cosa, servirebbe solo a mettere nei guai me e a lui non gli migliora la situazione di un cazzo, fai in modo che se lo ficchi in testa. Anzi, se chiama, digli di chiamarmi e glielo dico io. Tanto è sempre me che chiama, sono sua sorella.»

«A-ah.»

«Voglio solo che finisca questo casino, comunque vada. Questa storia mi sta uccidendo, l'ansia, l'attesa, non sapere se Dean vuoterà il sacco su Donnie D e il pacco. Ti renderai conto che anche tu sei coinvolto, perché hai consegnato il pacco, per cui se fottono me, fottono anche te. Dean ci tiene in pugno.»

«Giusto.»

«Sembra che non te ne frega un cazzo. È una cosa seria, Odell. Il nostro sistema del martedì ci procurerà una bella vacanza al fresco se Dean apre bocca. Spero solo che lui e quei terroristi si siano nascosti sotto terra così in profondità che non si farà mai più vedere tranne sui titoli dei giornali, sai tipo Bombarolo Suicida Si Fa Saltare In Aria, quel genere di cose.»

«Vuoi che Dean si faccia saltare in aria?»

«Ehi, in quel modo morirebbe tutto felice come fanno quegli schizzati di fanatici religiosi. Dean non è mai stato felice nella vita, per cui mi piacerebbe sapere che almeno è morto felice, sarebbe già qualcosa. Oggi sei silenzioso, Odell.»

«No, è che ho pensato tanto.»

Rise. «Davvero? Hai pensato a fondo?»

«Non sto andando a fondo.»

«No, voglio dire pensieri profondi. Se intendevo che eri nei casini ti dicevo sei nei casini fino al collo, che è diverso.»

«Ah.»

«E allora, che pensieri profondi hai fatto?»

«Quelli sul fare la cosa giusta, quel genere lì.»

«La cosa giusta? Non ne stavamo appunto parlando? La cosa giusta da fare è fare in modo che Dean capisca che deve tener chiusa la sua bocca di merda e non mettere sua sorella e il suo amico nella merda fino al collo come già si è messo lui senza il nostro intervento, dico bene? Questa è la cosa giusta da fare, solo che Dean nella sua vita la cosa giusta non l'ha fatta mai, e includici quello che ha fatto a Bree. Sperare che Dean faccia la cosa giusta è come sperare di tenere in volo un pallone aerostatico con una scoreggia: prima o poi il gas ti finisce.»

«Eh già.»

«Per cui volevo star sicura che tu hai capito cosa c'è in gioco qui, Odell, sia per me che per te.»

«Lo capisco.»

«Be', te ne stai così calmo e sereno davanti a questo discorso che mi vengono dei dubbi. Bevuto birra oggi?»

«Zero birra.»

«Altro?»

«Zero.»

«Be', sei proprio un Mister Tranquillone.»

«Eh sì.»

Alla fine della frase udii solo il suo respiro per un attimo, poi fa «Può essere che non ti ho capito per niente. Tu hai un modo di porti che mi rende nervosa, a volte sembri così stupido, poi altre volte, tipo adesso, penso che magari è una scena che fai che sembri scemo, e in realtà capisci benissimo la situazione».

«Capisco benissimo la situazione, sì.»

«Bene, benissimo, Odell, allora continua così e il sole continuerà a sorgere ogni mattina.»

«Vivi in una casa o in un appartamento?»

«Perché?»

«Niente, curiosità. Non mi hai ancora mai invitato.»

«Be', è un appartamento, molto piccolo ma ci sto bene, aspetto l'esecuzione del testamento poi mi trasferisco lì, prendo la stanza di Bree. Spero non sia infestata dai fantasmi.»

«Fantasmi non ne ho visti.»

«Be', devi avere una sensibilità speciale per capire se ci sono spiriti. Gli uomini di solito non ce l'hanno, è una cosa da donne. Per questo le medium sono quasi tutte donne.»

«Posso venire a trovarti se non hai da fare.»

«Non ti ho detto che ho un esaurimento nervoso? È un lavoro a tempo pieno. Restatene a pensare a fondo alle tue cose, ok?»

«Ok.»

Mise giù, riattaccai anch'io. Lorraine alle volte è difficile capirla ma credo che la nostra relazione fa dei progressi, deve solo smettere di preoccuparsi tanto di Dean e provare a concentrarsi su di me, e io avevo fatto i primi passi in questa direzione con la confessione per Condi che se ne stava appollaiata sul camino. Quando il problema si risolve Lorraine non dovrà preoccuparsi più e potrà passare il tempo a conoscermi meglio, perché questo si fa nelle relazioni riuscite, lo dicono tutti.

Insomma, dovevo solo avere pazienza e aspettare che Condi mi levasse dai guai, e lo farà appena le arriva la lettera. Con un pizzico di fortuna e un servizio postale veloce verrà tutto sistemato entro la fine della settimana e posso andarmene al colloquio con Cole Connors per il lavoro al carcere con la coscienza pulita. A meno che non decido di portare il commissario Webb in tribunale per quello stupido interrogatorio che c'è il nastro rubato come prova e mi faccio dare per compromesso un milione di dollari dal dipartimento di Polizia. In quel modo non mi serve più nemmeno il lavoro al carcere e posso sposare Lorraine e lei non dovrà più fare la spacciatrice, quel che si dice tutto liscio come l'olio. Fino adesso mi ero scordato completamente di Larry Dayton. Ma avevo davanti un'intera domenica pomeriggio per pensarci, per cui è perfetto. Quello, sì, ma anche lucidare gli scarponi.

A un certo punto mi ero annoiato e mi misi a ficcare il naso in camera di Dean alla ricerca di altri libri musulmani o non ricordo che altro, ficcanasavo per passare il tempo, direi, ma non trovai niente. Già che stavo ficcando il naso, ficcai il naso anche in camera di Bree. Ma non ci trovai altro che una vecchia Bibbia con le orecchie alle pagine e un libro intitolato *Così fan le suore*, anche questo era bello sdrucito, tanto per capire quanto era religiosa la vecchietta.

Aprii il libro e presi a leggere da pagina 36 tanto per vedere cosa fanno queste suore, di che si trattava, e mi sorprese vedere che le suore ne fanno di cose, sia l'una con l'altra, sia con certe candele sacre e anche con un gruppetto di preti che capitavano al convento per pregare con loro.

Me lo portai di sotto per leggerlo sul divano e passai un'oretta piacevolissima ad approfondire la mia conoscenza della vita religiosa vista dagli occhi dell'autrice, suor Volupta, che credo sia latino. Dopo di che feci un sonnellino, poi lessi un passaggio in cui spiegava come si esorcizza un demone dalla zona vagina, e pare sia molto più difficile di quanto non si direbbe e c'è bisogno di un gruppo intero di esorcisti che ci si mettono tutti insieme finché non raggiungono lo scopo. Dopo di che feci un altro sonnellino e a quel punto il giorno era finito, era scorso via come un fiume calmo e adesso fuori cominciava a fare buio e avevo fame come un animale che muore di fame dopo tutte quelle letture.

Stasera tortino di carne e verdure in padella all'orientale e per finire il cheesecake Sara Lee, la metà che avanzava. Ossignore che goduriaaaaaa. Era stata una delle giornate più belle della mia vita, anche se non l'avevo passata con Lorraine come speravo, ma anche come seconda scelta era stata troppo bella. Ma poi accesi la tv e una signora disse, «Dopo la pubblicità, su Fox News: questo volto, è il volto del terrore o è solo uno che sta massacrando una canzone?» Guardai bene lo schermo, era Dean che cantava a voce altissima per qualche secondo, poi venne la pubblicità. La mascella mi dev'essere scesa di un chilometro visto che sapevo che cos'era quella cosa, era il dvd che hanno fatto all'Okeydokey Karaoke e che mi ha messo nei casini con il commissario Webb per via del problema se era sabato o domenica. Ed era già alla tv!

Ora, come ho già chiarito, non sono un genio, ma mi ci vollero due secondi di quel filmato per capire cosa stava succedendo veramente e chi aveva fatto quel filmato. Era stato Larry Dayton. Mi aveva raccontato che ha una telecamera con dvd che si è offerto di usare ieri da me ma il commissario Webb gli ha detto No, usa quella cacata di telecamera del dipartimento. Per cui è ovvio che Larry era all'Okeydokey Karaoke sabato scorso e che è lui che ha ripreso Dean quando Dean era sul palco senza sapere che con Dean famoso quello sarebbe diventato un dvd fondamentale. L'ha mostrato al commissario Webb ieri e mi ha messo nei casini, e il pomeriggio è venuto qui a offrirmi l'altro nastro, quello dell'interrogatorio, e così ora io so che ci sta lui dietro a tutto questo, con il suo desiderio di soldi facili così può lasciare il dipartimento di Polizia con le tasche piene e diventare un avvocato. Presi l'elenco del telefono e cercai il suo nome. Usai il telefono della cucina perché l'elenco era là vicino e comunque dovevo aver lasciato il cellulare fuori sul dondolo dopo averlo mostrato a Chet.

Rispose al settimo squillo. «Pronto?»

«Agente Dayton?»

«Sì?»

«Sono Odell Deefus.»

«Eh, Odell, trovato un avvocato?»

«No. Hai mica fatto un dvd all'Okeydokey Karaoke sabato scorso? Non ieri notte, quello prima.»

«Ossia venerdì.»

«No, voglio dire il sabato prima.»

«Ti prendo in giro, Odell. Certamente, registro dvd all'Okeydokey molto spesso. I clienti pagano per farsi immortalare, di solito quelli molto sbronzi, e sono io che faccio i filmini. Ci alzo un po' di soldi. Volevi mica metter su un filmato, Odell? Ti ci vedo a fare qualcosa di Johnny Cash, che ne dici di *I Walk the Line*?

«Hai ripreso Dean Lowry e l'hai venduto a Fow News?»

«Da che cosa lo dedurresti?»

«Perché volevi vendermi quel video con la macchina della verità.»

«E l'hai estrapolato da quello?»

Be', questa parola non sapevo cosa vuol dire per cui risposi con un mezzo grugnito «Può essere.»

«Non avrei commenti da fare in risposta di simili infondate accuse.»

«Ma sei stato tu?»

«Le e-mail sono una splendida cosa, non credi? Hanno velocizzato ogni aspetto della vita compresi i contratti e la trasmissione di materiale digitale e i pagamenti on-line. Voilà! E il tuo conto in banca si rimpolpa seduta stante.»

«Allora sei stato proprio tu.»

«No comment, e no comment sull'ammontare del pagamento... Ehi, aspetta, cosa vedo...»

So cosa vede, lo sento pure io dalla mia tv. Posai il telefono e schizzai in soggiorno.

«Notizia calda dell'ultim'ora, la diffusione di sorprendenti testimonianze in dvd dell'Uomo Più Ricercato d'America, Dean Lowry. Fox News ha ricevuto il dvd da un benefattore appena un'ora fa e vi avvertiamo, ciò che state per vedere è... da galera.»

Ed eccolo lì, Dean che canta *Do You Know the Way to San José*, e molto male, in pratica non è una voce che vale la pena di ascoltare, è così scarso che provo imbarazzo per lui anche se è morto e i detrattori non possono raggiungerlo, per dir così. Dopo circa trenta secondi interrompono il filmato e la bella presentatrice fa una smorfia di dolore. «Ahi!» fa, «a confronto le cassette di Bin Laden sono da Emmy per la miglior colonna sonora. Queste riprese recenti di Dean Lowry dimostrano che il soggetto conduce una doppia vita, non solo tosaerba e terrorista, ma anche re del karaoke. Per i talent scout in ascolto, ne abbiamo ancora...»

E lo mostrarono. Era così tremendo che cercai il tasto muto, ma poi lo interrompono di nuovo. «Scherzi a parte, Lowry è ancora tenuto d'occhio dalla Sicurezza nazionale dopo la rivelazione dei suoi piani per assassinare il candidato repubblicano alle presidenziali, il senatore Leighton Ketchum. Quello che vi abbiamo mostrato è l'unico video di Lowry a disposizione della popolazione civile e delle forze dell'ordine, e Fox News è lieta di presentarlo a vantaggio di tutti. Siete avvisati, non avvicinatevi a quest'uomo con un microfono carico.»

Il servizio era finito, la donna passò ad altro. Tornai in cucina, ma Larry Dayton aveva agganciato. Be', da questo momento tutti avrebbero riso di Dean invece di avere paura di lui, e in un certo senso era meglio così. Quando Condi leggerà la mia lettera tutti sapranno che l'appassionato di karaoke è più reale dell'assassino, così Lorraine starà meglio, soprattutto visto che non hanno detto che il dvd era stato girato in un gay bar. Squillò il telefono, forse Larry si era ricordato che non gli avevo detto se avevo o no un avvocato per il nostro accordo sull'interrogatorio filmato.

«Sì?»

«Odell, stai guardando il tg?»

Era lei, Lorraine, e sembrava molto arrabbiata da voi-sapete-cosa.

«Ho visto, sì, Dean.»

«Come cazzo è potuto succedere?»

«Oh, non lo so proprio.»

Non volevo sapesse che conoscevo chi era stato, non so perché, magari per evitare altre complicazioni, ne avevo già abbastanza con Lorraine.

«Perché cazzo gli viene in mente a uno di fare una cosa del genere?»

«Sarà per fare soldi grazie a Dean che è diventato famoso.»

«Non significa che è giusto farlo!»

«Lo so...»

«Mi fanno vomitare! Che razza di gente di merda può mettersi a fare una cosa del genere?»

«Una persona cattiva?»

«Cattivo non basta, Odell. Farò delle indagini e scoprirò chi è la testa di cazzo che ha combinato questa cosa.»

«Ah, e come pensi di scoprirlo?»

«Andy Webb, a lui hanno mandato il dvd del karaoke per cui lo sa chi l'ha filmato. Se non me lo dice lo denuncio. Denuncio tutto il fottutissimo dipartimento di Polizia» E poi quando mi dicono chi è stato lo denuncio per invasione della privacy! Della privacy di Dean!»

«Be'... ma che ne dici del fatto che il filmato fa sembrare Dean un po' meno un terrorista? È una cosa positiva, se la gente ride di lui invece di averne paura, no?»

«Ascolta, Odell, Sammy Bin Laden ama la disco, ecco quanto è una cosa positiva. Adesso ridono di Dean e lui gli spazzerà via il sorriso dalla faccia quando lo scopre. Un terrorista non cambia pelle da un giorno all'altro.»

«Ok.»

«Andy l'ha fatto di proposito, ha lasciato copiare il dvd per arrivare a me, lo so che l'ha fatto, quella testa di cazzo.»

«E perché l'avrebbe fatto?»

«Perché... non sono affari tuoi, Odell. È lo stesso motivo per cui ha cercato di fregare te, perché sei mio amico. E lui è il tipo di persona che usa il suo potere per inculare la gente solo per il fatto che può, Andy Webb è fatto così. Quest'anno si candida a sceriffo di Contea, la sua sete di potere gli dà alla testa. Ah, ma io lo impedirò. Alzerò una tale tempesta di merda che ci penserà due volte prima di prenotare il suo posto nell'arena. Anche tu lo dovresti denunciare, Odell, per quell'interrogatorio da deficiente che nemmeno ti aveva avvisato che c'era il poligrafo e niente avvocati. Con quello sarebbe fregato per bene, con uno scandalo così... Prova a rimediare una copia del nastro! C'era una telecamera, vero, per registrare tutto? Trovati un avvocato e fallo citare in giudizio per quel nastro così la testa di Andy se ne rotola giù per il cesso una volta per tutte. Tra tutt'e due lo faremo urlare, Odell. Ci stai, vero, tu vuoi fargliela pagare per quello che ti ha fatto con l'interrogatorio? Quando sei uscito stavi di merda, ricordi?»

«A-ah.»

«Ok, senti, ne parliamo domani al funerale. Da questa vicenda uscirà qualcosa di buono, Odell. Troviamo un avvocato e denunciamo Andy. Non esiste che quel testa di cazzo diventa sceriffo, non dopo quello che è successo. Ha permesso che la reputazione di Dean venisse rovinata, e l'ha fatto di proposito. Ok, il funerale è alle undici, non te lo scordare. Ciao.»

Uscii in veranda a riprendere il telefono sul dondolo. Poi mi sedetti e mi misi a dondolare. Succedevano troppe cose e tenere dietro a tutto quanto stava diventando molto difficile. Io cosa volevo, una vita semplice, io, Lorraine e un paio di figli in questa casa qui che è perfetta per allevare bambini non c'è praticamente traffico per strada è molto sicuro per dei bambini. Una denuncia contro Andy Webb e potrei avere tutto questo. Io e Lorraine potremmo cavarcela bene con un patteggiamento da un milione di dollari o quello che è se ci stiamo attenti e non passiamo il tempo a comprarci Lincoln Continental nuove di zecca o cose simili. Il suo piano di trovarsi un avvocato era più o meno lo stesso consigliato da Dayton, per cui doveva essere un buon piano, mi dicevo. E una volta spedita la lettera a Condi Rice e risolto quel problema là, nulla mi poteva impedire di dare il via al mio nuovo modo di vivere. E pensare che solo una settimana fa il mio piano era entrare nell'Esercito! Così invece è molto meglio.

dodici

Lunedì mattina scendevo in città con la macchina ed ero felice. Avevo già telefonato ai clienti per dire che dovevo spostare degli appuntamenti perché avevo un funerale. Furono molto comprensivi e dissero che ero nelle loro preghiere il che era davvero gentile visto che non siamo parenti. Avevo il telefono in tasca e la lettera per Condi sul cruscotto così non mi dimenticavo di spedirla. Il giorno di oggi si avviava a essere un Giorno un Sacco Importante.

Prima cosa andai allo Shocking Smoking e mi feci sistemare in un vestito che il tipo disse va blu scuro o grigio per i funerali, allora presi il grigio e pagai, quaranta dollari e riporto alle cinque o pago un extra, più eventuali costi di pulitura. Poi tornai al Target a prendere camicia e cravatta, e lì è facile trovare quelle adatte, bianco per la camicia e cravatta grigia abbinata al vestito. A quel punto ero a posto. Guidai fino alle Pompe Funebri Cistifellea e arrivai con molto anticipo, la macchina di Lorraine non c'era ancora, allora parcheggiai e aspettai, e mentre aspettavo il telefono si mette a tintinnare la melodia di *Greensleeves*, allora rispondo.

«Pronto?»

«Odell, come stai?»

«Sto bene, Chet, grazie.»

«Volevo esservi vicino con una telefonata, a te e alla signorina Lowry, in questo giorno difficile. Lei come sta prendendo la cosa?»

«Lorraine sta bene, solo è incazzatiss... incavolatissima per il tg di ieri sera.»

«L'ho visto. Dev'essere stato un trauma per lei.»

«Dice che farà causa.»

«Be', magari cambierà idea quando il caso si sgonfia. Uno sviluppo così sciocco sul lungo periodo non ha effetti, e magari Lorraine lo sta caricando di un'importanza che non ha perché sta male per tutti gli altri sviluppi della vicenda.»

«Può darsi.»

«Sei con lei, Odell?»

«La sto aspettando alle pompe funebri dove faremo il funerale.»

«I pensieri e le preghiere mie e di Bob Jerome accompagneranno te e Lorraine in questa giornata.»

«Ti ringrazio.»

«Non dimenticarti di lasciare il telefono nel furgone così non squilla durante la funzione. L'ho visto accadere ed è molto imbarazzante per tutti i presenti.»

«Ok.»

«Salute, Odell.»

«Arrivederci, Chet, grazie per aver chiamato.»

«Piacere mio.»

Proprio allora Lorraine entrò in macchina nel parcheggio e si fermò accanto a me. Posai il telefono e uscii a salutare. Lorraine non era di buon umore, lo vedevo da come teneva le labbra strette e lo sguardo imbronciato, voleva dire che non le era passata dal tg di ieri sera, non ancora.

«Non ne avevano uno migliore?» mi domandò guardandomi il vestito.

«Non lo so» risposi, infatti non lo sapevo.

«Be', ce lo faremo bastare. La cravatta non dev'essere dello stesso colore del vestito, ma di un colore complementare. Vabbe', lasciamo perdere.»

Mi sentii una merda quando me lo disse, e solo un minuto fa avevo pensato che stavo proprio bene col vestito e la cravatta e tutto il resto, ma diedi la colpa al suo umore che in una giornata come questa era un po' scassato con tutti quei problemi enormi che ha Lorraine. Adesso mi guarda gli scarponi.

«Avevi detto che stavano bene» mi fa.

Guardai i miei piedi. «Li ho lucidati due volte» risposi, ed era vero.

«Ma sono tutti consumati sulle punte.»

«Ho coperto tutto con il lucido.»

Fece un altro dei suoi gran sospiri a cui ormai mi sto abituando, poi si mette a camminare verso l'edificio con i tacchi che fanno *clicclicclicclic*. Non ho detto che ha un bellissimo vestito come quelli da donne manager, elegante e stretto in vita per mostrare tutto ciò che ha sopra e sotto se capite cosa voglio dire. Le tenni dietro chiedendomi se farò mai o dirò mai qualcosa a Lorraine che le mostrerà il mio io interiore e non quel mentecatto che pensa che sono, che io cioè non lo sono per niente.

Entrammo e lo stesso grassone con cui aveva parlato sabato ci viene incontro con lo sguardo triste e le dice qualcosa che non riesco a sentire, ero da un'altra parte con la testa pensavo a come presto le cose saranno diversissime da adesso e mi guarderò indietro e mi dirò, Quella era tutta un'altra vita, adesso è diverso. Il grassone portò Lorraine nel suo ufficio e io restai solo sulla mia sedia imbottita di velluto che era così morbida che mi pareva di affondare nelle sabbie mobili, ma dopo che ti ci abitui è stracomoda per cui mi sono quasi addormentato e quando escono dall'ufficio Lorraine viene a dirmi che tutto è pronto e possiamo andare al cimitero.

Tornato nel parcheggio mi dice che vado con lei, non col furgone da giardinaggio, allora raggiunsi il posto del passeggero della sua piccola utilitaria e lei mi fa «No, andiamo con la limousine. Credi che oggi mi voglio far vedere in questo scassone di macchina?»

«Direi di no.»

«Diresti di no. Diresti bene.»

Ha un umoraccio, ma va bene così. Poi c'è questa lunga limousine nera che spunta da dietro le pompe funebri, ma non è la nostra è quella di Bree, con finestrini molto larghi per poter vedere la bara dentro tutta coperta di fiori, per cui di fatto è un carro funebre, non una limousine. Poi dietro di questa ne viene un'altra dello stesso colore, ma stavolta è del genere vera limousine quattro porte, che ci sediamo sui sedili di dietro e quella se ne parte molto silenziosa. C'era una lastra di vetro tra noi e i due tizi seduti davanti così non ci potevano sentire, è la privacy per i parenti in lutto, mi pare di capire.

Mentre attraversavamo la città Lorraine non disse una parola tanto era incazzata per tutto l'insieme, guardò fuori dal finestrino e nient'altro. Mi sporsi per prenderle la mano e starle vicino ma non la voleva e la scacciò via. Be', con questo mi ero incazzato anch'io più o meno quanto lei, una cosa così scortese mentre io cercavo di essere un amico nel momento del bisogno, a questo servono gli amici. Be', se ne dev'essere accorta perché mi fa, «Quando arriviamo ci sarà un po' di gente, amici di chiesa di Bree più che altro. Fai il gentile quando ti parlano anche se parlano di Dio, ok?»

«Ok.»

«Sarai tra quelli che portano la bara. Cole Connors sarà un altro, è un modo carino di conoscervi prima del colloquio di venerdì. Gli altri quattro li portano i Chestfeld. Gli amici di Bree sono tutti troppo vecchi per portare una bara.»

«Ok.»

«Mi dispiace se ti ho sbroccato, oggi sono sulla graticola.

Credo che ci saranno i media e sai come vanno queste cose. Non dire nulla, nemmeno una parola, hai visto come hanno trattato Dean. Sii grande e forte, e se mi appoggio a te tipo che sto cadendo per l'emozione, devi essere saldo e tenermi. È questa l'immagine di noi che voglio vedere al tg di stasera.»

Si mise un paio di occhiali da sole che la fecero sembrare una star del cinema che non vuol farsi riconoscere. Io i miei occhiali da sole li avevo lasciati nel furgone e oggi il cielo era sereno, pessima idea ma non c'era tempo per rimediare, eravamo arrivati. Le limousine passarono sotto degli alti cancelli di ferro intrecciato e sfilarono lungo un viale alberato molto silenzioso fino a un gruppetto di auto parcheggiate. Le limousine accostarono e si fermarono.

Uscimmo e vidi una gran folla, c'erano tizi con le telecamere della tv che le puntarono verso di noi appena uscimmo dalla limousine. Guardai mentre aprivano il retro del carro funebre e i due tizi della nostra limousine afferrarono gli angoli e se la issavano in spalla. A questo punto Lorraine mi diede un colpetto col gomito per dirmi di aiutarli, io obbedii e presi la maniglia che stava a metà bara, poi si presentò un altro tizio che prese la maniglia dall'altra parte, doveva essere Cole Connors ma con la bara tra noi non riuscivo a vederlo. Ci mettemmo in moto. I due tizi davanti sapevano la strada. Io dovevo stare molto concentrato per tenere orizzontale la bara perché ero più alto degli altri cinque per cui dovevo piegarmi un pochino, e così camminare era più complicato. Ma vidi con la coda dell'occhio tutti quei tipi con le telecamere puntare verso di noi che portavamo Bree in mezzo alle file di lapidi. La folla si muoveva appresso a noi, parlottando sottovoce, erano decine e decine e non tutti del genere media, per cui mi dico devono essere gli amici di chiesa di Bree venuti a porgere i loro rispetti.

E alla fine arriviamo, nel terreno c'è una buca lunga e stretta con piccole guide di bronzo tutto intorno per non caderci dentro, e un gazebo sistemato lì accanto per proteggere dal sole, a strisce bianche e blu, e sotto alcune file di sedie di plastica. Portammo la bara fin sopra la buca e poi la posammo su questa sorta di culla di tela che la tiene su finché non la si può calare nella buca.

Una volta posata la bara il tipo che mi stava di fronte mi disse a voce bassissima «Ehilà, Odell. Cole».

«Ciao, Cole.»

Non è grasso e pelato come aveva detto Lorraine, ha perso qualche capello sulle tempie ed è un po' forte intorno alla vita, ma fondamentalmente è più bello di come me lo facevo per cui mi dico che Lorraine non è molto brava a descrivere le persone.

«Dobbiamo sederci qui, amico.»

Intende sulle sedie sotto al gazebo, e ci mettemmo lì, accanto a Lorraine, io da un lato Cole dall'altro, il che mi fece incazzare parecchio, non mi aveva detto che ci saremmo messi a quel modo con lui accanto a lei quanto me. È chiaro che Lorraine ha tenuto di proposito per sé alcune informazioni ma io non ci posso fare niente ho le telecamere puntate addosso, tipo non posso dare una crocca in faccia a Cole Connors solo perché è più giovane e più bello di come Lorraine ha finto che fosse, e c'è mica un motivo preciso per cui ha fatto così, mi domando? Almeno non è alto quanto me, neanche si avvicina, e non può farci niente.

Poi dal nulla spuntò fuori un predicatore che disse che la vita a volte è piena di dolore e così via, e ci ficcò dentro un po' di roba biblica per dare il tono giusto al discorso, ma tanto non ascoltavo, guardavo il commissario Webb che è comparso abbastanza a sorpresa, e mi guarda dai suoi occhiali da sole e ha un'aria molto malvagia. O magari stava guardando Lorraine, difficile dirlo.

Lanciai un'occhiata a Cole Connors oltre Lorraine ma non contraccambiò. Anche di profilo è più bello di come mi aspettavo, per cui ormai penso che Cole per Lorraine sia più di quanto lei non dà a vedere. Cavolo se ero geloso. Per tutto il sermone del predicatore su questo e quell'argomento, non riesco a pensare ad altro che lei preferisce lui a me, che mica l'ha mai detto esplicitamente cosa prova per me per cui difficile dirlo, ma glielo chiederò appena finisce il funerale e rimaniamo soli. Ma non potevo far vedere che ero geloso, serve solo a rendere la donna ancora più difficile da conquistare quando sanno che provi gelosia, e ti fa agitare come un ossesso e sembrare stupido. A me è successo due volte alla Kit Carson High School, c'erano due ragazze che mi piacevano, gli chiesi di uscire insieme e risposero che stavano con un altro. Sto parlando di due situazioni diverse, non due ragazze insieme, tipo a un anno una dall'altra. Ma tutt'e due le volte andò uguale con io che mi ingelosivo per questi altri tizi che piacevano più di me alle ragazze e non nascosi quanto ero geloso e loro si fecero delle belle risate. Una di loro si mette a chiamarmi Defi invece di Deefus per rendermi noto che mi ritiene una specie di idiota. Che cavolo, mi incazzai proprio, ma che ci vuoi fare? Per cui stavolta non avrei rivelato la mia gelosia come quell'altra volta. È quello che chiamano Imparare dalla Vita, dai tuoi errori per non ripeterli di nuovo ecco cosa significa.

Finalmente il predicatore ci dà un taglio e la bara comincia a scendere a diventare invisibile, la cala giù un coso elettrico attaccato alla cinghia, poi spariscono sotto terra anche i mazzi di fiori in cima alla bara e non c'è più niente che si vede ma la bara scende ancora perché sento il ronzio del motore, ma poi si ferma, insomma Bree ha toccato il fondo della buca. Due dei tizi delle pompe funebri si avvicinarono per sganciare la cinghia e tirarla su per non farla seppellire insieme alla bara, poi il predicatore venne da noi e diede a Lorraine una minivanga. Lei si alzò e si avvicinò alla buca, si sporse per raccogliere un po' di terra ammonticchiata lì di lato e la gettò sulla bara. La terra non era molta, ma sentii il rumore che fece cadendo, come ghiaietto. Non doveva fare altro. Ci sarebbe voluto un giorno intero per riempire quella buca di terra con quella vanga minuscola, che era più del genere cazzuola da giardino.

Poi Lorraine mi guarda tipo che non sa cosa fare, Cole mi sussurra «Alzati, Odell, tocca a te».

Be', qualcuno avrebbe dovuto avvisarmi prima, ma mi alzai lo stesso e andai a prendere la vanga che Lorraine mi porgeva e lanciai nella buca un po' di terra accanto alla sua, poi il predicatore mi tolse di mano la vanga. All'improvviso da sotto il gazebo si forma una fila di gente, vecchi che vogliono gettare la terra sulla loro amica praticante Bree. Alcuni erano in lacrime altri no, ma ciascuno aspettò il suo turno per lanciare la terra. Una vecchia ragazzona incartapecorita quasi cadde nella buca mentre si sporgeva a raccogliere la terra dalla pila, al che il predicatore decise di dedicarsi lui all'operazione sporgi e raccogli la terra e appena arrivava il prossimo lui già aveva pronto un mucchietto di terra, per evitare incidenti. In poco tempo tutti diedero la loro minivangata, compreso per ultimo Cole, cosa che mi fece uscire di testa perché scommetto che mica ci andava, lui, alla chiesa di Bree ma lo stesso ha potuto lanciarle la terra addosso, mi sa che gliel'ha detto Lorraine che poteva farlo, e lei ha diritto di decidere, mi sa, però mi avrebbe dovuto avvisare per tempo.

Essendoci le telecamere è un bene che nessuno è inciampato nella terra o caduto nella buca, poi per ultima venne Lorraine e il predicatore le diede un mazzo di fiori e lei lo tirò su Bree, come si fa con il bouquet da sposa, poi il predicatore disse qualcos'altro e infine lo spettacolo era terminato, la folla si disperde lentamente e poco alla volta si dirige alle auto. Lorraine si mise a ciacolare col predicatore allora io mi avvicinai alla buca e guardai la bara di Bree un'ultima volta. In questi casi devi pensare al caro scomparso e a cosa significa morire dopo essere stato in vita per così tanto, ma a me veniva in mente solo che quella bella bara luccicante costata migliaia di dollari sarebbe stata sepolta sotto un cumulo di terra e lasciata a marcire nella terra dopo essersi fatta ammirare per una sola mattinata, un bello spreco se ci pensate, e ripeto, è proprio a questo che stavo pensando io. Ma poi mi si avvicina qualcuno ed era Cole, si mise gli occhiali da sole e disse «Non lo fare Odell, sei troppo giovane».

«Che?»

«Sembri uno che si sta per buttare là dentro a farle compagnia.»

«No, no.»

«Bene, allora, cerchiamo gente nuova all'istituto di correzione. Lorraine ti ha detto che è venerdì?»

«A-ah.»

«Vieni per le dieci e mezza.» Mi squadra da cima a piedi. «Mi sa che dobbiamo fare un'uniforme su misura per un gigante come te. Mai gestiti individui recalcitranti?»

Non sapevo bene cosa intendeva con quelle parole per cui mi limitai a guardarlo, allora gli viene un sorrisetto in faccia e mi fa «Ok, hai ragione, non è il momento e il posto giusto per un colloquio, però senti, le occhiatacce le sai proprio dare, Odell, ti torneranno utili più di quanto non pensi». Continuai a guardarlo e non sapevo cosa dire, volevo prenderlo e lanciarlo nella buca assieme a Bree, lui mi fa «Allora ci vediamo venerdì».

«Ok.»

Se ne andò, scambiò due parole con Lorraine che stava venendo da me ma non riuscivo a sentirli. Poi lei mi viene accanto e mi prende un braccio, si appoggia tipo che le serve sostegno. «Accompagnami alla macchina» fa, «cammina piano così sembriamo tristi.»

«Non hanno ancora riempito la buca.»

«Lo fanno quando se ne vanno tutti.»

«Oh.»

«Cammina.»

Camminammo lentamente verso la limousine e il carro funebre, le telecamere ci ripresero per tutto il percorso ma io non guardai perché sembri sempre scemo se lo fai. Lorraine restò aggrappata a me tipo che stava per collassare dalla tristezza che lo so che non è triste, ma è per il tg e deve venire bene. Al parcheggio vidi il commissario Webb che saliva sulla sua volante e se ne andava, poi salimmo in limousine e ce ne andammo anche noi per i cancelli decorati e tornammo alle pompe funebri, e l'umore di Lorraine era migliorato di parecchio.

«È andata bene, mi pare» dice.

«A-ah.»

«L'hai visto Andy Webb? Intimidazione. Vedrai che choc lo aspetta.»

«Lo aspetta?»

«Quando gli ficchiamo una bella denuncia fin su per il culo. Ne abbiamo parlato, ricordi?»

«Ah sì.»

«A volte penso che vivi in un mondo tutto tuo, Odell.»

«Può essere.»

«Be', torna nel nostro mondo e concentrati. Ti ho visto che parlavi con Cole, com'è andata?»

«Bene.»

«Fa parte dei buoni, Cole. Andrete d'accordo, basta che quando sei con lui non fai quell'aria stonata che fai quando sei con me.»

«Ma tu sei più carina di lui.»

Non succede spesso che mi viene in mente una cosa divertente così dal nulla, per cui Lorraine non era pronta. Mi guarda e fa «Ah, ho capito». Poi mi dà un pugno sulla spalla e dice «Brutto porcone», e ride, ma non tanto. Però il pugno era stato bello.

Non parlammo per un po', poi fa «Povera Bree...» e si mise a piangere, e aggiunse anche, «Povero Dean...» Sporsi subito il braccio e glielo misi intorno alle spalle e lei si appoggiò a me tirando su col naso, e mi lasciò tenere il braccio dove stava fino alle pompe funebri, poi drizzò la schiena e si sedette normal-

mente come fosse tornata in sé e non c'era più bisogno di sostegno, grazie tante.

Scesi dalla limousine, Lorraine disse di aspettarmi lì mentre lei diceva due parole al grassone, io aspettai nel parcheggio ma qualcosa non mi tornava, guardai la macchina e c'era
qualcosa che non andava ma all'inizio non riuscivo a indivi-
duarlo, ma poi invece sì: il furgone era sparito! Quando eravamo saliti sulla limousine per andare al funerale era vicino
alla macchina di Lorraine mentre adesso non c'era più! Ora,
come poteva accadere una cosa del genere se non è una strada pubblica e non ci sono i cartelli Parcheggio Vietato e non è
nemmeno Zona Rimozione, com'è possibile che non c'è più? I
tosaerba erano là dentro, come posso rispettare la mia tabella
se furgone e tosaerba non ci sono più? Mi avvicinai dove
avevo parcheggiato il furgone, la testa mi girava a mille. Non
ci posso credere. Qualcuno mi ha rubato il furgone e i miei
clienti saranno incazzati neri se non mi presento a tagliargli
l'erba come si aspettano. Ovviamente sapevo benissimo chi
era stato.

Lorraine uscì fuori e mi venne incontro. «Che succede?»
mi fa.

«È sparito il furgone.»

Guardò dove prima stava il furgone e mi fa «Merda».

«So chi è stato.»

«Ah sì? Chi?»

«Il commissario Webb.»

«E come? Era al funerale.»

«Be', l'ha fatto fare a uno dei suoi sbirri.»

«E che motivo avrebbe?»

«Perché gli ficchiamo quella denuncia che dicevi su per
il culo.»

«Ma non lo sa ancora. E rubarti il furgone sarebbe da stupidi, e Andy non è stupido anche se alle volte è uno stronzo.»

«E allora chi l'ha rubato?»

«Gesù santo, non lo so proprio. Ti conviene fare la denuncia.»

Feci per prendere il cellulare ma mi ricordai che era nel furgone. Insieme alla mia lettera per Condi Rice, ossia come si suol dire colpo doppio.

«Cazzo!»

«Non importa, Odell. Un furgone come quello è facile ritrovarlo, ci sono i tosaerba e il nome sulla portiera... Ehi, magari c'entra qualcosa che è il furgone di Dean... sai, cacciatori di souvenir che volevano il mezzo di trasporto dell'Uomo Più Ricercato d'America.»

«Ma... non possono guidare un furgone famoso senza farsi denunciare da qualcuno che li riconosce, quindi perché... perché farlo?»

«Possono sempre levare gli sportelli col nome e tenersi il resto.»

«Ma è una cosa... troppo stupida.»

«Be', è il mondo che è stupido.» Si guardò l'orologio.

«Devo tornare a lavoro. Che dici, ti posso dare uno strappo da Shocking Smoking e poi alla stazione di Polizia per fare la denuncia.»

«Ma come faccio con i miei prati?»

«Racconta ai clienti cosa ti è capitato, capiranno. Tutti si fanno fregare la macchina prima o poi. È tutto ok, Odell, non andare nel panico.»

«Ma... tutti i numeri di telefono dei clienti erano sulla tabella, nel furgone... E anche il mio cambio di vestiti dopo che restituisco lo smoking, che cavolo mi metto adesso?»

«Gesù santo, Odell, calmati che troviamo una soluzione, va bene? Non ti ho mai visto così nervoso. Manco fosse il tuo furgone o i tuoi clienti, è tutta roba di Dean.»

«No che non lo è!»

«Non fare il matto con me, Odell, di stress ne ho avuti abbastanza per oggi, per cui datti una calmata.»

Be', mica facile, darsi una calmata. Non riuscivo a essere

lucido con tutte queste perdite e furti vari. Alla fine andò così, Lorraine mi portò al Target dove comprai una camicia a scacchi e dei pantaloni, che poi mi misi addosso allo Shocking Smoking quando consegnai il mio vestito, poi mi mollò di fronte alla stazione di Polizia per fare la denuncia del furgone rubato, e infine lei se ne andò al suo lavoro. Io entrai e parlai al tizio allo sportello, e mentre ero con lui chi non entra se non Andy Webb?

«Ehilà, Odell» mi fa, con quel suo gran ghigno da pezzo di merda. «Lo sai che quasi non ti avevo riconosciuto con la tua tenuta da uomo d'affari.»

«L'ho riportata.»

«Buon per te, se no ti denunciavano per furto.»

«È il suo furgone che è stato rubato» fa il tizio dello sportello.

«Ah sì? E quando è capitato?»

«Mentre stavo al funerale» rispondo, guardandolo negli occhi per capire se è un bugiardo figlio di puttana che mi sta dicendo che non c'entra niente.

«Ma veramente? Be', che strano, un furgone con dei tosaerba a bordo rubato in pieno giorno. Magari volevano solo i tosaerba e il furgone lo scaricheranno da qualche parte. Erano dei gran bei tosaerba, vero?»

«A-ah.»

«Non ricorda il numero di targa» disse il tizio dello sportello come a dire che ero un mezzo coglione.

«Be', e come faceva a saperlo» fa Andy, «non è manco suo il furgone, è di Dean Lowry. Non è un problema, Odell, è nei registri di Immatricolazione. Li hai stirati ben benino per l'occasione quei jeans?»

«Sono nuovi, per questo hanno la piega. I miei vestiti li avevo lasciati sul furgone.»

«È anche furto di vestiti, dunque» spiega Andy al tizio dello sportello, e fa fatica a rimanere serio. «Ségnatelo.»

«Sto segnando» fa il tizio, anche lui adesso fa lo stesso sorrisetto per cui è ovvio che non dicono sul serio, e la cosa mi fa incazzare ancora di più ma fingo di no, non gliela do la soddisfazione.

«Non ti preoccupare, Odell» fa Andy, «il furgone te lo rifacciamo avere... prima o poi.»

Non dissi una parola, non volevo dire qualcosa che mi mettesse nei Casini con la Legge, solo li inondai di una scarica di sguardi fulminanti per far capire che sentivo puzza di bruciato e che non ci cascavo di pezza. La cosa buffa è che sapere che gli sbirri mi avevano rubato il furgone per farmi un dispetto mi fece calmare perché era probabile che così me lo ridavano quando capivano che si erano divertiti abbastanza con questa storia e me lo ridavano, dicendo tipo che l'hanno trovato parcheggiato da qualche parte. Non pensavo che l'avrebbero sfondato o estremismi del genere.

«Che ne dici se ti do uno strappo a casa» propose Andy, che ancora sorrideva del tipo è tutta una montatura e io sono il pollo messo in mezzo. Ma in qualche modo a casa ci dovevo ritornare.

«Ok.»

Salimmo sulla volante e lui mise in moto. Mi fa, «Proprio un bel funerale. Lorraine era un sacco bella, no?»

«A-ah.»

«È sempre stata bene con un vestito o con l'uniforme. Non tutte le donne ci stanno bene.»

Non dissi nulla, ero ancora incazzato per il suo giochetto del cavolo di rubarmi il furgone.

«Dì un po', Odell, l'hai guardato il tg ieri sera, su Fox News?»

«A-ah.»

«Quello era il dvd dell'Okeydokey Karaoke di cui ti dicevo, quello che dimostra che non hai detto proprio la verità su te e Dean a casa sua sabato sera.»

«Te l'ho detto che mi sono sbagliato. L'ho detto pure all'FBI quando sono venuti a chiedermelo, per cui non mi ci metti nei casini con questa cosa.»

«E chi vuole mettere nei casini nessuno? Io proprio no. Certo, c'è una certa testa di cazzo che fa il doppio gioco e che si ritroverà in un casino enorme per aver consegnato ai media delle prove secretate della Polizia, ma va bene, tanto so chi è: un ex poliziotto, o che presto lo sarà. Di questi tempi non ti puoi fidare di nessuno. Tutti vogliono fare soldi e dire Vaffanculo agli amici e colleghi e alla reputazione del dipartimento, ma avrà quel che si merita, altroché.»

E anche tu avrai ciò che ti meriti, dico fra me ma non ad alta voce, beccati la sorpresa quando la denuncia ti arriva dritta addosso, gran paraculo che non sei altro. Andy ridacchiò tipo che si pensava di immergere l'agente Larry Dayton nell'olio bollente senza fretta, un lavoretto fatto per bene, poi si voltò verso di me e con aria serissima mi fa, «Odell, se c'è qualcosa che hai voglia di dirmi, qualunque cosa, nella più stretta confidenza, tra te e me e il cruscotto, voglio che tu ti senta liberissimo di farlo senza temere vendette. Qualunque cosa mi dici, se vale la pena passarla anche alla Sicurezza nazionale, io manterrò il segreto, siamo d'accordo? Fonte Anonima. Non ti si ritorce contro, capisci cosa voglio dire?»

«Sono solo cacciatori di souvenir, secondo me.»

«Eh? No, non parlavo di quel furgone del cazzo, parlavo del vero caso, della situazione Dean Lowry. Qualunque informazione io possa fornire alla Sicurezza nazionale verrà accolta con gratitudine, e forse perfino con una ricompensa in denaro. Chiaro, in veste di difensore della legge non ho diritto a una ricompensa, faccio solo il mio lavoro, ma chi mi dà l'informazione lui sì è nelle condizioni di ricevere qualunque ricompensa. Per Dean sono centomila dollari, al momento, ma corre voce che la alzeranno a un mezzo milione secco. E sai perché? Perché il senatore Ketchum dei miei coglioni si è incazzato di brutto

251

quando ha visto quanto è bassa la ricompensa per quel tizio che lo vuole uccidere. Così pare meno importante, capito, così non pare più la persona che ha più probabilità di diventare il nuovo presidente degli Stati Uniti. Tutta una faccenda di status e di chi ha il cazzo più lungo a Washington. Che posto di merda dev'essere, con tutta la corruzione che c'è lì e i leccaculo dappertutto. Ci vivresti a Washington, Odell?»

«No.»

«Manco io. Dove ti piacerebbe vivere? Per me, io sceglierei le Hawaii se lo dessero a me quel mezzo palo di ricompensa. Ma è la mia opinione. Tu cosa sceglieresti, Odell?»

«Hawaii.»

«Lo vedi? Io e te abbiamo più cose in comune di quanto non si direbbe. Forse se ti prendi tempo per ripensare a tutto quanto ti ricorderai meglio ogni cosa e quel bel mucchio di spiccioli ti verrà a disposizione per ripensare il tuo stile di vita giù nell'isola con i palmizi e le ragazze in gonnellino di paglia. Sono carine quelle ragazzette pelle bruna. Te ne sei mai fatta una, Odell?»

«No.»

«Manco io, ma mi hanno raccontato. Qual è il tipo di donna che preferisci?»

«Condoleezza Rice.»

Rise come se scherzavo, cosa che mi offese e che avrebbe offeso Condi se fosse stata seduta sul sedile di dietro ad ascoltare la conversazione. Ma almeno lei saprebbe quanto rispetto ho per lei, e andrebbe a mio favore quando riceve la lettera con la confessione... che invece no non riceverà perché è stata rubata insieme al furgone e al telefono e ai tosaerba e alla tabella di lavoro e a tutto quel casino che c'è per terra nel Dodge di Dean, hanno rubato tutto. Ma poi mi misi a preoccuparmi e a chiedermi cosa succedeva se prima di riportarmi il furgone gli sbirri decidevano di aprire la lettera? Il commissario Webb avrebbe avuto proprio quello che gli serviva per fare una bella figura con quelli della Sicurezza nazionale e magari andava pure al tg e usava questa pubblicità per candidarsi a sceriffo...

Merda!

Magari avrebbero pensato che era solo uno scherzo, la lettera, e l'avrebbero lasciata perdere, ma ora che ho fatto il nome di Condi il commissario Webb sarà curioso di vedere cosa c'è dentro la busta. E la prenderà e la denuncerà e poi verrà dritto a casa mia a tirare fuori Dean dalla buca e prendersi tutto il merito, che per lui sarà perfino meglio della ricompensa visto che è tutta buona reputazione che vuole per sbatterla in faccia a tutti e prendere i loro voti. La prima cosa che devo fare tornando a casa è tirare di nuovo fuori Dean e nasconderlo da un'altra parte finché Condi non riceve la lettera e allora sarà lei a prendersi il merito per aver scoperto che Dean il Musulmano Pazzo non era una minaccia per nessuno. Non esiste proprio che lasciavo che il commissario Webb strappava il merito a Condi Rice! È questione di dignità personale, per come la vedo io.

«Io» mi fa, «io mi farei Oprah.»

Tenni la bocca chiusa. Mi fa, «Credi ci sia una possibilità che Lorraine torni a vivere a casa di Dean ora che Bree è morta e Dean è in fuga?»

«Può essere.»

«Una casa così bella e grande ha bisogno di una mano di vernice. Mi sa che te ne dovrai andare a quel punto.»

«Può essere.»

«Ossia a meno che tu e lei non abbiate un qualche accordo personale.»

«Pagherei volentieri l'affitto.»

Sbuffò come un cavallo col fieno nel naso. «Certo, Odell, continua pure a fare il duro, ma non scordarti una parola di quanto ti sto dicendo. Puoi fare a te stesso un mondo di bene con mezzo palo. Magari Lorraine ne vorrà una parte. Niente rende più felice una donna che un uomo con entrate sicure e pure abbondanti. È il vero segreto della felicità tra i sessi, Odell, solo che nessuno lo dice perché le donne non ci fanno bella figura dopo che i liberali le hanno messe così in alto, superiori agli uomini. Fagli vedere i soldi e vedi se non ti chiamano Amoremio.»

«Non tutte.»

«Certo, c'è una vedova di novantasette anni a Poughkeepsie che la vede diversamente.»

«Rivoglio solo il mio furgone.»

«Il tuo furgone? Mi pare che qui esageri, Odell. Non che mi sfugga il tuo punto di vista. Dean non tornerà più a tosare prati, su questo non ci piove, e come ho detto quella casa non è niente male, e poi va tenuto conto di Lorraine, di come avrà bisogno di conforto di fronte alla perdita e all'interesse dei media. Appena Dean viene messo da parte o ammazzato come un cane la casa è della sorella. Un pacchetto tutto compreso niente male per un uomo, soprattutto se c'è un bonus di mezzo milione di dollari. Chiaro, vorrai spendertelo alle Hawaii, quello, non con Lorraine.»

«Io non so niente e non ho fatto niente.»

«Certo, l'hai già detto. Però tu pensaci.»

Non parlammo più fino all'arrivo a casa, e adesso sale per il vialetto. «Odell» mi fa, «questa storia non finirà finché non beccano o seppelliscono Dean.» Questo è quello che pensa lui. «Fino a quel momento la situazione può evolvere in vari modi. Devi riflettere su cosa è meglio per te. È un buon consiglio e te lo sto dando gratis.»

«Grazie.»

«Offre la casa.»

Scesi, lui se ne andò. Quando la volante sparì di torno andai a prendere la pala e mi misi a scavare quella stronza puttana di una montagnola di terra. È la sesta volta che viene svuotata e sono stato io a farlo per ben quattro volte, mi sembrava che se queste quattro volte potessero essere incollate l'una all'altra tutte insieme probabilmente mi ero scavato un tunnel fino all'inferno. Stavolta non avevo i guanti da tosaerba così dopo un po' i palmi cominciarono a farmi male allora presi un paio di strofinacci e li avvoltolai attorno alle mani per impedire altre vesciche che potevano essere usate come prova contro di me quando il commissario Webb e gli sbirri aprivano la lettera e correvano qui urlando con le luci lampeggianti per tirar fuori Dean e beccarsi gli onori. Non esiste proprio. Non sapevo ancora dove sbatterlo stavolta, ci avrei pensato appena uscito dalla tomba.

Scavai come un robot e in breve ricomparve nella sua busta di plastica. Il problema adesso era dove metterlo. Se la mia Monte Carlo funzionava lo potevo portare da qualche parte, nasconderlo sotto un ponte o in qualche punto desolato dell'autostrada, ma non funziona, per cui questa idea non va da nessuna parte proprio come la mia macchina. Vado nel granaio e trovo una vecchia carriola arrugginita che potevo usare per scarrozzare Dean dove volevo invece di doverlo sollevare e trascinarlo a braccia, per la qual cosa sono contento visto che anche se è avvolto per bene nella plastica l'odore è parecchio forte. In questo modo posso portarlo via senza attaccarmi addosso quella puzza di morto, sempre che la carriola non mi spezza prima le braccia o cade a pezzi tanto è vecchia e arrugginita. Insomma, dove lo porto?

Pensai e camminai un po' per il cortile e vidi che molto oltre il retro della casa c'era una piccola macchia di pioppi, alcuni molto vecchi visto che erano belli grossi. Andai lì e vidi che c'era pure una specie di fiumiciattolo in secca che probabilmente in primavera si riempie ma adesso che è estate piena è secco come la morte, e si è mangiato la terra, intaccando praticamente il greto e lasciando un buco abbastanza grande da poterci ficcare dentro un morto. Il perfetto nascondiglio per Dean, gentilmente offerto da Madre Natura. Lo caricai sulla carriola e la feci rotolare su del terreno abbastanza ruvido fino al fiumiciattolo asciutto e là dentro nella crepa, dove lo gettai. Chiunque guardando da là sopra non sarebbe riuscito a vederlo, ma chiunque guardasse dall'altro lato del fiumiciattolo o dentro dall'alto in basso come me l'avrebbe scoperto subito, e allora che feci, saltai in cima al greto e ci saltai sopra a ripetizione e con più forza che potevo finché il greto non cedette e collassò sopra di lui come speravo. Caddi giù assieme alla terra smottata ma era poca cosa e non mi feci male solo che a questo punto ero sporco il doppio di prima. Ma Dean era ormai nascosto molto bene per cui ero soddisfatto. Basta che nessuno viene qui e scopre che la terra è smottata di fresco e sono a posto.

Riportai la carriola nel granaio e riempii la buca. Di nuovo. Poi feci una doccia e passai i miei nuovissimi e già sporchissimi jeans e camicia nella lavatrice per levare la terra fresca e sbarazzarmi delle prove come si suol dire. Ora se Andy Webb pensava di presentarsi armato di vanga per tirar fuori Dean dalla buca sarebbe rimasto deluso. Se mi sventola in faccia la lettera per Condoleezza dicendo che poteva provare che l'avevo scritta io chiamando il perito calligrafico dirò che era uno scherzo che non era per niente vero, ah-ah!

Mi preparai qualcosa da mangiare e lo divorai in un secondo dopo tutto l'esercizio fisico per nascondere Dean aspettandomi ogni momento di sentire le sirene venire da questa parte ma non era successo, per cui dopo un po' cominciai a rilassarmi un po' e a guardare la tv accompagnato dalle birre. Davano ancora le immagini dell'Okeydokey che facevano sembrare Dean un idiota e quasi neanche menzionavano la caccia all'uomo ancora in corso, per cui sembrava che la storia perdesse colpi come si suol dire, tanto meglio per me, voglio che tutto finisca.

Speravo che Lorraine mi chiamasse ma non chiamò. Avrei telefonato all'agente federale Jim Ricker per chiedergli di dire al commissario Webb di restituirmi il furgone, ma il numero di Jim è nel telefono che è nel furgone. Nel complesso ero un po' incavolato per come stavano le cose, ma mi dissi che avevo fatto il possibile perché le cose prendessero una piega positiva e non si poteva fare altro. Così con l'aiuto di un altro paio di birre e più di un bicchierino di Capitano le cose non mi sembrarono più così complicate da non riuscire a prendere sonno, oppure fu il sonno a prendere me.

Ciao, Odell.

Ciao, Sonno.

tredici

Dicono che non c'è pace per i Malvagi, e come mi svegliarono da un sonno profondissimo davanti alla tv sarebbe una prova che è vero se tenete presente che fino adesso ho in effetti combinato delle brutte cose. Non so da quanto suonava il telefono quando mi alzai dal divano e caracollai fino in cucina per rispondere.

«Chi è?» fa la voce all'altro capo.

«Odell...»

«Sicuro?»

Ci pensai. «Sì.»

«Hai una voce strana.»

È un uomo, mi suona familiare, ma non ricordo chi è.

«Mi sono appena alzato» dissi. «Chi è?»

«Non te lo dico il mio nome, non per telefono, bello, troppo rischioso con questa storia di Dean.»

Ci arrivai. «Donnie?»

«Senti, bello, non lo dire. Niente nomi, va bene? Se ci sono cimici?»

«No, non credo.»

«Non li hai sentiti tipo dei clic, roba del genere sulla linea?»

«No.»

«Be', non significa una mazza, possono esserci comunque cimici. Non ci parlo su una linea con le cimici. Dobbiamo incontrarci.»

«Non posso, sono inchiodato qui. Qualcuno mi ha fregato il furgone.»

«Il furgone?»

«So chi è stato. Me lo restituirà, solo non ora.»

«Non hai altri mezzi?»

«No.»

Sta zitto per un po', ci sta pensando su. L'ho sentito mollare una scoreggia ma piccola. «Ok» fa, «ecco come faremo. Non esiste che vengo da te. Probabilmente la casa è sotto sorveglianza in caso Dean torna, per cui scordatelo. Se non hai mezzi per venire a incontrarmi ecco cosa devi fare. Scendi in strada e cammina verso Callisto, io passerò di là, e quando ti vedo mi fermo, ok?»

«Adesso sono un po' stanco. Mi hai svegliato...»

«Ehi! Non me ne frega una minchia quanto sei stanco tu, bello! Dobbiamo discutere d'affari, è così punto! O fai come dico io o scordati di fare affari con me, ok? Ok?»

«Ok.»

«Allora muoviti» fa, poi riaggancia.

Be', non potevo ignorarlo che mi sarei messo nei casini con Lorraine che si aspettava il pacco del martedì puntuale come al solito domani notte per consegnarlo mercoledì al carcere, e casini con Lorraine non ne volevo. Allora mi metto in marcia, mi fermo a fare una lunga pipì tra casa e strada, poi arrivato in strada faccio ciò che Donnie mi aveva detto e mi misi a camminare verso la città, e mi chiedevo se Donnie fosse molto dritto a fare in modo di non venire fino a casa, o solo spaventato.

Camminai a lungo, annusando l'aria della notte e ammirando la luna, ancora mezzo ubriaco per tutto quel rum e la birra. Dopo circa un quarto d'ora ecco che arriva un paio di fari, i primi che vedevo da quando mi ero messo in marcia, è una strada veramente secondaria questa, pochissimo traffico, come ho già detto, per cui mi immagino sia Donnie. Si fermò un po' lontano da me e spense il motore e poi le luci. Continuai a camminare e vidi che era la Pontiac verde come previsto. Vidi la fiamma di un accendino e poi il puntino rosso di una sigaretta, poi lui scese dalla macchina e si appoggiò alla portiera ad aspettarmi.

«È una strada parecchio isolata» mi fece quando lo raggiunsi.

«Già.»

«Penserai che sono paranoico, ma la prudenza mi ha sempre tenuto lontano dal carcere.»

«Ok.»

«Dunque, dobbiamo discutere della data di consegna. Non esiste che continuo a fare come abbiamo fatto finora. Mi stava bene la spedizione regolare del martedì perfino dopo che Dean è finito in tv per omicidio, ma adesso con quest'altra cosa, del terrorismo, sto flippando. Non esiste che continuiamo come prima in circostanze del genere, è troppo rischioso ora che gli agenti federali e quant'altro danno la caccia a Dean. Casa sua è troppo al centro dell'attenzione per usarla tranquillamente d'ora in poi, per cui dobbiamo fare in un altro modo. Fin qui ci sei?»

«A-ah.»

«Dunque, ho parlato con i miei di questa cosa e pensiamo che il nostro accordo dovrebbe procedere a questa maniera. Numero uno, non verrò più alla casa, mai più, per cui bisogna trovare un altro posto per la consegna. Numero due, da ora in poi, per coprire i rischi extra che corriamo a fare affari con la sorella e socia di un noto terrorista, il prezzo sale. Da ora in poi è due e mezzo invece che due. Stesso pacco di prima ma il prezzo sale, così dev'essere con questo nuovo elemento di pericolo. Ah, e numero tre, il giorno di consegna d'ora in poi è il lunedì, non il martedì, tanto per farmi stare più tranquillo, cominciamo stasera.»

«Stasera?»

«Sì, per cui ce li hai i cinquecento dollari extra? Lo so che non ti do tempo così ma questa è la decisione che io e i miei soci abbiamo preso.»

«Non ho niente.»

«Niente?»

«Era per domani.»

«Già, be', te l'ho spiegato, del rischio, quindi è stasera. La sorella, è lei che porta i contanti, falle uno squillo.»

«Non ho il telefono.»

Tirò fuori il suo cellulare dalla tasca e me lo diede.

«Fa' pure.»

Dovetti pensarci un po' per ricordare il numero di Lorraine, poi la chiamai. Mi rispose prima del secondo squillo. «Ti ho detto di smetterla di chiamarmi! Smettila di chiamarmi!»

«Non ti ho chiamato» dissi.

A quel punto, silenzio, e poi: «Odell?»

«Sì, sono io.»

«Che vuoi?»

«Be', sono qui con Donnie, ci sono stati dei cambiamenti.»

«Cambiamenti?»

«Il modo in cui si fa d'ora in poi.»

«In cui si fa cosa?»

«Lo sai... il pacco.»

«Il pacco?»

Donnie mi strappò di mano il telefono e si mise a strillarci dentro. «Niente nomi. Da ora in poi è lunedì, e non alla casa e sono due e mezzo invece che due!»

Lorraine deve avergli strillato qualcosa in risposta visto che si misero a litigare. Me ne andai sul ciglio della strada a pisciare un'altra volta. Avevo bevuto certo una bella quantità di birra, ma è che sono molto stressato in questo periodo. Li lasciai litigare quanto gli pareva, ero contento di non essere io al telefono, alla fine Donnie chiuse il telefono con uno schiocco, mi fa «Che troia...» Si volta verso di me. «Senti come faremo. Andiamo a casa sua, lei aspetta fuori con i duemila che aveva già pronti per domani, poi andiamo a un bancomat dove lei ritira i cinquecento extra. A quel punto tu prendi il pacco. Monta su.»

Fece inversione e puntò verso Callisto. Dice «È veramente di coccio quella Lorraine. Dean mi diceva sempre quant'è sfasciacazzi sua sorella, per questo ero contento di gestire gli affari con Dean e non con lei, Dean era uno tranquillo. Ma lei è quella che porta la roba dietro le sbarre per la distribuzione, per cui mica posso toglierla dal nostro circuito. Vorrei ma non posso, a-ah, per cui siamo costretti a stare appiccicati come la merda alla scarpa. Io sono la scarpa.»

Rise.

Non era mai stato a casa di Lorraine e nemmeno io se è per questo, per cui Donnie dovette fermarsi alla pompa di benzina di un drugstore per cercare il suo indirizzo nell'elenco del telefono che penzolava tutto scassato, appeso a una catena della cabina telefonica nello spiazzo. Tornò alla macchina e mise in moto dicendo «Imparato a memoria. Se non ci torno più per vent'anni poi lo ritrovo lo stesso, ho la memoria fotografica. Avrei potuto farmi studiare da un'università che studia i cervelli, i cervelli vivi non quelli morti nelle bocce di vetro. C'era un'università su all'Est che mi aveva offerto stanza e cibo a piacere per un mese e intanto mi studiavano le onde cerebrali, io più qualche altro dotato mentalmente, ho mollato il secondo giorno però, era troppo una scocciatura che ti facevano domande tutto il cacchio di tempo e tutti quei fili infilati nella testa, cazzo. Vaffanculo. Me ne sono andato. Ma riesco a ricordare roba che non ci crederesti».

«A-ah.»

«Ok... la prossima a sinistra, poi tre isolati e svolta a destra, poi ancora a sinistra.»

Lorraine ci aspettava sul marciapiede di fronte al suo condominio. Gli appartamenti parevano niente male. Donnie accostò e Lorraine salì a bordo. «Alla prossima gira a destra poi sempre dritto» disse. Senza Buonasera né niente. Niente Ciao, Odell. Lorraine era incazzata che ci si metteva anche questa oltre a tutto il resto con cui doveva fare i conti in questo periodo, il che è comprensibile per cui non mi offesi che nemmeno mi guardò una volta per tutto il tempo che rimanemmo in macchina poi arrivammo alla sua banca lei dice a Donnie di accostare.

«Venite con me» ci fa. «È troppo rischioso, una donna sola di fronte a un bancomat. Lorraine spinse dei tasti per mezzo minuto mentre io e Donnie le stavamo dietro a guardia di ladri e banditi. La macchina sputò fuori dei soldi come una lunga lingua verde e Lorraine li prese, poi tornammo in macchina e ce ne andammo.

Donnie fa, «Vi lascio davanti al cinema in centro poi vado a prendere il pacco da una parte e torno a fare lo scambio, ok?»

«Va bene» rispose Lorraine con aria scocciata.

Si fermò nel parcheggio del Metrolux e disse che ci metteva dieci minuti, quindici al massimo, e se ne andò.

Lorraine frugò nella borsetta, prese un pacchetto di sigarette e se ne accese una con un Bic.

«Non sapevo che fumavi.»

«Ho smesso l'altr'anno, solo che è tutto troppo stressante. Ne vuoi una?»

«No grazie.»

Guardò il cinema tutto illuminato in mezzo al parcheggio.

«Non vado al cinema da un pezzo.»

«Anch'io.»

«Nemmeno ti saprei dire cosa danno. Nemmeno ti saprei

dire chi è famoso e chi no. Ci stavo proprio sotto col cinema, e adesso non me ne frega un cazzo.»

«Chi ti stava chiamando?»

«Eh?»

«A chi urlavi nella cornetta quando ti ho telefonato?»

«Non sono affari tuoi, Odell.»

«Sembravi incazzata nera, per cui ero curioso.»

«Be', non esserlo e pensa a te. Quel Donnie, che coglione, lui e i suoi soci del cazzo. È una truffa colossale. Ne stanno approfittando, te ne rendi conto. Ma non posso permettermi di litigare con loro, è un canale ben organizzato e funziona. Non riuscirei a riformare una cosa così con nessun altro, non andrebbe così liscia. È stato Dean che ha messo tutto in piedi e ora Dean non c'è più. Puoi dire che siamo fortunati che ti hanno accettato come sostituto. Ma è una cazzo di truffa comunque.»

«Era Cole?»

«Che? Che dici? No, non era Cole. Perché dovevo urlare a Cole? Cole è un amico.»

«Be', e allora a chi?»

Ciccò la cenere della sigaretta e mi soffiò addosso il fumo e poi finse di non averlo fatto, ma io non volevo litigare, volevo solo essere informato.

«Perché devo dirti i fatti miei privati? Perché secondo te dovrei?»

«Perché siamo... partner.»

«Partner di crimine, vuoi dire.»

«A-ah.»

«Non ha niente a che fare... Merda, forse sì, da quando parte la denuncia.»

«Contro il commissario Webb?»

«Era a lui che urlavo. Ho fatto un grosso errore, l'ho chiamato per dirgli cosa pensavo di lui, mi sa che ero un po' sbronza, gli ho fatto una lavata di capo, soprattutto per il furgone, ma lui nega di averci a che fare, comunque, cioè proprio lo nega esplicitamente.»

«E tu gli hai creduto?»

«Sì, abbastanza, solo era troppo tardi, gli avevo già detto che abbiamo in programma di prenderci un avvocato per rifarci con lui. Quello, e l'interrogatorio finito in merda.»

«Gliel'hai detto?»

«Non ti ho appena detto che gliel'ho detto? Sì, gliel'ho detto. Non farà nessuna differenza, significa solo che risponderà ancora più in fretta con un avvocato suo quando il nostro gli caca in testa. Non fa nessuna differenza praticamente, e comunque ormai è fatta. Dopodiché mi ha richiamato cento volte per insultarmi via telefono, quella testa di cazzo.»

«Un commissario di Polizia non dovrebbe comportarsi così» dissi.

Soffiò altro fumo, poi fa «Odell, a volte penso che sei caduto dal cielo l'altro ieri. Nessuno si comporta come dovrebbe comportarsi. Né i politici che ingrassano con i soldi dei lobbysti, né i predicatori televisivi a caccia di donne, né gli sbirri e neppure io, per questo non mi lamento come dovrei. Solo qualcuno caduto dal cielo che non sa un cazzo dei metodi operativi del mondo reale si può mettere a lamentarsi per come stanno le cose».

«Be', dunque... allora perché ti insultava per telefono?»

«È una cosa personale» mi fa. «Io e Andy ci conosciamo da un pezzo ormai. La gente che si conosce da un bel po', ogni tanto si mette a litigare di brutto per qualcosa, e questo è quanto, ok?»

«Ma se non era per la denuncia allora per cosa?»

«Non ti ho appena detto che è una cosa personale? Significa tra me e lui. E non tu, ci arrivi?»

«Ok.»

Mi fa «È che Andy ha questo vizio di trattare tutti come sospetti sulla scena del crimine, come se avessero fatto qualcosa di male così può farsela un po' da padrone».

«Ma tu non fai niente di male, Lorraine.»

«Che? Oh Gesù, Odell, credi che introdurre droga in un istituto di correzione dello stato sia un'impresa da angioletti? Credi che Donnie sia un angelo? E Dean? È un mondo sudicio e non ci sono abbastanza soldi per tutti, per cui devi dare colpi alla cieca per tirare avanti e non finire messo sotto, è così che funziona nella verde terra di Dio, chiaro? Ed entro venerdì ne farai parte anche tu se Cole ti prende.»

«Anche Cole è dentro?»

Lanciò via la sigaretta con una schicchera. «Sai già troppo. Aspetta e vedrai. Magari Cole non ti prende se vede che ingenuo uccellino caduto dal nido sei. Devi crescere, Odell, e smetterla di essere così strano. Ti hanno mai detto che sei strano?»

«Qualche volta.»

«Be', ci sarà un motivo. Allora smettila di essere strano e adeguati al programma.»

Ora, questo era un discorsetto piuttosto duro e per lo più veniva da una donna per cui nutrivo dei sentimenti, perciò mi fece male sentirla chiamarmi uccellino caduto dal nido, che mi voleva far sentire piccolo. Se solo avesse saputo quanti problemi avevo avuto con Dean, dissotterrarlo dalla buca tutte quelle volte e spostarlo qui e là senza dirlo ad anima viva, l'avrei scioccata e avrebbe smesso di dire che sono strano. Ci vuole concentrazione e cervello fino per fare ciò che ho fatto nella scorsa settimana senza farsi beccare, e se crede che sono tutto scemotto e innocente come un uccellino cambierà idea quando Condoleezza racconta agli sbirri di smetterla di starmi appresso perché lei ha compreso che Dean è rimasto ucciso solo per errore quindi mi trattassero bene. Sarà una bella sorpresa per Lorraine, quella, sapere come ho ucciso suo fratello e l'ho nascosto per tutto questo tempo senza spifferare il mio segreto come avrebbero fatto molti. Se Lorraine vuole il tipo silenzioso e forte che sa quali sono le mosse giuste dovrà ammettere che è proprio quello che sono io, altro che uccellino del cazzo.

«Non sei picchiatello come sembri, Odell» fa Lorraine, «è solo l'impressione che dai, va bene? Seppellisci il picchiatello e mostrami il vero uomo, va bene?»

«Va bene.»

«Con te non sono incazzata quanto lo sono con me. Non avrei mai dovuto chiamare Andy per dirgli quelle cose. Adesso se lo aspetta. Avrei dovuto aspettare, ma avevo bevuto un po' ed ero uscita di testa e l'ho chiamato a casa. Odia quando lo chiamano a casa, soprattutto se è una donna. Al telefono risponde sempre sua moglie e si insospettisce un sacco quando una donna chiede di Andy. Me l'ha spiegato lui un secolo fa. È stato questo il mio errore, chiamarlo a casa. È questo che l'ha fatto incazzare più del dovuto per la cosa della denuncia, è perché adesso si deve sorbire lo sbrocco di sua moglie su chi era la donna che ha telefonato. Per questo io non mi voglio sposare, per tutta la merda che passa tra moglie e marito, tutti i sospetti.»

«Non è sempre così.»

«Lo è eccome. Che, tua mamma e tuo papà andavano d'accordo?»

«No.»

«Visto? È solo merda.»

Tirò fuori un'altra sigaretta e l'accese, tipo che aveva bisogno di fare qualcosa con le mani per evitare di strapparsi i capelli. Non l'avevo mai vista così nervosa e turbata. Di solito Lorraine teneva sotto controllo le cose e dava ordini come sapesse esattamente quello che faceva e gli altri meglio se le obbedivano alla lettera, ma stasera è un'altra persona, a fatica tiene insieme i pezzi con l'aiuto di una Marlboro.

Le dissi, «Cosa penseresti se scoprissi che Dean non è in fuga dalla legge come tutti credono?»

«Sarebbe ottimo, solo che non è così. Vedi, intendo questo quando dico che sei strano.»

«No, voglio dire se è morto, e non è in fuga.»

«Be', se è morto è diverso. Sarebbe che tutta questa merda

la smetterebbe di soffiare da questa parte, tutta questa storia del karaoke. Fox News praticamente ci ha messo sopra le risate finte per farlo sembrare stupido... Se è morto se la smetteranno tutti di ridere. Solo non è morto.»

«E se lo fosse?»

«Odell, mi stai facendo incazzare un'altra volta. Dean è mio fratello e non voglio che porti sfiga parlandone così. Ogni volta che accendo il tg ho paura di sentire che l'hanno abbattuto in qualche posto in una sparatoria con l'FBI o chissà chi... Non parlare così, per favore, non voglio sentirti.»

«Quindi dici che sarebbe un sollievo scoprire che è morto.»

«No che non l'ho detto! Cristo! Spero che riesca a superare il confine del Messico e si rifaccia una vita in Sudamerica o dove gli pare, anche se non lo vedrò mai più.»

«Allora non vuoi che ti si dica che è morto.»

«Esatto, Odell, ci stai arrivando finalmente. Grazie per essere così positivo. In momenti del genere adoro i discorsi ottimisti.»

«Ok.»

«Senti, aspettiamo Donnie Testadicazzo e stiamocene zitti.»

«Bene.»

E così facemmo. Lei si fumò tre sigarette prima che Donnie tornasse e si fermasse proprio davanti a noi. Non scese dalla macchina né spense il motore, sporse solo il pacco tutto avvolto nello scotch come il pacco di martedì scorso fuori dal finestrino e lo agitò, poi lo ritirò di nuovo dentro mentre Lorraine frugava nella borsa in cerca dei soldi, che poi si scambiarono le due cose.

«Mi serve uno strappo a casa» fa lei.

«Montate».

Io e Lorraine salimmo su e Donnie partì alla volta di casa sua e si ferma di nuovo senza spegnere il motore intanto che Lorraine scende. Feci per uscire appresso a lei ma lei disse a Donnie di portare a casa pure me.

«Non sono un servizio taxi» fa lui.

«L'hai portato tu qui per cui lo puoi anche riportare a casa.»

Ero mezzo fuori mezzo dentro ma lei mi spinse dentro e sbatté la portiera.

«Va'» fa Lorraine, e Donnie fece tipo un sibilo ma poi mette in marcia la Pontiac e ce ne andammo via attraversando di nuovo la città.

«Bella stronza, eh?» fa. «Come fai a sopportarla?»

«Lorraine è a posto, è solo sotto pressione.»

«Ehi, siamo tutti sotto pressione sempre. Io e te, mica perdiamo la calma, no? Alcuni si gestiscono meglio di altri. Be', chi ti ha rubato il furgone?»

«Non lo so.»

«Hai detto che lo sapevi.»

«Be', non lo so più.»

«È il furgone di Dean. Magari Dean è tornato a riprendersi il suo, che ne dici?»

«No.»

«Naa, sarebbe da stupidi tornare qui e girare con un furgone col suo nome sulla portiera, sarebbe da imbecilli. Si sono presi anche i tosaerba?»

«Tutto.»

«Il mondo è pieno di ladri, dalla Casa Bianca in giù. Per questo è una perdita di tempo provare a guadagnarsi la vita onestamente, questi ladri si riprendono tutto con le tasse. Tutti gli amministratori delegati delle ditte grosse, sono ladri pure loro, derubano i dipendenti e gli azionisti, non gli frega niente a loro, perché dovrebbe fregare a me? Gli sbirri chiedono il pizzo e gli avvocati hanno certi uncini che ci puoi aprire le bottiglie di vino, quei bastardi. Vedi lo spaccio è diverso. Noi forniamo una risorsa che la gente desidera e tu gliela fornisci a un costo ragionevole con quel tanto di ricarico per guadagnarti qualche dollaro onesto e dar da mangiare alla tua famiglia, mica stronzate e false promesse. La sera posso andare a dormire sapendo che non ho fatto male a nessuno, ho solo offerto un servizio di cui la gente ha bisogno e che desidera di tutto cuore. Se facessi qualcosa di male non la penserei così, o no?»

«No.»

«Certo che no, non lo penserei. Te la scopi?»

«No.»

«Ma ti piacerebbe, giusto? Sarà una stronza ma è anche ganza, sai? Che problemi ti fai, c'ha un altro?»

«No.»

«E allora accomodati, amico mio. È una bella donna che va sprecata. Davvero non te la ripassi?»

«No.»

Scosse la testa e sospirò come se lui certe cose proprio non le capisce. «Sei uno strano uccellino, Odell. C'è qualcosa di te che proprio non torna. Tu sei proprio il tipo che ha dei segreti, si vede.»

«Segreti?»

«A-ah, e del genere oscuro e profondo, ci scommetto. Coi segreti funziona che si mangiano un uomo finché non è altro che un tronco di uomo, un guscio come si suol dire.»

«Un guscio.»

«Esatto. Hai segreti che vuoi condividere, Odell? O magari ti piace essere un guscio.»

«Non ho nessun segreto.»

«Sicuro? Io ci azzecco con i caratteri, e il mio cervello mi dice che tu sei uno che tiene segreti.»

«Be', la tua mente si sbaglia.»

Fece una mezza risatina e continuò a guardarmi, cosa che uno alla guida non dovrebbe fare, dovrebbe tenere gli occhi sulla strada. A quel punto stavamo arrivando alla fine della città, dove finivano i lampioni e cominciava la notte. Donnie accese la radio e fummo sovrastati dalla musica, quindi fine dei discorsi. Lasciammo la superstrada per la strada che passa sotto casa di Dean, Donnie rallentò un po' perché la strada è sterrata e la macchina non va più liscia come l'olio. Passò una macchina nell'altra direzione, un paio di fari che ardevano nel buio, due abbaglianti alti che fecero bestemmiare Donnie e anche lui sfarfallò i suoi ma loro non spensero i loro, un comportamento molto egoistico a mio parere, ma poi ci oltrepassarono e noi ci trovammo nella polvere che avevano sollevato. «Coglione» fa Donnie. Dopo altri dieci minuti circa su quella strada lui accosta e spegne la musica.

«Ok, io ti lascio qui. Mi pare che siamo più o meno dove ti ho raccolto. Non esiste che mi avvicino più di così a quella casa, né oggi né mai.»

Scesi, lui fece inversione a U sollevando la polvere illuminata dai fari, poi sparì lungo la strada, che non mi dispiaceva vederlo partire, non è il tipo di persona con cui mi posso trovare a mio agio. Mi misi a camminare e rivedevo tutto quanto era successo e cercavo di districare i miei pensieri a riguardo, ma non era facile perché la lettera è andata perduta e io non so chi ce l'ha. Forse in fin dei conti non avrei dovuto scriverla, ma è che mi sentivo male e la lettera mi aveva fatto sentire bene almeno per un po', ma ora non sono più molto convinto di aver fatto bene.

Camminare per la strada illuminata dalla luna era una bella sensazione, ondeggiavo le braccia e fischiettavo, cosa che non faccio molto bene ma non c'è nessuno nei paraggi che me lo può dire. In generale mi sentirei bene a parte tutta la faccenda di Dean che mi ha intasato la Valvola Felicità, quella cosa che tutti hanno dentro e che si apre di tanto in tanto senza particolari ragioni e rilascia una scarica di Sentimenti di Felicità. Io ne ho una e non sono uno scherzo della natura io, per cui ce l'hanno tutti, è una cosa buona da avere ma non puoi accenderla o spegnerla a comando, lo fa lei quando preferisce, e in generale non troppo spesso.

Vedevo la casa perché avevo lasciato una luce accesa dentro e anche quella in veranda, e ormai non ero troppo lontano per cui rallentai per far durare ancora un po' la passeggiata. Forse avrei dovuto continuare la mia passeggiata al chiaro di luna. Poi arrivai in fondo al vialetto e voltai per la casa, e fu lì che mi fermai perché proprio sul vialetto c'era qualcuno parcheggiato, diciamo a una ventina di metri. All'inizio pensai alla squadra sorveglianza dei federali che teneva d'occhio la casa proprio come aveva pensato Donnie, ma non era una berlina governativa, era un furgone. Mi avvicinai, era il furgone di Dean!

Mi avvicinai ancora e scoprii che dentro non c'era nessuno, la cabina del pilota era vuota, e i tosaerba erano ancora dove dovevano essere, dietro. Il cofano era caldo per cui era stato riportato da poco da Andy Webb dopo che Lorraine le aveva urlato per telefono, è chiaro come il sole. Non l'avevano portato fino in cima al vialetto perché la luce della veranda era accesa e le luci all'entrata anche e dovevano aver immaginato che c'era qualcuno, per cui avevano percorso metà vialetto, molto probabilmente a fari spenti, l'avevano lasciato lì ed erano scappati con una macchina d'appoggio, che scommetto che era quell'unica macchina che io e Donnie avevamo visto passare di qua.

Avevo lasciato le chiavi in casa, ma la portiera del furgone non era chiusa, per cui la aprii e con la luce accesa esaminai la cabina del pilota. Sembrava tale e quale a prima, c'era ancora tutta quella robaccia sul pavimento, solo i fili dell'accensione penzolavano da sotto il cruscotto per cui l'avevano messa in moto senza chiave. Be', quello non era un problema, invece la mia lettera per Condoleezza non c'era più, e nemmeno il mio meraviglioso telefono. Rovistai fra i vassoi di cartone da fast food e le carte di caramelle e i bicchieroni da Coca con tanto di coperchi e cannucce ma non trovai né l'una né l'altro dei due Importanti Oggetti, per cui li avevano rubati anche se il Dodge l'avevano restituito. Guardai il contachilometri, dice che non l'hanno portato troppo in giro, magari solo nel garage della Polizia dove è stato nascosto per dodici ore e poi l'hanno restituito. Dopotutto ho solo perso un giorno di lavoro e la tabella c'è ancora e anche i numeri di telefono dei clienti per cui domani posso fare un po' di telefonate e spiegare a tutti cosa è successo, nessun problema. Ma ero furioso per il telefono.

Scesi dal furgone per andare a prendere le chiavi dentro casa, mi dicevo che Andy Webb la lettera ce l'ha e allora perché non è qua fuori a svuotare la buca in cortile dove la lettera dice che ho sepolto Dean, per cui mi ero di nuovo preoccupato. Quando arrivai in veranda sentii il telefono della cucina che si metteva a squillare e in fretta tirai fuori le chiavi di casa dalla tasca per entrare perché mi dico sarà Lorraine che chiama per chiedere scusa per quanto era scazzata e dirà che la prossima volta che mi trovo da lei posso restare a dormire invece di farmi spedire a casa con Donnie Darko. O magari invece è il commissario Webb che fa uno scherzo telefonico e mi dirà qualcosa del tipo, «Ti abbiamo riportato il furgone stavolta, ma la prossima...»

Schizzai per il corridoio fino in cucina e presi la cornetta. «Pronto?»

«Odell? Chet Marchand.»

«Oh... Chet. Salve.»

«Mi dispiace chiamarti così tardi, Odell, ma ti ho cercato tutto il pomeriggio e tutta la sera. Credo che il tuo telefonino nuovo non abbia la suoneria inserita.»

«No, me l'hanno rubato.»

«Rubato?»

«Insieme al mio furgone... Al furgone di Dean. Che l'hanno appena riportato.»

«Ti hanno rubato il furgone? Parli del furgone per i tosaerba?»

«Esatto, rubato stamattina mentre ero al funerale, solo che me l'hanno riportato tutto intero, perfettamente a posto. Ma si sono tenuti il telefono.»

«Oh no, il tuo telefono nuovo di zecca...»

«Già, se lo sono proprio preso, ho cercato ma non c'è più.»

«Be', è un vero peccato, lasciamelo dire. Il mondo è pieno di ladri.»

Mi dico che è vero visto che Donnie D ha detto la stessa identica cosa neanche venti minuti fa, ma ovviamente non posso parlare di questo con uno come Chet Marchand, sarebbe deluso se gli dicessi che non solo non sono cristiano, ma frequento gli spacciatori.

«Il motivo per cui ti chiamo, Odell, è che mentre me ne tornavo a Topeka ho avuto un'idea, e ho telefonato al reverendo Jerome per parlargli di te.»

«Di me?»

«Esatto, Odell. Pensavo, che ne diresti di venire a Topeka per la Cerimonia Commemorativa del Quattro Luglio di Bob il Predicatore?»

«Quattro luglio?»

«Esatto. È un momento importante per l'America, Odell, con l'elezione che ci aspetta il prossimo anno, è un tempo per fare la cosa giusta, per restare saldi e non cedere alla debolezza e al compromesso. E debolezza e compromesso sono due sinonimi di Sconfitta. Io e Bob capiamo molto bene l'umore generale in questo momento e Bob vuole far dono ai suoi seguaci di una celebrazione del quattro luglio autenticamente americana, qualcosa di speciale per sollevare i nostri cuori e per far tornare a scorrere il sangue politico nelle vene della gente. E indovina quale celebrità sarà nostra ospite speciale?»

«Mh, il presidente?»

«Ci sei andato vicino. Che ne dici del prossimo presidente?»

«Il senatore Ketchum?»

«A Dio piacendo, e vogliamo che anche tu sia presente, Odell.»

«Be', non... non lo so. Non credo sarei capace di fare un buon discorso, Chet, nemmeno se me lo scrivesse uno di quei tipi scrividiscorsi...»

«Odell, scusami, non mi sono fatto capire. Non vogliamo che tu faccia un discorso, quel ruolo spetta al senatore Ketchum, più un discorso introduttivo di Bob naturalmente. No, ti invitiamo ad assistere come ospite, un presenziante d'onore dietro le quinte, diciamo così. Potrai incontrare il senatore e anche Bob il Predicatore, ma non devi preoccuparti dell'esposizione mediatica, lo so che essere associato al nome di Dean Lowry ti ha dato dei bei grattacapi. No, tu verresti come una specie di ospite speciale segreto, tutto qui, lontano dalle telecamere in modo da non ottenere un'attenzione da parte dei media di cui non hai bisogno. Ti starai chiedendo perché Bob faccia questo per te, Odell.»

«Tipo.»

«Perché Bob il Predicatore è fatto così. Né più né meno.»

«A-ah.»

«Dimmi che la cosa ti interessa, Odell. Dimmi che verrai. Voglio che tu sappia che non voglio fare proseliti qui, sto solo consegnando un invito a una persona che mi piacerebbe chiamare amica.»

«Be'... ok, come no.»

«Ci sarà una folla enorme. Abbiamo prenotato uno dei parchi più grandi di Topeka, sarà un raduno all'aperto con palco e tonnellate di cibo gratis per tutti. Ci aspettiamo di superare le diecimila anime.»

«Wow, è proprio grande allora.»

«Grande e speciale. Non te ne pentirai, Odell. E insomma il furgone ti è stato restituito, dicevi?»

«È parcheggiato proprio nel vialetto.»

«Bene, allora per il trasporto ci sei. Ti rimborseremo la benzina per il viaggio, Odell, un furgone grosso come il tuo ti aprirà una voragine nel portafogli come fanno quei paesi dell'OPEC che ci costringono a pagare una fortuna alle stazioni di servizio di questi tempi. Ma come si suol dire... più grande è, più è sicuro. I grandi furgoni e macchine americani sono esattamente quello che ci meritiamo di guidare, anche se la gente sta smettendo di comprarli e passa ad auto piccole d'importazione. Pessima cosa, Odell, una cosa non patriottica... Ma non farmi cominciare il discorso, se no... E senti, Odell, come rimborso speciale per la tua partecipazione, credo di poterti garantire che Bob il Predicatore ti fornirà un nuovo telefono cellulare gratis. Anzi, puoi assolutamente contarci.»

«È veramente... è veramente molto generoso da parte vostra, Chet, grazie.»

«Non c'è bisogno di ringraziare, Odell. Fatti trovare qui per il quattro luglio, e fai in modo che nel frattempo non ti rubino di nuovo il furgone, ok?»

«Ok.»

«Bene, non ti tolgo altro tempo.»

«Allora ok.»

«A presto, Odell.»

«A presto, Chet.»

Aggancio e per la sorpresa scuoto la testa, un invito a uno show televisivo e grande come sarà questo con Bob il Predicatore e il senatore Ketchum e chissà quanti altri ci saranno appresso a loro. E c'è un'altra grande cosa: quando il commissario Webb si metterà a sbandierare ai quattro venti la mia lettera che dice che ho ucciso Dean io posso dire che ho degli amici ai Piani Alti come dice il detto, che me ne sto dietro al palco con Bob il Predicatore e il senatore Ketchum come vuole Chet. Sono state le parole di Chet domenica scorsa che mi avevano fatto scrivere la lettera che da un momento all'altro mi metterà nei guai, e ora proprio la chiamata di Chet mi toglierà da questi stessi guai, è praticamente perfetto!

Ovviamente sarebbe meglio se la lettera non l'avessi scritta proprio. Soprattutto considerato che al momento non so dove sia, magari ancora nel furgone, persa tra le cartacce della cabina di guida, magari pure il telefono è ancora là e io semplicemente non li ho visti perché la luce era troppo poca per vederci. Forse dovevo tornare con una torcia e dare una controllata come si deve per chiarire le cose e smetterla di preoccuparmi di chi ha o non ha la lettera. Poi mi venne un'idea migliore. Ero ancora in piedi accanto al telefono e mi spremevo le meningi quando mi viene in mente che non devo fare altro che comporre il numero del mio telefonino e se il telefono è nel furgone da qualche parte squillerà e io lo troverò facilmente seguendo la suoneria. Era un buon piano, per cui mi concentrai, ricordai il numero e lo feci.

Squillò una volta, poi all'improvviso una mano invisibile mi prese e mi lanciò contro il muro della cucina, che a questo punto cedette e il muro e io e il frigorifero e qualche altro oggetto di casa ci muovevamo all'unisono per aria così mi pareva, e io mi dico dev'essere una specie di sogno, mi sono addormentato mica col telefono in mano? Poi il muro rallentò un pochino per cui mi ripresi ma fui subito lanciato un'altra volta contro il muro durissimo mentre il frigorifero si muoveva ancora, molto veloce. Poi io e il muro ci mettemmo a cadere, mi pareva, ma non sento niente, è il sogno di un sordo. Tutto questo mi accade attorno in modo lentissimo e silenzioso. Ora sto sognando che la casa è tutta ridotta in frantumi in qualche modo e vola accanto a me e accanto al muro contro cui continuo a sbattere. Poi la pendola anche lei si mette a navigare per l'aria, si muove lenta e solenne con il pendolo che le sbuca fuori a un angolo impossibile e il quadrante separato dal resto e mostra dietro tutte le molle e i congegni attorcigliati. Ed ecco che arriva il dondolo della veranda che fa giri su se stesso molto lento e solenne coi suoi cuscini che sembrano grassi uccelli senz'ali che volano anche loro in cerca di un posto dove atterrare. Volevo sporgermi ad afferrarne uno ma in qualche modo non riuscivo a muovermi, come succede nei sogni, e dunque i cuscini continuavano a superarmi perché io rallentavo, spingevo con sempre più forza contro il muro della cucina che a questo punto si inclina e ruota in uno stretto circolo sotto la luna, per cui devo essermi messo a sognare di esser lì fuori, è uno di quei sogni sul volo di cui si sente sempre parlare, solo che anch'io sto ruotando su me stesso per cui la luna continua a fare i suoi giri silenziosi su se stessa lassù in alto.

E poi c'è questa grossa eclissi e su tutto molto in fretta scende il buio.

quattordici

Ora, avrete letto anche voi sui giornali di quelle persone che si svegliano la notte e un gruppetto di alieni gli è entrato in camera e gli stanno intorno mezzi assurdi e comunicano telepaticamente, l'hanno mostrato anche alla tv. Sapendo questo sapevo anche che mi era accaduto qualcosa di davvero insolito, droghe o altro per convincermi che sono circondato da alieni che mi danno ordini che non comprendo.

Magari Donnie D ha aggiunto qualcosa al mio bicchiere, lui è uno spacciatore, solo non abbiamo bevuto niente. E questa comunque non è la mia stanza, cioè non è la stanza di Dean, e questo non è il mio letto. Uno di questi alieni alti e smilzi era travestito da infermiera, tutta di bianco e di azzurro, e un altro aveva attorno al collo un affare, una sonda speciale intorno al collo per inserirmi la cimice identificativa nel naso per potermi rintracciare dovessi scappare ai confini della Terra, solo che ha l'aria di uno stetoscopio come tutti gli altri per cui non faccio resistenza quando la cimice mi entra dentro.

«Riesce a sentirmi?»

Sembrava quasi umano, ma se è un alieno lo puoi sempre capire dal modo in cui i bordi del viso hanno del trucco per coprire il punto in cui finisce la maschera, la maschera per nascondere la faccia da lucertola, per cui non mi facevo fregare e finché non ero pronto per l'interrogatorio alieno e l'innesto nasale non avrei parlato. Oppure è di nuovo un sogno, solo che stavolta fa male sul serio. La mano mi fa male e la testa mi fa male e le spalle, e anche un ginocchio. Ho la testa fasciata e anche la mano destra che tipo mi pulsa.

«Signor Deefus, mi sente?»

«Mh…»

«Riesce a dirmi quante dita sono queste?»

Lì si fregò con le sue stesse mani perché dimenticò di nascondere le dita aliene in eccesso per un totale di sette. Questi alieni non sono dritti come pensate, solo tecnologisticamente più avanzati di noi adesso. Ma ero pronto a illuderlo che non so cosa sta succedendo. Questa dev'essere una stanza bianca dentro all'astronave madre.

«Cinque…» gracchiai, e sembra soddisfatto.

«Bene. Lo sa cosa le è successo?»

«Ho visto la luna…»

Non era la risposta giusta. Si sporse ancora finché la sua maschera umanoide non fu lunga come la faccia di un cartone animato. «C'è stata un'esplosione» fa. «La casa è andata distrutta. Lei è molto fortunato a essere vivo.»

Al che mi dico, è esplosa la bombola di propano o cosa? E magari queste persone non sono alieni, sono solo persone, persone dell'ospedale. In tal caso è accaduto qualcosa di vero e reale, mica un sogno. La bombola di propano non aveva una bella cera ma la società che consegnava il propano doveva dirlo lei se c'era bisogno di ripararla, per cui ovviamente Dean aveva ignorato l'avvertimento, pensai.

«Una bomba» fa il dottore, che adesso mi rendo conto è un vero dottore e l'infermiere è un vero infermiere e quei due tipi là in fondo vestiti di scuro mi tengono d'occhio come due sbirri. L'avevo già sentita quella parola – bomba – ma non ero mai riuscito a capire che cosa fosse. Suonava come un qualcosa di rotondo e pieno – boooooom... – come una bombola di propano, ma non di quello si trattava.

«Un furgone bomba» fa.

Pensai ai furgoni e mi venne in mente quello di Dean, il vecchio Dodge con i tosaerba nel portellone, ma non era messo così male da definirlo una bomba, e nemmeno un ferrovecchio come la mia Monte Carlo, per cui nella mia mente a riguardo regnava ancora la confusione.

«Possiamo parlargli?» chiede uno dei due con la giacca.

Il dottore mi guardò negli occhi come per decidersi. Ha un piccolo neo sulla guancia. «Se la sente di parlare per un po', signor Deefus?»

«A-ah?»

I due sbirri si avvicinano e il dottore e l'infermiere scivolano via dal mio campo visivo e il dottore parlando sopra la spalla fa «Ma non per molto».

Se ne stanno stretti intorno al mio letto, tutti e due. «Come si sente oggi, signor Deefus?» fa quello con gli occhiali. «Agente Kraus e agente Deedle, si ricorda, ci siamo conosciuti la settimana scorsa.» Allora non sono sbirri, sono l'FBI, ora ricordo.

«A-ah.»

Presero un paio di sedie di plastica e si misero a sedere.

«Prova molto dolore, Signor Deefus?»

«A-ah.»

«Be', faremo il più in fretta possibile per non causarle ulteriori disturbi. Vogliamo porle alcune domande sull'incidente. Ci hanno riferito che il furgone era stato rubato, è così?»

«A-ah. Ieri.»

Gli agenti si scambiarono un'occhiata, poi Deedle mi fa «Credo intenda dire l'altro ieri. Oggi è mercoledì».

«Mercoledì...»

«Hai preso una botta in testa, Odell. Possiamo darti del tu?»

«A-ah.»

«Ed è stato restituito lunedì notte, dico bene?»

«L'hanno lasciato nel vialetto.»

«L'hanno lasciato. Chi? Lo sai?»

«Il commissario Webb, credo, ma era solo uno scherzo. Me l'ha riportato. È il propano che è esploso?»

«No, è il furgone. Abbiamo trovato uno degli sportelli a mezzo miglio da lì, quello con la scritta *Dean Tosaerba*. Era un furgone bomba, Odell.»

«Un furgone bomba...»

«A che ora te l'hanno riportato?»

«Io... non lo so.» Non volevo dirgli che ero stato in giro con Donnie e Lorraine a raccogliere i soldi per il pacco di droga. «L'ho trovato nel vialetto... è stato dopo le dieci.»

«E a quel punto cosa è successo?»

«Sono entrato dentro a prendere le chiavi per spostarlo fin sotto casa.»

«E l'hai fatto?»

«No, io... ho perso il mio cellulare nel furgone e ho chiamato il numero dalla casa per farlo squillare così lo trovavo...»

Kraus annuì come se la cosa gli tornasse utile. «Il telefono era nel furgone quando è stato rubato, Odell?»

«A-ah. Pensavo che magari era ancora lì, per terra nella cabina c'è un bel casino.»

«Quindi tu hai chiamato il tuo cellulare e il furgone è esploso. È così che fanno oggi, usano una telefonata per attivare il detonatore. Poi che altro è successo?»

«Non lo so. Ho visto il frigo e il dondolo che mi volavano attorno come un sogno...»

«Ora, pensaci attentamente, Odell. Potrebbe essere stata opera di Dean Lowry?»

«Dean? No, lui è... lui non farebbe saltare in aria il proprio furgone.»

«Non c'entra il furgone, qui, c'entra quello che hanno fatto al furgone. Devono aver riempito ogni pannello di esplosivo. È stato un botto pazzesco, Odell. Non te lo ricordi?»

«No, c'era un silenzio totale, per questo pensavo a un sogno. La casa è distrutta?»

«Completamente rasa al suolo. È un miracolo che sei ancora vivo e con così poche ferite. La squadra di soccorso ti ha trovato sul retro della casa vicino a dei pioppi. Agli alberi sono cadute tutte le foglie, e tra loro e la bomba c'era la casa, per darti un'idea della potenza di quest'esplosione. Stiamo ancora effettuando le analisi ma sembra che c'era abbastanza esplosivo da far saltare un intero isolato.»

Deedle mi fa, «Perché pensi che sia stato il commissario Webb?»

«Oh… mi sa che gli sto antipatico.»

«È una reazione un po' estrema trasformare il furgone di uno che ti sta antipatico in una bomba. Perché gli stai antipatico?»

«Lui… Io ho confuso sabato e domenica, se ho conosciuto Dean questo giorno o quell'altro, e da allora tipo gli sembra che mento. Successivamente gli ho detto che mi ero ubriacato con Dean e per questo mi ero confuso.»

«Ci ricordiamo, ce ne hai parlato, Odell. E ancora, sembra un po' eccessivo pensare che il commissario di Polizia rubi un furgone a qualcuno e lo riempia di esplosivo per una cosetta come quella che dici tu, non trovi? Ci dev'essere un motivo migliore.»

«Forse…» fu tutto quello che riuscii a dire. Tra me e me mi dico che con ogni probabilità alla fine non era stato Andy Webb, ma allora chi era stato? Chi poteva odiarmi a tal punto da volermi far esplodere in mille pezzi? Questa storia non aveva nessun senso. E scommetto che Lorraine era incazzata all'ennesima potenza per la casa che stava per ereditare, ma molto probabilmente zia Bree era a posto con le rate dell'assicurazione.

Ma la polizza poteva includere distruzione per bomba terroristica? Alcune polizze non includono i danni da inondazione e a meno che non lo chiedi espressamente non te lo aggiungono, e dunque Bree era mica coperta per la distruzione da bomba? Dovevo chiedere a Lorraine

«È venuta a trovarmi?»

«Chi, Odell?»

«Lorraine.»

«No» fa Deedle. «Non puoi ricevere visite.»

«Eh?»

«Nessuno può vederti tranne noi. Le hanno mandato a dire che stai bene.»

«Di quello non ti preoccupare, Odell» fa Kraus. «La cosa importante è capire chi ha preso il furgone e l'ha trasformato in una bomba. Sospettiamo che dietro ci sia una squadra. Manomettere un furgone per fargli fare un botto di quella portata non è come cambiare l'olio dal benzinaio. Noi crediamo che tre o quattro persone abbiano compiuto l'operazione nelle dodici ore in cui il furgone è scomparso dalla circolazione.»

«La seconda grossa domanda» fa Deedle, «è se l'obiettivo eri tu. Hai dei nemici, Odell?»

«No.»

«Nessuno? Pensaci. Hai litigato con qualcuno ultimamente?»

«Solo con il commissario Webb.»

«Lascia perdere Webb, siamo sicuri che non c'entra in questa storia. Pensa ancora.»

«Ok» dissi, e lo feci, pensai ancora finché non mi venne mal di testa, ma non ne venne fuori niente.

«Tu e Dean avete mai litigato?»

«No, andavamo d'accordissimo. Ci conoscevamo solo da due giorni quando è partito. Non c'è stato tempo di litigare. Non è stato lui.»

«Ma magari è stata una cellula di terroristi con cui ha rapporti» fa Kraus, con una faccia che è chiaro che per lui sto nascondendo qualcosa.

«Be', su questo non vi so dire. Non ho mai conosciuto un terrorista.»

«Guarda, Odell, che sono come noi. Magari l'hai incontrato un terrorista e non ti sei accorto che era un terrorista. Non è mica un crimine. In società loro si rendono invisibili, è così che fanno le cose terribili che fanno senza che nessuno possa sospettare che piani di distruzione di massa e terrore hanno in programma.»

«Be', allora forse l'ho conosciuto, ma non saprei chi è.»

Mi guardarono, sembravano in qualche modo delusi, ma non gli posso dire niente su questa bomba che io sappia visto che non so niente. Non so niente e non ho fatto niente.

«Voglio vedere Lorraine.»

«Vederla ti farà tornare la memoria?»

«Può darsi.»

«State insieme, Odell?»

«È la mia fidanzata… lo sarà presto.»

«Davvero?» Deedle diede uno sguardo a Kraus. «La sorella di un terrorista e la vittima di una bomba terroristica escono insieme. Sembra la trama di un film.»

«Dovremmo prenderci un agente, mi sa» fa Kraus sorridendo appena.

«Ma voi siete agenti» dissi. Mi diedero una lunga occhiata, poi si scambiarono uno sguardo, poi Kraus fa «Sappiamo della droga, Odell».

«Droga?»

«Il telefono della tua ragazza è sotto sorveglianza dalla settimana scorsa, in caso telefonasse il fratello. Sappiamo dove siete andati lunedì mattina tu, lei e Donald Hubert Youngman, alias Donnie Darko.»

«Eh?»

Deedle si cercò in tasca, tirò fuori una foto e me la diede, c'eravamo tutti e tre, io e Lorraine e Donnie. «È stata scattata al bancomat della quindicesima strada. Quelle telecamere microscopiche funzionano sempre meglio.»

«Buon contrasto» fa Kraus. «Immagine chiara. C'è la prova dell'intenzione di spendere soldi in cambio di droga, Odell, ed eccoti anche tu, proprio nel mezzo.»

«Mh...»

«Sappiamo dell'attività secondaria di Lorraine nella consegna di narcotici al Penitenziario statale e della sua relazione con un individuo all'interno che passa i narcotici ai carcerati.»

«Relazione?»

«Nel senso di relazione sessuale» fa Deedle.

«Si comincia con due persone che lavorano nello stesso posto» fa Kraus, «e si sviluppa nelle pause caffè fino ad arrivare al proposito comune di fare un po' di soldi extra esentasse, e tempo zero l'impresa finisce col procurare agli interessati mille, millecinquecento dollari. È una donna piuttosto giovane, Odell. In carcere non potreste più vedervi per un pezzo.»

«Una relazione con chi?»

«Vuoi dire che non sapevi niente, Odell? Dopotutto è la tua promessa sposa. Non ti ha detto del tipo che si tromba, il suo capo?»

«Cole?»

«Proprio lui. Lui si beccherà più anni di lei, essendo il superiore. Non sei messo bene, Odell.»

«Io non ho fatto niente...»

«Certo, tu sei uno spettatore innocente. Ho la tua foto qui, che te ne stai in piedi tutto innocente mentre la tua ragazza spacciatrice tira fuori altri soldi per pagare al fornitore il nuovo prezzo maggiorato. Non butta bene, Odell. Come minimo direi che puoi beccarti l'accusa di cospirazione, traffico di stupefacenti, concorso in reato e favoreggiamento, scegli tu.»

«Dai tre ai cinque anni se stai antipatico al giudice» fa Deedle.

«Forse dalle sbarre riuscite a salutarvi.»

Kraus restituì la foto a Deedle che si sporse verso di me. «E tutto ciò può sparire in un attimo se decidi di collaborare. Cerchiamo il pesce grosso. Tu sei un pesciolino, lo sappiamo, solo butta male il modo in cui ti sei accompagnato a dei criminali per tutta la scorsa settimana, a cominciare da Dean. O sei coinvolto, Odell, o sei il più sfigato figlio di puttana che ho mai conosciuto.»

«Sono sfigato» gli dissi.

«Anch'io direi lo stesso» fa Deedle.

Non sapevo che pensare. Lorraine si trombava Cole Connors, e io avevo appena detto a questi due che era la mia fidanzata. Avevano ragione: buttava proprio male, sembravo un mezzo idiota accecato dall'amore come si suol dire. «Sono sfortunato in amore» dissi.

«E questo è solo l'inizio della tua sfortuna, Odell.»

«Potrebbe peggiorare parecchio» fa Kraus.

Adesso avevano tutti e due una faccia lunga, come se gli avessi consegnato una pessima pagella e ora mi beccavo le conseguenze. Avevo bisogno di un amico, ma chi potevo chiamare in aiuto? Poi mi venne in mente un nome.

«Voglio parlare con l'agente Jim Ricker.»

«Prego?»

«L'agente Jim Ricker della Sicurezza nazionale.»

«E com'è che conosci l'agente Ricker?»

«Mi ha chiamato qualche volta, e anch'io l'ho chiamato una volta.»

«Non abbiamo le registrazioni di quelle telefonate, Odell. Abbiamo messo cimici anche nel tuo telefono e il nome non compare mai.»

«Be', allora non avete ascoltato attentamente. Subito dopo aver comprato il mio telefono lui mi chiama e mi dice che è l'agente Jim Ricker e che devo raccontargli tutto quello che succede a Callisto.»

«Stiamo parlando del tuo nuovo cellulare?»

«A-ah.»

«E questo agente Jim Ricker ti ha chiamato sul cellulare?»

«Sarà successo due o tre volte.»

Kraus fece un cenno a Deedle, che si alzò e andò alla finestra, che aveva le veneziane tirate contro il sole splendente. Tirò fuori un telefono e si mise a parlare con qualcuno mentre Kraus continuava a guardarmi come se la pagella stesse scendendo da un Mediocre a un Gravemente Insufficiente. «Vedi, Odell, quando hai comprato quel cellulare la settimana scorsa, nel momento in cui il tuo nome e numero sono stati registrati hanno fatto scattare un allarme, una bandiera rossa, se vuoi, perché tu sei una persona di nostro interesse. Le tue conversazioni su quel telefonino, così come la linea fissa di Dean Lowry, sono tutte monitorate, e ora ti devo dire, Odell, che non sono state registrate conversazioni con una persona di nome Jim Ricker. Se fosse successo lo sapremmo. È il nostro lavoro.»

«Be'... ma mi ha chiamato, non sto mentendo. Potete attaccarmi alla macchina della verità. Era l'agente Jim Ricker. Mi chiama una volta ogni tanto per farmi sapere che tiene un occhio su di me dal satellite.»

«Dal satellite.»

«A-ah, lassù in cielo, ce ne sono un mucchio che mi tengono d'occhio.»

«Come angeli custodi, Odell?»

«Tipo, sì, può darsi.»

Deedle torna da me e mi fa «Ho parlato con la Sicurezza nazionale, Odell. Non ce l'hanno un agente di nome Jim Ricker».

«Ma sì che ce l'hanno. Ci ho parlato io due, tre volte.»

Kraus spiega a Deedle, «Odell mi ha appena detto che l'agente Ricker tiene un occhio su di lui grazie ai satelliti spia, ce n'è un mucchio, dico bene Odell?»

«Esatto, così mi ha detto lui.»

«Eppure le nostre intercettazioni non sono riuscite a monitorare nessuna di queste conversazioni. Abbiamo l'equipaggiamento migliore del mondo, Odell, pagato con i soldi di voi contribuenti.»

«Be', funziona male allora» gli dissi, mi stavo un po' infuriando che non mi credevano a riguardo di suddetto importante individuo.

«Il suo numero?» domanda Kraus.

«Oh, l'ho scordato. L'avevo inserito nel telefono, sapete come si fa, ma il telefono non c'è più e io il numero non me lo ricordo.»

«Il numero di cui avremmo la registrazione se al tuo telefono fossero davvero arrivate telefonate da lì.»

«Al telefono sono arrivate... Fatemi il test della verità.»

Poi pensai che mi potevano chiedere se sapevo dov'era Dean, come aveva fatto Dan Oberst, per cui era meglio evitare di vedere le mie non verità in fin dei conti. «Però mi potete fare una domanda e poi basta domande.»

«Odell, non vale molto la pena di preparare il poligrafo per una sola domanda, mi pare. Abbiamo sentito dire che ne hai già fatto uno di poligrafo e sei scoppiato a piangere. Non vorremmo farti sbroccare di nuovo per una domandina da nulla di cui sappiamo già la risposta.»

«Davvero?»

«Davvero. Ci stai prendendo per il culo, Odell, e non ci piace per niente.»

«Non sto mentendo! Davvero mi ha chiamato... Magari ha uno di quei... di quegli apparecchi che ti impediscono di capire ciò che dice...»

«Un cifrante digitale?»

«Un cifrante, esatto, deve averne uno.»

«Odell, la nostra capacità di succhiare informazioni da linee fisse, cellulari e satellite non ha uguali. Possiamo immetterci in qualunque conversazione, quando ci pare, dove ci pare in tutto il mondo. Tu non hai ricevuto telefonate da Jim Ricker. Hai ricevuto telefonate al telefono di Lowry e al cellulare da parte di Donnie D, commissario Webb, Lorraine Lowry e Chet Marchand, fine della lista. Abbiamo cercato Chet Marchand, ci ha detto che è venuto a parlare con Dean della sua conversione all'islam. È tornato di nuovo quando ha scoperto che avevi finto di essere Dean, e si era impietosito perché ti ritiene una persona disturbata, Odell, per cui ti ha dato un telefonino per aiutarti ad aumentare il tuo parco clienti e i guadagni. Se c'è qualcuno che ti guarda come un angelo custode, Odell, quello è Chet Marchand con il suo capo, Bob Jerome. Quei due provano un interesse per te che è basato sulla loro fede nella religione e nelle opere buone. Sappiamo che il signor Marchand ti ha invitato a partecipare a una grande cerimonia a Topeka per il quattro luglio, è un invito che non fanno a tutti.»

All'improvviso compresi! Era così chiaro, era come se una luce mi si fosse accesa in testa. «Sono un'esca...» dissi.

«Scusa?»

«Jim Ricker mi ha detto che sono un'esca per acciuffare Dean... Per questo mi vogliono al grande incontro di Topeka, perché il senatore Ketchum sarà lì per tenere un discorso... e Dean vuole ucciderlo... per cui non è che pensate che io aiuterò Dean a farlo...?»

Kraus adesso pareva piuttosto incazzato. «Nessuno ti ha detto che sei un'esca. Dean non si avvicinerebbe a un miglio da te, Odell, a meno che non sia ritardato, e chiaramente non lo è. Magari è incasinato mentalmente, ma non è ritardato. Jim Ricker non ti ha detto proprio niente perché Jim Ricker non esiste. La gran parte delle persone, Odell, lasciano perdere gli amici immaginari quando hanno sei anni, massimo otto.»

«Non è il mio amico immaginario. Ha una figlia, una bambina di nove anni che ha la stessa suoneria che ho scelto anch'io per il mio cellulare, me l'ha detto: è *Greensleeves*.»

«*Greensleeves*?»

Mi misi a fischiettarla per fargliela sentire ma smisi subito quando si scambiarono quel lungo sguardo che significa che non fischio bene.

«Odell, ascolta. Il tuo amico Jim avrebbe bisogno di apparecchiature incredibilmente sofisticate per sfuggire ai nostri scanner. Non c'è stata nessuna conversazione su sua figlia perché non ce l'abbiamo registrata. Quest'uomo non esiste, per cui passiamo oltre.»

«Lui ce l'ha delle apparecchiature incredibili altrimenti come avrebbe potuto sapere che suoneria ho sul cellulare?»

«Dovrebbe trattarsi di roba parecchio nuova» fa Deedle, «e noi conosciamo praticamente tutto quello che è in circolazione, tutti i gadget. Odell, noi inventiamo gran parte delle cose più nuove e migliori, e quello che stai descrivendo sembra uscito da 007. Non ci parlare di attrezzature, perché le conosciamo tutte.»

«Voi quindi inventate quella roba?»

«Non noi direttamente, la Sicurezza nazionale, sono loro i topi da laboratorio che se ne escono con tutti quei nasi e occhi digitali, i filtri e i radar di precisione. Nulla sfugge alle loro apparecchiature, per cui non cercare di fregarci e farci credere che qualcuno ci riesce. Basta con le stronzate.»

«Non stavo dicendo stronzate.»

«Ma certo che sì» mi fa Kraus. «Basta con le favolette, Odell. Ti stai tenendo qualcosa per te e vogliamo sapere cos'è. Nessuno entra nella vita di un terrorista con un problema all'auto e diventa suo amico così all'istante che viene coinvolto nella gestione degli affari mentre il terrorista se ne va chissà dove con i suoi compagni di cellula per complottare contro un membro eminente del governo degli Stati Uniti. Nel mondo reale queste cose non succedono, Odell, per cui comincia a raccontarci la storia vera. Sei in un mare di merda, figlio mio, solo non mi pare tu te ne renda conto.»

«No.»

Mi guardarono come la giuria di un concorso per cani, solo che il cane si è messo a pisciargli sulle scarpe per cui non ha più nessuna possibilità di vincere un fiocco blu. La verità è che ero molto arrabbiato perché non mi credevano anche se non gli avevo ancora raccontato una sola bugia una. E non sono l'unica persona nei guai: Lorraine è stata scoperta a spacciare droga, il che metterà fine alla sua carriera come guardia carceraria. Cole Connors, di lui non mi importava, e nemmeno di Donnie D, lo sapevano quello che facevano, ma adesso Lorraine mi odierà a morte. E però tanto di me non gliene doveva fregare molto visto che per tutto il tempo si era trombata Cole…

Questa cosa mi rese molto triste. Mi ero lasciato andare per la persona sbagliata. Di nuovo. Perché sono così? E adesso tutti sapranno che mi comporto da idiota e quanto sono stato stupido in tutta questa vicenda. Un orecchio gigante ha ascoltato ogni singola scemenza che ho detto, ha praticamente ascoltato il mio cervello mentre pensava, per cui ormai l'unico segreto che mi rimane è quello su Dean che è morto e dov'è seppellito, il che è un'altra grande preoccupazione in cima alla pila. Se sono stato sparato fuori dalla casa fino ai pioppi, significa che ci saranno stati sbirri e soccorritori in giro fra quegli alberi, proprio dove avevo nascosto Dean. Ma parliamo ormai di due giorni fa, e Kraus e Deedle non danno a vedere di sapere dov'è Dean, per cui forse nessuno ha notato quella terra fresca smottata fin giù al greto del fiumiciattolo. Per cui ho ancora quest'asso nella manica.

A Kraus squillò il telefono in tasca. Ha una suoneria molto ordinaria. Lo tira fuori e ascolta, poi lo spegne e fa a Deedle «Scendi all'entrata, fax in arrivo per noi. Riservato».

«Chiaro.»

Deedle si alzò e uscì dalla stanza. Kraus mi fa «Odell, sto aspettando».

«Anch'io aspetto, tornerà subito.»

«Sto aspettando che tu mi dica quello che voglio sentire.»

«Be', mi chiedo cosa possa essere. E comunque, non mi credereste se ve lo dicessi, per cui che senso ha parlare?»

«Non è l'atteggiamento giusto, Odell. Questo atteggiamento ti farà solo precipitare nella cacca ancora più a fondo. Stai finendoli in fretta gli amici. Io e l'agente Deedle eravamo venuti preparati a esserti amici, ma ci hai trattato come nemici, ci hai detto cose non vere e ci hai costretti a pensare che stai nascondendo di proposito informazioni importanti. Questa cosa in cui sei rimasto coinvolto è una cosa seria. Ora, guarda, posso capire che sei finito dalla parte di questa gente perché ti sei innamorato di Lorraine, ma davanti alla Legge non è una scusa. Non mi sembri il tipo che commette reati, Odell, per cui sono pronto a darti il beneficio del dubbio, ma devi darci in cambio qualcosa che possiamo usare. Puoi?»

Be', volevo farlo, ma allora avrei dovuto confessare un reato, cosa che ero pronto a fare domenica scorsa perché Chet mi aveva fatto sentire in colpa perché non ero un buon cristiano, per cui avevo scritto quella lettera per Condi, solo che adesso non voglio che nessuno lo sappia per cui meno male che non ho spedito la lettera perché adesso vedo tutto in un'altra maniera. Forse era ancora in mezzo al casino per terra nella cabina del furgone ed è stata fatta a pezzettini come il telefono, per cui sono al sicuro fintanto che tengo chiusa la bocca. Aggiungere assassinio e occultamento di cadavere al coinvolgimento in traffico di droga non migliorerebbe la mia situazione, a occhio e croce. E a proposito, come mai l'agente Jim Ricker mi ha raccontato delle bugie?

«Allora, hai qualcosa da dirmi?» domanda Kraus.

Non avevo niente di niente, allora incrociai le braccia sul petto, che mi fece male alla mano fasciata ma l'ho tenuta lì così capiva che non avevo proprio niente da dargli come risposta. E le cose rimasero ferme lì finché non tornò l'agente Deedle con un foglio di carta che mostrò a Kraus, che lo legge due volte poi alza gli occhi su di me e sono occhi affilati.

«Odell, sei mica il tipo a cui piace scrivere lettere?»

«No.»

«È che ho qui una lettera firmata a tuo nome.»

«Be', mi pare impossibile.»

Me la mostrò. Era una copia via fax della lettera per Condi.

«Non l'ho scritta io.»

«Non l'hai ancora letta.»

Feci finta di leggerla e gliela resi.

«Non l'ho scritta io.»

«Un grafologo lo scoprirà confrontandolo con un campione della tua scrittura.»

Porsi la mia mano fasciata. «Ho un problema.»

«Guarirà. Non vai da nessuna parte, Odell.»

«E perché scriverei una lettera del genere per Condoleezza Rice in cui dico che ho ucciso qualcuno? Dovrei essere proprio matto per farlo.»

«Già. Ti aspettavi una lettera di risposta a giro di posta?»

«No.»

«Magari questo mese stesso?»

«Non mi aspettavo nessun genere di risposta perché non l'ho scritta io.»

Kraus mi fece la faccia che era deluso da quello che gli stavo dicendo. «Odell, quando ti hanno estratto dalle macerie i tuoi vestiti sono stati tagliati all'ospedale per quanto erano sbrindellati e sudici, e abbiamo dato una sbirciata al tuo portafogli, è il nostro lavoro, e indovina cosa abbiamo trovato? Be', non ti serve indovinare, già lo sai. Una foto di Condoleezza Rice. Ora, è una cosa parecchio insolita da portare con sé, che dici? Che interesse nutri per il segretario di Stato, Odell? È mica l'obiettivo di un qualche complotto con assassinio, o magari è l'oggetto del tuo amore, quale delle due?»

«Non so come c'è finita. Magari ce l'avete messa voi.»

«Ci stai accusando di fabbricare prove contro di te?»

Non dissi niente. Kraus mise il fax nella tasca della giacca poi fa «Una squadra di medicina legale è ancora all'opera a casa Lowry. Gli faremo svuotare quella cosiddetta tomba vuota un'altra volta. Sarebbe da furbi, ficcarlo in una buca già aperta due volte con un video che mostra che è vuota. Forse sei più furbo di quel che sembri, Odell».

«No, non lo sono.»

Si alzarono tutti e due. Kraus mi fa «Pensaci un po' su. Pensaci a fondo e potresti vedere qual è la cosa più sicura da fare per te. Non è più solamente droga, Odell, adesso è omicidio, anche se la vittima era un terrorista».

Gli chiesi «Da dove viene quella lettera?»

«Ufficio centrale, Washington.»

«No, voglio dire come l'hanno avuta.»

«Sarebbero informazioni riservate. Ammetti di averla scritta e forse posso darti qualche elemento. Giusto per aiutarti a pensare nel verso giusto. Io questo ti posso dire: l'informatore che l'ha consegnata dice di averla presa dall'interno di un furgone Dodge con i tosaerba nella cabina di dietro. È a caccia dei soldi della ricompensa per Lowry. Pensaci a fondo, Odell.»

Poi se ne andarono. Le cose non sembravano mettersi bene per il vostro affezionatissimo, devo ammetterlo. E allora come mai le persone che hanno rubato il furgone e messo la bomba adesso cercano di farsi dare la ricompensa per la lettera? Non sarebbe come ammettere che l'esplosione è colpa loro, non si metterebbero nei guai da soli? Da quando mi sono svegliato con la testa e la mano doloranti, è già successo un bel casino.

Poi torna l'infermiera e mi chiede se c'è niente di cui ho bisogno. Be', un elicottero non sarebbe male, solo che non so farlo volare, per cui chiedo una limonata. Dice che non ce l'hanno ma mi può portare del succo di mela, che non mi piace ma non volevo offenderla dicendoglielo.

Di solito nei film il tizio che è all'ospedale e vuole scappare si alza va all'armadio si infila i vestiti ed esce, per cui ci provai. Solo che nell'armadio non c'erano vestiti, erano troppo incasinati per conservarli dopo essere finiti in mezzo all'esplosione, e quando arrivai alla porta con la mia gonnella da ospedale aperta dietro c'era uno sbirro seduto su una sedia proprio accanto alla porta. «Scordatelo» mi fa, allora me ne tornai a letto e bevvi il mio succo quando me lo portarono. Anche fosse stata spremuta di sole avrebbe avuto un sapore di piscio, per la situazione in cui ero.

Dopodichè mi sa che ho dormito per un po'. Penserete che aver dormito per tutto martedì sarebbe stato abbastanza e invece no. Poi venni svegliato dalla porta che si apriva e chiudeva, ed ecco che entra Lorraine e si viene a sedere accanto a me e pare un sacco preoccupata per la mia salute.

«Senti» mi fa, «non fare lo stronzo egoista. Diglielo.»

Be', non era quello che mi volevo sentir dire da lei, e mi fece incavolare un po' per così dire. Ha uno sguardo che mi fulmina come fossi uno che le ha fatto del male, e non gliene ho mai fatto, non ho fatto niente.

«Be'?»

«Eh?»

«Odell, sono in un casino enorme. Hanno messo le cimici al mio telefono e hanno beccato me e Cole che discutevamo esplicitamente dell'operazione e...»

«Ti eri fatta un'operazione?»

Mi ha fatto del male ma ci tenevo ancora a lei, quant'ero stupido, eh?

Lorraine strabuzzò gli occhi e disse «L'operazione con la droga. Me l'hanno fatta riascoltare e adesso io e Cole siamo fritti. Quella cimice al telefono non ce l'avrebbero messa se tu non avessi fatto quello che hai fatto, Odell. Sei in debito con me».

«Che ho fatto?»

«Gesù... ok, senti, mi hanno appena mostrato questa lettera che hai scritto per quella donna, quella Condi Rice, dove dici che hai ucciso Dean e l'hai seppellito in giardino. È vero?»

«No.»

Avevo preso la decisione sul momento. Da ora in poi negherò ogni cosa finché non trovo un avvocato. Di natura non sono bugiardo ma mi trovo fra l'incudine e il mortaio.

«Odell, mi hanno mostrato la lettera. Dice che sei stato tu.»

«È un falso, l'hanno fatto per intrappolarmi.»

Si contorse un poco sulla sedia, poi mi fa «Ascoltami bene, brutto idiota, io e Cole ci aspetta parecchia galera per colpa tua. Gli agenti, quelli mi hanno detto in via confidenziale che possono aiutarci se gli diamo quello che cercano, ossia i terroristi, io e Cole per loro siamo pesci piccoli. Dicono che tu sai qualcosa, e allora perché non glielo dici così poi sono clementi con me e Cole. Non vuoi che finiamo in prigione, no?»

«Non so nulla. E non ho fatto nulla.»

«Oh Gesù, Odell, non riesci a pensare agli altri per una volta nella vita? Pensa a cosa ho fatto per te, ti ho offerto un posto fisso con una marea di vantaggi, ti ho lasciato i soldi del giardinaggio e hai pure dormito a casa mia… che non esiste nemmeno più! Che cosa hai fatto per far venire voglia a qualcuno di farti saltare in aria a quel modo?»

«Non lo so…»

«Col cavolo che non lo sai! Stai nascondendo qualcosa, Odell. Hai messo in piedi questa sceneggiata del finto tonto ma ormai ho capito. Troppo tardi l'ho capito, quest'altro lato di te, la pista terrorista. Devi raccontargli quello che vogliono sapere, Odell. Stanno scavando nella buca là fuori, dove hai seppellito Dean, quando lo scoprono vedranno che è vero che l'hai ucciso… Per che cazzo di motivo l'hai scritto in una lettera? Non sei scemo, questo ormai l'ho capito, allora dimmi perché l'hai fatto, Odell. Cosa stai complottando?»

Mentre mi urlava addosso mi accadde una cosa triste. Sentii che il mio affetto per Lorraine evaporava da dentro di me come acqua da uno scaldabagno che perde, tutti quei sentimenti delicati su amore e matrimonio si dileguavano in sbuffi di vapore. Non riesco a impedirlo, non riesco a tappare la perdita, non può che evaporare ora che so la verità su lei e Cole. Mi ci è voluto un attimo, meno di un minuto perché tutto quel vapore d'amore si perdesse nell'aria fredda, rimpiazzato da aria qualunque. Quel vapore mi aveva fatto stare bene per una settimana, e sentirlo volare via come una scoreggia silenziosa mi lasciò vuoto e solo, una sensazione bruttissima.

«Allora? Dì qualcosa.»

«Non so niente e non ho fatto niente.»

«Egoista» mi fa, guardandomi con gli occhi stretti stretti. «Egoista e crudele e incredibilmente malvagio lasciare che due che ti hanno offerto la loro amicizia e un posto di lavoro e per questo sono stati puniti, lasciarci nella merda in questo modo... Cristo, Odell, racconta ai federali quello che vogliono sapere e saranno molto più clementi con noi... Non capisci cosa ci stai facendo, Odell?»

«Ci penserò» risposi. Che altro potevo dire? Non mi amava e non mi aveva mai amato, era tutta una cosa mia mentale come dice il detto, e aveva portato un po' di felicità nel mio cervello ma adesso era cambiato tutto. La mia mente è un luogo freddo adesso ci sono i fiocchi di neve e i ghiaccioli. Gli potevo dire il vero luogo dov'era sepolto Dean e fare un favore a Lorraine anche se per me poi aumentavano i casini, il fatto è che volevo punirla un po' per avermi fatto innamorare così tanto, la freccia di Cupido, senza che il mio sentimento fosse corrisposto neanche un po', come adesso capivo.

«Ci penserai? Meglio che fai qualcosa di più che pensarci, Odell.»

«Devo uscire di qui.»

«Non se ne parla..»

«Devi farmi uscire.»

«Sì, e come?»

«Non lo so. Tu fammi uscire e io metterò nero su bianco dove è sepolto Dean.»

Questo la mise a tacere. Mi guarda un momento poi mi fa, «Allora è davvero morto.»

«Non ti rispondo senza prima un avvocato che mi dice che posso»

«Tu... tu non sei una persona normale.»

«Invece sì.»

«Nessuna persona normale si rifiuterebbe di dire a una donna se suo fratello è morto o no.»

Devo dire che non aveva torto su questo punto anche se ormai non mi importava più di lei, allora le dissi, come una specie di indovinello per darle spago, le dissi «Non è morto soffocato sotto terra».

«Vuoi dire che era già morto.»

«Su questo ho la bocca cucita. È stato un incidente ma mi dispiace un sacco.»

«Scusa ma non mi basta, Odell. Che gli racconto?»

«Raccontagli... ci sto pensando. Nel frattempo, voglio che mi tiri fuori di qui.»

«Ma è ridicolo. C'è un poliziotto armato appena fuori dalla porta e questi tizi dell'FBI si sono accampati qua dentro come fosse il loro ufficio. Io e Cole siamo tutti e due al chiodo per spaccio di droga in un penitenziario statale. Ci aspettano tempi duri, Odell, ed è tutta colpa tua che hai detto al mondo che Dean era un terrorista! Se avessi tenuto chiusa quella bocca su Dean terrorista e su Bree ritrovata nel freezer non sarebbe successo niente di tutto questo, lui sarebbe solo l'ennesima persona dispersa come centinaia e centinaia di altri che ogni anno si danno alla macchia. Ma per colpa tua adesso siamo tutti sotto i riflettori. Che cazzo, Odell... fa' la cosa giusta...»

Lorraine adesso era proprio fuori di sé, lacrime e tutto, mica fingeva. Il che mi fece sentire in colpa un'altra volta e volevo dirle la verità per farla sapere a Kraus e Deedle, solo che mi stavo tenendo tutto per me, come dicono sempre che faccio, per cui quella cosa che dicono di me è vera.

«Lorraine?»

«Che c'è!»

«Non mi urlare, dai.»

«Che ci posso fare, Odell, mi fai uscire di testa.»

«Mi dispiace. Lo guardi CSI?»

«Che c'entra CSI adesso?»

«Lo guardi?»

«Sì, non ogni settimana, perché?»

«Be', senti, è vero quello che fanno, che esaminano i morti e scoprono cose, tipo com'è andata? Quella parte è vera?»

«Credo di sì. Dove vai a parare?»

«Sto pensando, se portassero la squadra di CSI a esaminare Dean, per dire, e non dico proprio Dean, dico in generale uno che è morto, se portano la squadra per esaminarlo, la scoprono la verità precisa di come è morto quello?»

«È probabile. È quello che vuoi, Odell, far esaminare Dean? L'hai ucciso tu, Odell? Se l'hai fatto ti perdono, se l'è cercata per tutta la vita... solo che adesso è importante che dici cosa è successo in modo da levare dagli impicci gli altri. Non ci sei solo tu, Odell, sono coinvolte altre persone. Vuoi che dico agli agenti di portare una squadra CSI per scoprire cosa è successo a Dean?»

«Se quello era Dean, perché non ho detto che era sicuramente lui.»

«È quello che vuoi, Odell?»

«Io... sì.»

Ok, l'avevo fatto, avevo detto quello che avevo paura a dire. Ma la squadra di CSI sarebbe riuscita a capire che non lo avevo colpito duro con la mazza da baseball e che era per sbaglio che era morto così. L'avrebbero visto grazie a quegli esami speciali che fanno loro e magari così mi davano omicidio colposo invece che omicidio volontario, è quello che spero, in più era la mia prima volta e mi ci sento un sacco male e ho raccontato la verità alla fine per cui forse non ci andranno pesante come pensavo, pena di morte eccetera per omicidio premeditato, che è il peggio del peggio. Per cui ora spero che mi diano qualcosa di meno pesante ed è un bel peso in meno che mi levo dalle spalle.

«Glielo dirò, Odell, ma loro vorranno sapere dov'è Dean. Stai dicendo che non è nella buca in cortile come hai scritto?»

«È giù ai pioppi in un piccolo fiumiciattolo secco dove il flusso dell'acqua ha mezzo aperto il fondo. È là sotto, ci troveranno la terra fresca che ho portato per coprirlo.»

«Mi guardò a lungo con quella sua espressione che so la parola per definire, tipo che non riesce a credermi o mi odia, non riesco proprio e definirla. Poi molto lentamente mi fa, «Quando è successo?»

«Lunedì notte. È sceso di sotto e mi dice che gli pare di aver sentito intrusi, e mi sussurra nell'orecchio...»

«Lo so, me l'hai già detto che ti ha sussurrato. Ma poi che è successo?»

«Be', in mano aveva questo fucile... e io avevo già visto la fossa sul retro della casa e pensavo di essere io l'obiettivo... e quando ho visto quel fucile ho pensato tipo... è venuto per uccidermi. Che però non mi avrebbe svegliato sussurrando se voleva uccidermi, mi avrebbe sparato che dormivo... ma non ho avuto tempo per riflettere e tipo... l'ho colpito con la mazza per salvarmi la vita, tipo.»

«Con una mazza? Una mazza da baseball?»

«A-ah, ce l'avevo accanto per difesa. A causa che avevo visto quel buco.»

Si guarda le mani, non parlava più, poi si alza e mi guarda un'altra volta con l'espressione più strana del mondo. Mi dico adesso è il momento in cui mi dice Ok, che io non intendevo fare quello che ho fatto e che lei adesso capisce che è andata proprio come le ho detto e che lei tutta questa storia ormai l'ha accettata. Invece mi fa «Brutto idiota testa di cazzo di un imbecille. Spero che ti friggano sulla sedia elettrica per tutto il male che hai fatto». Poi se ne esce, lasciandomi molto confuso per le sue parole, soprattutto l'ultima parte.

Di lì a poco tornano Kraus e Deedle con un piccolo computer portatile. Mi dicono di raccontare un'altra volta come avevo ucciso Dean per sbaglio e dove è sepolto eccetera. Deedle batteva sulla tastiera la mia storia mentre gliela raccontavo, era velocissimo con quelle dita, poi dal computer se ne viene fuori un piccolo rotolo di carta e Kraus mi passa una penna per firmarlo in fondo, e lo faccio. Poi mi fa «Hai fatto la cosa giusta a confessare tutto quanto, Odell».

«Lo so. Adesso mi sento meglio.»

«Bene. Abbiamo detto alla scientifica di andare a controllare fra i pioppi. Già un'ora fa avevano visto che la buca in cortile era vuota.»

«Avete chiamato già la squadra CSI? Se guardano il teschio di Dean capiranno che non l'ho colpito forte. Credo che forse Dean aveva uno di quei crani sottili di cui si dice in giro, che si rompono facilmente.»

«Stanno arrivando.»

«Ma non sarà la squadra della tv, vero? Sarà qualcun altro.»

«Esatto, Odell, non sarà la squadra della tv. Quelli oggi sono già occupati con altri crimini.»

«Be', non mi aspettavo che venissero proprio loro. Mh, potete dire tipo all'infermiera che ho un sacco fame?»

«Certo. Riprenditi.»

«Uscirono. Dopo aver confessato e cantato tutto mi sentivo meglio, in più come detto avevo un sacco fame. E la mia testa e la mia mano non facevano più troppo male, che è un segno che la confessione fa bene al corpo quanto all'anima. Dopo un po' arrivò l'infermiera, mi chiede cosa mi va di mangiare, che glielo ho detto che mi andava un Whopper, ma non ce li hanno quelli sul menù ma vedrà cosa può fare. Poi più tardi se ne torna con del cibo su un vassoio, cibo buono e caldo come piace a me, manzo e patate e mais. Mangiai tutto e sperai in un bis, ma quando tornò a prendere il vassoio mi disse che dovevo aspettare per il pasto serale regolare, che era fra due ore per cui dovevo solo aver pazienza. Le dissi che ce l'avrei avuta e lei se ne andò. Poi mi toccò usare il bagno che è una stanzetta in cui si entra dalla mia stanza, un bagno speciale apposta per me, non in fondo al corridoio, il che significa che mi hanno dato una stanza privata e la cosa mi fa piacere.

Poi Kraus e Deedle tornano qui e stavolta non sembravano contenti. Kraus mi fa, «Odell, confermi la dichiarazione che ci hai rilasciato poco fa?»

«A-ah?»

«Sicuro? Pensaci bene.»

«Sono sicuro.»

«Perché abbiamo guardato dove ci hai detto, nel fiumiciattolo secco proprio dietro ai pioppi. E non c'è.»

«Eh?»

«Dean non è là, Odell.»

«Ma... io lì l'ho messo...»

«Be', se non è lì, allora che cosa puoi dire in tua difesa?»

«Io...»

Non c'era niente da dire. Era come se il letto su cui stavo era scomparso e io precipitavo nel vuoto. Dean non c'era? Com'è possibile?

«Ci hai delusi, Odell. Pensavamo di aver fatto dei passi avanti con te, ma adesso ci rendiamo conto che è tutta una perdita di tempo. Sei contento che ci hai fatto scavare in un secondo luogo che era vuoto quanto il primo? Cos'è per te, Odell, una specie di gioco da psicopatico? Perché noi non ci stiamo divertendo.»

«Io... è lì che l'ho messo, giuro! Deve essere venuto qualcuno a portarlo via...»

«Ah sì? E chi?»

Ci pensai seriamente. Mi venne in mente un nome solo.

«L'agente Jim Ricker» dissi, ma non sembrarono credermi.

quindici

Ora, potete immaginare che razza di confusione avevo dentro quando scese la notte. Quando arrivò il pasto serale non lo toccai, ecco quanto ero sconvolto da questa sorpresa pazzesca di Dean che non c'era. Come poteva esser successo? Guardai la cosa da ogni punto di vista e non riuscivo a trovare una risposta. La testa tornò a farmi male per quanto ero sconvolto, e l'infermiera mi portò una cosa per il dolore, un bicchierino con dentro un liquido schifoso ma lo bevvi lo stesso.

Nella stanza c'era una tv per cui guardai il tg ed ecco la casa, rasa al suolo dal furgone bomba, per cui è proprio un miracolo se sono vivo. C'era questa telecamera dall'elicottero che mostrava la cosa dall'alto e il cratere nel vialetto sembrava tipo che un meteorite era caduto sulla Terra per quanto era enorme. Il vialetto praticamente non c'era più, c'era solo un buco gigante che partiva dalla strada fino a dove prima c'era la casa, ma è stata spazzata via come se un tornado passando se la fosse ingoiata, ogni asse e ogni tegola, e poi l'aveva risputata dappertutto. Era una bella casetta e non si meritava una cosa del genere. Anche il granaio è andato distrutto, la mia Monte Carlo se ne sta sul dorso come uno scarafaggio stecchito e le ruote per aria.

Per cui ho Tre Grandi Domande. Chi ha trasformato il furgone in una bomba e perché? Chi è Jim Ricker e perché non fa un passo avanti e spiega a tutti chi è? E chi diavolo si è preso il corpo di Dean? Più altre domande non troppo grosse come per esempio chi è che ha trovato la lettera nel furgone e l'ha consegnata per prendersi i soldi della ricompensa? E perché Lorraine non mi ha detto della sua grande storia d'amore con Cole Connors? E per cosa litigano Lorraine e il commissario Webb che lunedì sera si sono messi a urlare via telefono uno contro l'altra? Non avevo la risposta a una sola di queste domande, e gli analgesici che ho preso non mi permettono di pensare a niente come si deve per cui magari potrei trovare almeno i fatti per spiegare anche solo una piccola parte di tutto questo. Una cosa la sapevo per certo: ero nella cacca fino al collo, come dice il detto.

Tenni accesa la tv, non seguivo nessun programma di preciso, mi sentivo troppo strano e confuso. A un certo punto andando in bagno infilai la porta sbagliata e c'era un altro sbirro in corridoio che sonnecchiava su una sedia. Pensai di sgattaiolare via visto che aveva gli occhi chiusi ma c'era ancora il problema di non avere né soldi né vestiti né una macchina per fuggire via, allora chiusi la porta e stavolta presi la porta giusta, ed ero molto triste per tutto quanto e non sapevo cosa fare, non avevo idea.

Poi mi addormentai ma fui svegliato da qualcuno entrato in stanza. Mi si aprirono gli occhi ed ecco un'infermiera ferma in piedi accanto a una sedia a rotelle.

«Alzati» mi fa, poi la voce la tradisce anche se c'è la luce bassa. È Lorraine, solo che non capisco, com'è che è in uniforme da infermiera? «Svegliati, Odell, non abbiamo molto tempo.»

Non sapevo cosa dire o fare per cui lei mi fa «Porco cazzo vuoi alzarti per favore da quel letto?».

Be', non dovevo preoccuparmene visto che lo sbirro fuori la porta era Larry Dayton che pensavo che a quest'ora l'avevano licenziato perché aveva copiato la cassetta dell'interrogatorio e anche perché aveva venduto il dvd dell'Okeydokey a Fox News per cui pensavo a questo punto doveva essere in casini seri. E invece eccolo qua, che mi faceva l'occhiolino mentre Lorraine gli arrancava accanto e se ne fuggiva per il corridoio, per cui questa in corso è una cospirazione per farmi scappare dall'FBI e sono coinvolte due persone mica una sola, il che ci può stare visto il thrilleraccio alla *Mission Impossible* in cui ci stiamo trasformando. Mi fece correre fino agli ascensori e schiacciò il pulsante. In giro non c'era nessuno dunque era notte tardi, e l'ascensore quando si aprono le porte con un sibilo è vuoto, come se tutto fosse stato organizzato in modo speciale dal Fato in persona così il piano va in porto. Entrammo, Lorraine spinse il tasto piano terra. Le porte si chiudono con un fruscio e cominciamo a scendere.

«Lorraine...»

Parlavo a fatica avevo il corpo rallentato dalle medicine.

«Non parlare e ascoltami. Faccio tutto questo per vendicarmi con Andy Webb. Voglio metterlo nei guai perché ha messo un uomo che sta per essere licenziato a guardia della tua porta, e lo voglio vedere licenziato per quello che è successo tra me e lui in passato.»

«Ah...»

«Taci. Me l'hai chiesto, e non c'è risposta: io e Andy abbiamo avuto una mezza storia credo la si possa definire così quando sei minorenne e non possono fare sesso con te, e abbiamo fatto delle foto da ubriachi e io le ho conservate tutto questo tempo per cui lui non mi può fare niente quando lo licenziano a meno che non si voglia mettere in ulteriori casini, per cui può dire addio per sempre alla sua candidatura a sceriffo, ne ho avuto abbastanza di quell'uomo e di come ha provato a rovinarmi la vita. Hai sentito bene, Odell?»

«A-ah?»

«L'agente Dayton, lui ha intenzione di vendere la sua storia a Hollywood per cui voleva partecipare alla scena e aiutarti a fuggire. Vuole che sia Ashton Kutcher a fare la sua parte, ma sarebbe un'impresa, Dayton mica è così carino. Be', comunque ci sta aiutando a fuggire. Ti hanno drogato?»

«A-ah.»

«Be', va bene uguale, nel parcheggio c'è un'altra persona che non sopporta Andy e che ti aspetta per portarti via, per cui stai seduto fermo e tra poco sarà tutto finito.»

Rallentammo, le porte si aprirono frusciando. Eravamo quasi all'entrata o almeno mi pare ma in giro non c'è nessuno, solo dei corridoi scintillanti e immacolati che le ruote di gomma fanno un suono stridulo mentre Lorraine mi spinge lontano dalla reception, mi spinge dall'altro lato verso un'uscita d'emergenza che infatti prendiamo e così sbuchiamo fuori dove l'aria ha un altro odore e le stelle risplendono alte. Lorraine mi spinge in fretta lungo un vialetto con cespugli su entrambi i lati.

Mi fa «Ti starai chiedendo perché lo faccio. La risposta è, be', che non voglio vederti pagare per colpa di un fulminato come Dean. Non so cos'è successo tra voi due, ma non voglio sapere che sono responsabile di averti mandato in carcere molto tempo solo perché eri finito nella vita di Dean come ti è capitato. Non mi ci gioco la coscienza per colpa sua. E mi dispiace averti detto quelle brutte cose prima, ero molto sconvolta. Ma nessuno deve prendersi la colpa per Dean, questo penso io, per cui una volta fuori di qui voglio che tu vada dove ti senti più sicuro, Odell. Vai da persone di cui ti puoi fidare e dove puoi restare nascosto per tanto tanto tempo, questo ti consiglio io. So che ti piaccio, e se le cose fossero andate diversamente chissà, magari io e te questo rapporto l'avremmo potuto portare da qualche parte. Ma non è scritto, non possiamo essere felici, e piangere non ha senso a questo punto. La cosa importante è che tu scappi e te ne vada dalle persone che ti dicevo, da persone di cui sai che ti puoi fidare perché sono come te e pensano come te. È da questi che uno deve andare, Odell, mi segui o sei troppo drogato?»

«Mmmmm…»

Mi spinse verso la fine del vialetto e poi per il parcheggio dove una grande automobile mi aspettava e un tipo mi aprì la porta. L'avevo già visto da qualche parte, ma non mi ricordavo dove né come si chiamava.

«Problemi?» chiede.

«Tutto liscio» fa Lorraine, e lo aiuta a tirarmi via dalla sedia a rotelle e infilarmi in macchina, poi lei fa, «Odell, ti presento il detective sergente Vine. Lo hai conosciuto quando sono venuti a prendersi Bree con l'ambulanza del medico legale, te lo ricordi?»

«A-ah.»

«Il detective sergente Vine vuole il lavoro di Andy quando l'avranno mandato via, la sua motivazione è questa.»

«A-ah.»

Era incredibile come questi tre si erano messi insieme solo per fottere Andy Webb e aiutarmi a fuggire, e il mio cuore era pieno e ricolmo di gratitudine per quanto stavano facendo, per i rischi che si prendevano a fare questa cosa per me. Dicono che un uomo non sa chi sono i suoi veri amici finché le cose non si mettono veramente male e adesso so che questa frase è vera perché questi tre si sono messi contro tutto e tutti e assumendosi grossi rischi. E ora io sono libero!

«Stammi bene» fa Lorraine e poi si allontana con la sedia a rotelle prima che io possa dirle Grazie, poi Vine si siede al volante e mette in moto. Che suono magnifico fa una macchina quando si accende e sai che funzionerà, che bella la pianificazione e poi il rischio e poi chi non dovrebbe esser tenuto sotto custodia contro la sua volontà esce dalla reclusione e si dà alla fuga nel bel mezzo della notte, verso la libertà!

«Allacciati, Odell» mi fa mentre lasciamo il parcheggio e ci immettiamo nella strada. Trovai a tastoni la cintura, la allacciai e vidi che l'orologio del cruscotto diceva 2:37 per cui hanno fatto tutto questo all'ora perfetta, quando dormono quasi tutti. Come hanno fatto a organizzarsi così bene e così in fretta? Sono ammirato da come tutto è andato liscio fino adesso, e ora cosa potrebbe andare storto?

Vine si voltò da un lato per guardarmi, poi mi passa qualcosa, tre pilloline. «Prendile, sono due pillole di caffeina e una di speed, ti sveglieranno da questa nebbia narcotica in cui sei immerso. Prendi, fa' con questa.» Mi passa una bottiglia di plastica di Gatorade per inghiottirle. Mi ficcai in bocca le pillole e le mandai giù per bene ma mi sporcai un po' il mento col Gatorade.

«Ho dei vestiti e delle scarpe da ginnastica della tua taglia sul sedile di dietro. Ti cambiamo quando arriviamo a destinazione. Funzionerà, Odell. Riuscirai a farla franca.»

«A-ah.»

«Non vedo l'ora di vedere la faccia del Vecchio Andy quando gli scoppia questo casino nel culo. È bello che finito, credimi. E voglio ringraziarti, Odell, per avermi dato la possibilità di sbarazzarmi di una persona che aveva smesso da tempo di servire a qualcosa. Il dipartimento intero ti porge un ringraziamento. Non hai idea di quanto era sceso il morale da queste parti con Webb al comando. Ma le cose cambieranno molto presto, e tu hai fatto la tua parte.»

«A-ah.»

Credo di essermi addormentato a quel punto, nonostante l'eccitazione del momento, mi risvegliai quando Vine fermò la macchina. Allungò un braccio sul sedile di dietro e mi mise in mano un mucchio di vestiti. «Levati quella sottana e mettiti questi, Odell. Ora ascoltami bene, la vedi quella macchina, la bianca piccola? Quella macchina è di un'amica di mia nipote. La lascia sempre aperta con le chiavi sotto il tappetino perché tanto le perde sempre, è una cosa molto stupida ma nel nostro caso si rivela molto utile. Quello è il veicolo con cui fuggiremo, Odell. Non ti stai levando la sottana. Devi farlo per poterti mettere i vestiti.»

Mentre cercavo di districarmi dalla sottana lui continuò, «Ti darò cinquecento dollari, Odell, come aiuto per quello che farai. L'amica di mia nipote è fuori città per una settimana con i genitori, sono sulla costa est a visitare i college in cui vorrebbe iscriversi, per cui per un po' nessuno si metterà a strillare che la macchina è sparita, hai tutto il tempo che vuoi per andare dove vuoi andare. Pensi di prendere l'interstatale, Odell?»

«Mmmmm…»

«Ti serve una mano per la camicia?»

«A-ah.»

Mi aiutò a infilare il braccio nella seconda manica. A questo punto dovevo alzare il sedere per infilare i pantaloni, e questo ci riesco, solo che era una strana sensazione portare i pantaloni senza mutande, Vine se le era dimenticate ma mi sa che non era un grosso problema. Chiusi in qualche modo la zip e allacciai le scarpe che anche loro erano senza calzini, dopodiché ero pronto. Mi dice di levarmi la fasciatura dalla testa per non dare nell'occhio, allora con il suo aiuto me la sfilai e così ero definitivamente pronto.

«I soldi li trovi nel portafogli, Odell. Non far nulla per attirare l'attenzione della legge, ok? Non superare il limite di velocità, non guidare a cazzo. Il mio consiglio è: vai da persone che ti possono aiutare a scappare ancora più lontano, ovunque esse siano. Non perdere tempo, più tempo perdi più le cose possono mettersi male, va da queste persone e le tue possibilità di salvezza aumenteranno in proporzione, va bene?» Mi tese la mano. «Buona fortuna, Odell.»

«Grazie… e ringrazia Lorraine da parte mia, per favore. Se n'è andata troppo in fretta.»

«Lo farò. Adesso va' prima che qualcuno all'ospedale si accorga che sei scappato.»

Scesi dalla macchina e raggiunsi la piccola Honda bianca dall'altra parte della strada, aprii la porta, aveva ragione lui, la proprietaria, la ragazza, non gliene fregava niente. Tornai alla macchina di Vine. «Dove hai detto che si trovano le chiavi?»

«Sotto il tappetino del posto del guidatore, Odell. In bocca al lupo.»

Tornai alla macchina e aveva ragione, le chiavi sono proprio dove mi ha detto. Mi piegai tutto per riuscire a entrare, poi infilai a tentoni la chiave nel quadro. Il motore si accese con un bel suono continuo. Misi in marcia e partii. La lancetta diceva che il serbatoio era pieno di benzina, buona cosa, non dovrò fermarmi subito e posso correre e correre senza sosta come il coniglietto delle pile Energizer. Solo però, dove?

Dove dovrei andare? Il primo posto che mi venne in mente fu Yoder, Wyoming, ma poi che facevo? Il mio vecchio, lui mi avrebbe detto di costituirmi, ne ero sicuro, per cui non esiste che ci andavo, e comunque non volevo vederlo né sentirlo, per cui il primo piano è cestinato. Nemmeno sapevo da che parte di Callisto mi trovavo, figuriamoci se sapevo dove diavolo dovevo andare. Poi vidi un segnale stradale che diceva che da qui si prendeva la interstatale 70 per cui presi quella direzione e dopo un po' mi trovai fuori dalla città e infine sull'interstatale direzione ovest. Come mai ovest e non est? È solo che porta verso luoghi che conosco. Callisto è il posto più a est in cui sono mai stato. Manhattan è ancora più a est ma non credo di poter tornare al mio vecchio piano di arruolarmi nell'Esercito lì a Manhattan, non con la mia faccia di nuovo al telegiornale questa volta come ricercato quando scoprono che sono fuggito.

Il mio cervello si stava lentamente risvegliando grazie alle pillole che mi aveva dato Vine, era tutto un ronzio mentre prima volevo solo dormire, e mentre guidavo a centoventi all'ora fissi mi misi a pensare a come Lorraine e il detective sergente Vine si erano messi insieme per salvarmi il culo. Pensai ai diversi motivi per cui avevano detto che lo facevano, be', ok, Lorraine aveva parlato dei motivi di Larry Dayton per lo più, ma quello che aveva detto aveva senso, grossomodo, e Vine con questa cosa sarebbe riuscito a far suo il posto di Andy Webb una volta licenziato Andy, per via della mia fuga sotto il naso di uno dei suoi uomini peraltro già inguaiato di suo, per cui ecco spiegato il motivo di Vine. Poi mi misi a pensare ai sentimenti di Lorraine verso di me, che in ospedale oscillavano parecchio, e mi chiesi pure come avesse fatto a mettersi in contatto con gli altri due per mettere in piedi il piano di fuga. Non devono averci messo molto, cinque o sei ore forse. E come aveva fatto Lorraine a intuire che i due sarebbero stati con lei? Era stato un rischio avvicinare due sbirri e chiedere se per caso non avevano voglia di aiutarla a far sfuggire alla custodia cautelare un sospetto di reato federale.

La domanda su come fosse riuscita a combinare tutto ciò in così poco tempo mi rigirò in testa come un gatto che si morde la coda. Provai a pensare ad altre cose, tipo dove dovevo andare, ma quella domanda continuava a vorticarmi in mente, non se ne andava punto. Mi venne sete ma purtroppo non avevo più la bottiglia di Gatorade, l'avevo lasciata nella macchina di Vine. Lui era stato prontissimo ad aiutarmi nella fuga, i vestiti e le pillole per svegliarmi e la macchina dell'amica di sua nipote con le chiavi proprio là sotto e la portiera aperta. E l'ospedale era praticamente deserto, era troppo deserto perfino per un ospedale di notte, non c'era un'anima in giro per impedire a Lorraine di portarmi via sulla sedia a rotelle. E poi come l'aveva trovata l'uniforme da infermiera? Ora che ci pensavo, il nostro colpo riuscito era andato liscio come un film alla tv, quando nulla si mette di traverso a scombinare le avventure.

Come una serie tv. Una serie tv, è così che era andata. Una serie tv con una sceneggiatura già scritta e stampata, e poi la provano e la realizzano con le telecamere in azione. La mia fuga era stata una puntata di una serie tv. Mi misi a sudare di brutto, non riuscivo a impedire che il cuore mi facesse *budumbu-*

dumbudum allo stesso modo di quel pensiero che mi aveva mulinato in testa all'infinito finché il ragno non aveva catturato la mosca e ora ci girava intorno per vedere che odore aveva. E odorava di merda, perché mi avevano preso per il culo, me ne rendevo finalmente conto. Quei tre, Lorraine Larry e Vine, si erano messi insieme, e avevano scritto un copione per fregarmi. O è più probabile che l'idea fosse venuta a Kraus e Deedle, che poi avevano convinto Lorraine per prima perché sanno che ho questi sentimenti teneri per lei, o almeno ce li avevo, e lei magari gli aveva detto che il modo migliore di ingannarmi era approfittare che mi sta antipatico Andy Webb, che molto probabilmente è stato coinvolto nel piano subito dopo Lorraine ed è stato Andy a portar dentro Larry Dayton perché Larry mi aveva detto di essere in un grosso casino per quello che aveva fatto... e poi avevano coinvolto Vine con la sua storia falsa che voleva prendere il posto di Andy quando lo licenziavano per avermi lasciato scappare... E non c'è la più piccola traccia di verità in tutta la cosa, è solo un copione per la tv scritto da loro e l'avevano messa a punto risolvendo tutti i punti che non tornavano fino a quando gli era venuta una storia liscia liscia da tv, e poi me l'avevano rifilata mentre ero stonato dagli analgesici per cui non potevo rendermi conto di che pagliacciata stavano facendo. Come potevano pensare che una volta recuperate le facoltà mentali non me ne sarei reso conto? Che pensavano, che ero stupido?

Be', ecco che cosa aveva tenuto insieme tutti i pezzi, la cosa che a nessuno piace ammettere quando gli si chiede cosa pensano di lui. Pensavano che ero stupido, tutti, nessuno escluso. Pensavano che fossi così incredibilmente stupido, cazzo, che gli bastava mettere in piedi una stronzata di copione da serie tv per farmi scappare dalla custodia in ospedale tipo *Mission Impossible* e infilarmi in una macchina di cui nessuno sentirà la mancanza per una settimana e col serbatoio pieno... e non dimentichiamoci di come Lorraine e Vine mi hanno detto entrambi e più di una volta di cercarmi degli amici da cui stare sicuro così tutto va alla perfezione... che non era mica per farmi fuggire, era solo per seguirmi e scoprire dove si nascondono i miei amici terroristi, probabilmente con Dean a capo della baracca... perché come fanno a credere che Dean è morto se io gli ho detto che era sepolto in due posti diversi e invece non è in nessuno dei due, avranno pensato che è tutto un bluff da parte mia per guadagnare tempo per programmare la mia fuga... ma loro sanno che non sono abbastanza intelligente da scappare da solo per cui si sono messi insieme per congegnare un piano e aiutarmi, sapevano che sono troppo stupido per accorgermi che era tutto preparato come un programma televisivo...

E invece me n'ero accorto. E ora, siete liberi di non credermi, mi misi a piangere per quanto pensavano che ero stupido. È difficile ammettere che si piange, ma è proprio quello che feci, mi misi a piangere perché tutta quella gente mi riteneva così stupido. E il peggio era che dovevo ammettere che avevano ragione, io sono stupido. Sono un grosso scemo stupido idiota, ecco cosa sono, perché avevo coperto a quel modo che avevo ucciso Dean per sbaglio, e poi perché avevo finto di essere lui, e poi perché ero stato risucchiato in quella storia di droga di Lorraine solo perché lei mi piaceva e pensavo che forse pure io le piacevo, e questa tra tutte ora capisco che è stata la cosa più stupida che ho pensato, mi aveva sempre trattato come uno scemo... e poi per aver scritto quella stupida lettera per Condi Rice, e per aver permesso che – chiunque fosse stato – mi rubassero il furgone e ci facessero una bomba... e come ultima cosa, per essere stato così stupido da non capire che il modo in cui mi avevano fatto fuggire era come quando metti un topo in un labirinto e lo guardi dall'alto mentre scodinzola da una parte e dall'altra, lungo un corridoio striminzito e poi giù per un altro in cerca di formaggio, ossia la cellula terroristica a cui credono che appartengo.

Mi guardavano dall'alto. Devono aver messo nella macchina

una cimice per le intercettazioni e mi seguono sulla I-70 con un'auto dell'FBI con un piccolo schermo che fa *blipblipblip* seguendo il puntino luminoso. O forse mi seguono dall'alto con un elicottero. O ancora più dall'alto mi scovano i satelliti spia come mi aveva detto Jim Ricker per scherzo. O invece magari Jim Ricker è il vero terrorista della situazione e io non lo so solo perché sono un grosso stupido idiota che avrebbe dovuto proseguire senza restare un minuto di più a Callisto, che doveva andare a Manhattan, Kansas, a farsi arruolare nell'Esercito come programmato. Ma avevo preso la porta sbagliata, questo era successo quando la mia auto si era fermata, ero stato ingoiato da Qualcosa di Grosso che ancora non mi rendo conto quanto è grosso, e tutta quella gente che cerca di scovarmi e di fregarmi, neanche loro sanno quanto è grosso, per cui in giro ce n'è parecchia di ignoranza su tutto, il che mi fece sentire un tantino meglio e smisi di piangere e cominciai a ragionare come un uomo normale, che era anche ora che lo diventavo.

Per cui mi seguono. E non sto andando da nessuna parte. Nei film, il tizio che è in una macchina con le cimici lo scopre e mette la cimice su un'altra macchina che va in un'altra direzione e frega i cattivi che seguono la cimice sullo schermo con i blip. Magari la cimice è nascosta per bene in una ruota, ma potrebbe essere infilata ovunque dentro la macchina in un posto in cui non la trovo nemmeno se la smonto pezzo per pezzo, quegli affari sono minuscoli. La velocità e la caffeina a poco a poco mi avevano conquistato e il cervello adesso mi frizzava di tutte le cose che dovevo fare per uscire da questa Brutta Situazione, ma appena una soluzione nuova mi compariva sotto al cranio veniva rasa al suolo perché troppo stupida o inattuabile. E avevo pure fame, visto che ero stato troppo fuori di me per mangiare il pasto serale a causa che c'era stata la grossa sorpresa che Dean non era più sepolto ai pioppi. Per cui ora la cosa peggiore è che muoio di fame, ma questo problema almeno era facile risolverlo alla prossima stazione di servizio gigante con parcheggio per camion che è solo fra quindici chilometri a quanto mi dice il cartello – *Brubaker Fa Orario Continuato, Non Chiudiamo Mai.*

Lasciai l'interstatale e parcheggiai con le altre macchine, ce n'erano un bel po' anche a quest'ora presto del mattino. Sull'altro lato della stazione di servizio/tavola calda con la grande insegna Brubaker al neon c'erano tipo una dozzina di camion a diciotto ruote allineati in file ordinate con i motori diesel che borbottavano mentre i camionisti erano dentro a sbafare o a farsi una doccia. Brubaker ha questo servizio di cui mi informa un cartello, ma al momento mi interessa solo il cibo.

Quando entrai le luci accese mi ferirono gli occhi per un attimo poi mi ci abituai. Trovai posto per conto mio in un separé di vinile arancione, poi arrivò la cameriera che era tutta pimpante anche se erano le tre e mi chiede cosa prendo. Ordinai un doppio cheeseburger con patatine più una Coca grande, più del caffè per far fare gli straordinari al mio cervello che deve trovare una via d'uscita dalla situazione in cui mi trovo. Solo un piano molto intelligente può salvarmi a questo punto, e non so quanto sono intelligente anche se per lo meno ho scoperto di essere un topo in fuga con una cimice su per il culo. Ma una decisione l'avevo presa: non avrei sprecato una sola lacrima ancora per il fatto di essere stupido, non è colpa mia, è solo che sono nato così e se volete io non ci ho niente a che fare, e in ogni caso non sono stupido quanto pensano tutti, per cui eccovi serviti. Da ora in poi avrei usato ogni briciola di intelligenza che ho dentro per escogitare un modo di rimanere libero.

Mi portarono il cibo e lo mangiai come uno che muore di fame, e infatti muoio di fame, ma ora non più dopo che ho mangiato tutto e mi stavo scolando il fondo della mia Coca. Usai il bagno e mi feci servire un altro caffè maxi in un bicchiere di carta, e me lo portai in macchina e già cominciavo a chiedermi se dovevo continuare ad andare a ovest o magari dirigermi a nord, non che per me facesse differenza.

Me ne sto qui in piedi con la chiave in mano a fare queste riflessioni quando verso l'uscita noto un uomo che ha un pezzo di cartone in mano con cui chiede un passaggio. Mi avvicinai e sul pezzo di cartone c'era scritto a grosse lettere *DENVER*. È un giovane, diciott'anni al massimo, il mio cervello e la sua nuova parte intelligente mi fecero aprir bocca.

«Ciao.»

«Ciao» risponde.

«Io ti ci posso portare a Denver.»

«Grandioso, ok.» Pareva proprio contento, probabilmente prima del mio arrivo non ci sperava proprio di trovare un passaggio. Era vestito un po' da straccione, gente così non se la piglia in macchina nessuno, io però sì, anche se la macchina non è mia.

«Di qua» gli faccio, e ci dirigemmo alla Honda. «Senti, dovresti guidare tu, però, ok?»

«Certo, guido bene.»

«Posso vedere giusto per sicurezza la tua patente?»

La tirò fuori dai jeans e me la mostrò. Wendell Richard Aymes data di nascita 23 giugno 1989.

«Okay» gli faccio, «le cose stanno così. La macchina non è mia, è di una mia amica, mh, Feenie Myers.» Usai il nome di Feenie perché è difficile inventarsi sul momento un nome che non suona finto, altrimenti mi sarebbe venuta una cosa tipo Susan Smith. «Feenie va al college a Durango, per cui ti do l'indirizzo dei suoi genitori, ok? Dunque, 1286 di Newton Drive, a Lakewood, è a Denver.»

«Lo so, io sono di Denver.»

«Be', perfetto allora. Feenie vuole che riporto la macchina a Lakewood entro domani, solo che ho una cosa in ballo con una delle cuoche del Brubaker. Vuole che resto qui stanotte, per cui sai, eppoi è carina parecchio, ma è che devo riportare la macchina a Feenie come promesso, e tipo che sono un uomo di parola su queste cose.»

«Vuoi che ti porto la macchina a Denver? Senza te dentro?»

«Esattamente. Farò l'autostop magari domani o dopodomani, a seconda, ma nel frattempo almeno Feenie si riprende la macchina e io non ho tradito una promessa, per me è importante.»

«E ti fidi che lo farò?»

«Certo, perché se rubi la macchina o la rompi o altro, ho il tuo nome e il numero di targa. Hai mica una penna che me lo scrivo?»

Frugò nel suo zaino e tirò fuori carta e penna che ci scrivo i dati della sua patente e anche l'indirizzo falso dei genitori di Feenie, poi gli diedi le chiavi e cento dollari per il disturbo. Wendell era così eccitato all'idea di guidare tutto da solo fino a Denver che aveva in faccia il sorriso di uno che ha vinto a un quiz in tv.

«Ehi, amico, cioè, grazie. Sono un pilota responsabile, non te la rovino. In bocca al lupo con la tua ragazza.»

«Grazie. Senti, non superare il limite di velocità, ok? La Polizia stradale non ci crederà che ti ho dato le chiavi io e ci troveremo tutti e due nei guai.»

«Resterò sotto il limite, puoi contarci. Ehi, grazie ancora, è la cosa migliore che mi capita da un pezzo.»

«Perfetto allora.»

Salì in macchina e la mise in moto, poi si diresse verso l'uscita salutandomi con la mano dal finestrino. Quando uscì dal parcheggio si diresse verso la rampa dell'interstatale e a quel punto non lo vedevo più e se ne *blipblipblip*pò via verso il Kansas e il Colorado con quelli che gli stavano alle calcagna come squali. Era una sensazione stupenda pensare di averli fregati con la mia acuta intelligenza che non sanno che ho, e che usai anche per escogitare la prossima parte del mio piano, ossia andare all'area di parcheggio dei camion e aspettare che tornava uno degli autisti.

Per questa parte ci vollero solo dieci minuti e ne approfittai per bermi il caffè, poi ecco che ritorna un camionista con una barba che gli arrivava in vita e aveva una pancia enorme, gli sporgeva sopra la cintura da rodeo, e aveva un grosso cappello da cowboy con delle belle piume sul davanti. Rimasi lì fisso in piedi davanti a lui per fargli capire che volevo parlargli ma appena fu abbastanza vicino mi fa «Non prendo autostoppisti, regole della casa».

«Ok» gli faccio, perché che altro potevo dire?

Mi oltrepassa nei suoi stivali da cowboy coi tacchi alti e si dirige a un autocarro bello grosso, di colore credo arancione ma è difficile da capire il vero colore sotto queste luci al sodio che hanno appese ai pali. Apre lo sportello e piazza lo scarpone sul primo scalino, poi si volta e mi fa «Ok, sali».

Andai all'altro sportello e mi arrampicai in cabina come un montanaro e mi sedetti in questo gran sedile da capitano con i braccioli. L'autista è seduto in fondo dall'altra parte della cabina e si sta sistemando comodo, poi mette la marcia e cominciamo a muoverci lentamente sull'asfalto diretti all'uscita, che lui imboccò molto fluido per immettersi sulla rampa per l'interstatale. Il camion si arrampicò sull'autostrada poi l'autista accarezzò le marce del cambio come un pianista, sicurissimo del fatto suo, e in breve stavo tornando indietro a est verso Callisto, cosa che mi rese un po' nervoso ma sapete che c'è, non si aspettavano che lo facevo per cui forse era la cosa migliore. Lui mi poteva portare al massimo fino a St. Louis, che era anche il massimo del mio piano al momento. Speravo che l'idea per la prossima mossa mi veniva in mente intorno all'alba.

«Raccontami la tua storia» mi chiede l'autista.

«Torno a casa a St. Louis» gli faccio. «Poi entrerò nell'Esercito.»

«Com'è?»

«Hanno bisogno di uomini. Implorano nuovi uomini, pagano pure un bonus.»

«Spero sia un grosso bonus.»

«È abbastanza grosso.»

«Che zona di St. Louis?»

Ci pensai due secondi. «Zona est.»

«Allora capisco perché te ne vuoi entrare nell'Esercito. Quel posto è una fogna.»

«A-ah.»

«Ha una reputazione orrenda. Droga, violenze domestiche, crimine, gang, chi più ne ha più ne metta.»

«Già.»

«Dovrebbero bombardarla, St. Louis Est.»

«Giusto quello.»

Rise e mi disse che si chiamava Gene. Gli dissi che mi chiamavo Wendell. Mi uscì dalla lingua liscio liscio, una bugia con ruote e motore. Non mi importava se mentivo, per cui forse era il Nuovo Me che stava uscendo alla luce, dentro di me non c'era più discussione Verità contro Bugie, non me ne importava più niente, mi importava solo di scappare.

«È un lavoro pericoloso, l'Esercito.»

«Qualcuno deve pur farlo.»

«Mia figlia lei sta sugli aerei con un mitra sottobraccio.»

«È una dirottatrice?»

Sbuffò. «Lei i dirottatori li ferma. Maresciallo federale dell'Aviazione. Quei terroristi non si aspettano di trovarci una donna, per cui ha un vantaggio su di loro. La paga è altissima ma sono preoccupato per lei. Anche mio figlio, lui lavora come freelance giù in Iraq, servizi di sicurezza, va a dormire con un mitra sotto il cuscino. Però pagano benissimo.»

«Il mondo fa schifo.»

«Hai ragione. Sentito di quella bomba qui vicino, quella gran troia di bomba che poteva far saltare un quartiere intero?»

«L'ho sentito.»

«Probabilmente è un qualche idiota bombarolo terrorista che si è fatto saltare in aria, lo fanno sai. E dovrebbero farlo più spesso.»

«A-ah.»

«Con questi squilibrati religiosi che pensano di farlo per Allah non ci si può ragionare.»

«Eh no.»

«E manco puoi fermarli, li devi solo ammazzare uno a uno finché il problema scompare e possiamo tornare alla normalità.»

«Esatto.»

«Gli americani mica infilano gli aerei nei grattacieli o piazzano bombe per uccidere gente innocente, quella è una cosa rigorosamente musulmana, quegli stronzi sbroccati.»

«Eh sì.»

«È successo proprio qui vicino, a Callisto. Ancora non lo trovano quel capobanda, però, quel Dean Lowry. Che razza di americano si pensa di essere, a fare porcate del genere? Quando lo beccano devono farlo secco proprio lì in quel cazzo di buco nella terra in cui vive, così risparmiano ai contribuenti i soldi del processo. Con Saddam dovevano fare così. Sanno tutti chi è colpevole e chi no. I processi servono solo a tirare le cose per le lunghe e a far sentire in colpa la gente che vede lo stronzo di turno chiuso in una cella comoda e pulita quando dovrebbe bruciare all'inferno.»

«Allora lei mi sa che vota per il senatore Ketchum.»

«Di solito non discuto di politica, non la sopporto quella gente, ma il senatore, lui ha una linea dura e io quella la capisco. L'altra parte, quegli altri parlano parlano ma non fanno mica, capito, tipo che in realtà non ci credono sul serio e preferiscono essere prudenti, chiamare in causa quella cazzo di ONU e continuare a parlare e parlare. Col cazzo. Se qualcuno mi spara io gli sparo, chissenefrega di chiedersi perché l'ha fatto e come stanno le cose. Ketchum invece questi bastardi di terroristi li farà tornare a razzi nel culo in Arabia dove devono stare. Lo sai cosa penso ogni volta che riempio il serbatoio della mia creatura? Penso che pagheremmo la metà se quei testa di cazzo di terroristi non esistessero. Non farmi cominciare se no parlo troppo. Mia figlia l'ho mandàta al college, lei è molto intelligente, e il lavoro migliore che riesce a trovare, quello pagato meglio, è starsene armata sugli aeroplani e andarsene in giro per il cielo in attesa che qualche testa di merda si metta ad agitare un coltello e a strillare che vuole uccidere tutti per la gloria di quel cazzo di Allah. Lo sai di cosa sto parlando, altrimenti non ti staresti andando ad arruolare.»

«Lo so bene.»

«Mi arruolerei anch'io se avessi vent'anni di meno. L'Esercito non dovrebbe ridursi a offrire bonus. I giovani dovrebbero fare a botte per chi entra prima e va a far del bene al mondo. Cinque sei anni fa non ti avrei detto la stessa cosa ma oggi è diverso. I tuoi ti appoggiano?»

«Sì, certo.»

«Brave persone.»

«A-ah, soprattutto mio padre. Mi voleva giocatore di football professionistico ma quando gli ho detto che entro nell'Esercito mi ha detto che è fiero di me.»

«E fa bene. I miei ragazzi, sono fiero di loro. Loro madre se n'è andata via tanto tempo fa.»

Cercai qualcosa da dire ma non mi veniva in mente niente e Gene comunque pareva averne avuto abbastanza di discorsi, aveva solo quelle due cose dentro che voleva tirar fuori e per il resto poteva guidare senza fiatare. Il tempo volò e prima del previsto ecco il cartello che dice *Callisto – Tra Due Uscite*.

«Qui a Callisto tengono un tipo all'ospedale» fa Gene, era di nuovo loquace. «Quello che è saltato in aria in quell'esplosione che dicevamo. Ho sentito dire che lui è uno di loro, forse un bombarolo che si è sbagliato e ha incrociato male i fili, tipo. Lo torchieranno, quel coglione, finché non parla.»

«Magari era lì per caso.»

«Sì, certo, e magari io riesco a insegnare a guidare a un cane. Gliela tireranno fuori la confessione, solo che quando ci riusciranno la cosa non andrà in tv perché non vogliono mettere paura ai suoi soci. Secondo me stanno già costruendo un'altra bomba. Quella gente là, non si arrendono mai.»

Sentirlo parlare così mi fece capire che sarebbe stato impossibile dimostrare che non avevo a che fare con quei terroristi, e neanche che Dean non aveva niente a che fare, c'erano solo normalissimi spacciatori, niente storie religiose di bombe e simili, tanto Kraus e Deedle, quelli non mi credevano, e Lorraine in definitiva nemmeno lei, li aveva anche aiutati a organizzare la mia fuga per arrivare ai terroristi che però manco esistono. Solo però, chi ha trasformato il furgone di Dean in una bomba se non sono stati i terroristi? Se si trattava di una banda rivale di spacciatori, loro si sarebbero sbarazzati di Dean in modo pulito e preciso con una pistola, mica piantando una bomba che poi finiva ai tg nazionali e internazionali. Non ha senso, e capivo benissimo perché l'FBI pensava che in Kansas ci fosse in ballo qualcosa di terroristico, e magari c'è pure, ma su questo non avrei La Più Pallida Idea, io sono solo uno che gli si è rotta la macchina nella strada sbagliata, solo che nessuno mi crederà mai sono così a corto di fortuna in questa situazione.

Gene continuò verso est per un paio d'ore circa ed ecco che il sole sorse tutto rosa e splendido in mezzo al cielo che ci stava davanti.

«Proprio da cartolina» mi fa Gene. «Non mi stanco mai di vederlo, e stessa cosa al tramonto, i due estremi della giornata per me sono una meraviglia.»

Guardai il giorno apparirmi di fronte come un film su schermo gigante come se non ero nella cabina di un camion, e il giovedì mi veniva incontro dall'orizzonte orientale e mi trovavo a pensare a che scenario avrei avuto di fronte venerdì a quella stessa ora.

Saltò fuori che Gene non andava fino a St. Louis, mollava il suo carico in Kansas City, per cui mi lasciò lì. Gli dissi Grazie e lui mi disse In bocca al lupo e me ne andai a piedi interrogandomi sul da farsi. Era mezzogiorno quindi avevo di nuovo fame. Pranzai a un Denny's poi trovai un Wal-Mart e comprai dei calzini e della biancheria che mi cambiai in uno di quei bagni delle stazioni di servizio e quando esco sto molto più comodo di prima ma ancora non avevo un piano. Anche se trovavo un altro passaggio e arrivavo fino a St. Louis, poi che facevo? Che altro sto facendo se non godermi un po' di libertà prima di farmi riacciuffare, tanto so che mi beccheranno di nuovo anche se li ho mandati per le terre fino a Denver. Quando lo scopriranno metteranno la mia foto al tg e diranno alla gente di fare caso al terrorista alto uno e novanta che ha organizzato la bomba di Callisto, una bugia grossa così ma a loro che gli importa basta che mi catturano un'altra volta, e stavolta non si incasineranno con trucchetti tipo le finte fughe, stavolta mi picchieranno finché non gli dico quello che vogliono sentirsi dire, ossia dov'è Dean Lowry, che è una domanda per la quale non ho risposta punto e basta.

Trovai un giardinetto e mi sedetti a pensare di fronte a uno stagno con le anatre, ma invece di pensare mi ritrovai a guardare le anatre, mi divertiva un sacco come dimenavano la coda quando uscivano dall'acqua, che tipo lo facevano tutte perché speravano che gli davo da mangiare, ma non avevo niente per cui se ne andarono via tutte starnazzando fra loro, forse stavano dicendo che tirchio di un umano ero. Un eroe dei film si metterebbe a pensare seriamente e farebbe coppia con una donna affascinante che si innamorerebbe di lui in tre secondi accettando di aiutarlo a evitare gli sbirri, e poi ci sarebbero i momenti eccitanti con gli inseguimenti in macchina e le altre cose mentre l'eroe cerca di capire chi l'ha incastrato e si mette a cercare chi l'ha incastrato mentre ha ancora gli sbirri alle calcagna, ma riesce a raggiungere il cattivo e con un trucco gli estorce una confessione che gli sbirri grazie a una linea telefonica aperta o a un registratore alla fine ascoltano per intero e così adesso il nostro eroe non è più Ricercato, e inoltre ha questa donna meravigliosa appesa al collo mentre scorrono i titoli di coda. Io, anche le anatre mi voltavano le spalle. Non sapevo proprio cosa fare. Non avevo più un piano. Il mio cervello si era spento. Non riuscivo a pensare a niente se non al pranzo. Lo stagno delle anatre era un bel posto e c'era l'ombra e non volevo muovermi da lì.

Lo speed e la caffeina di Vine ormai avevano smesso di farmi effetto e morivo dalla voglia di dormire, per cui mi trascinai via da quella panchina e camminai per qualche isolato finché non trovai un Motel 6 e presi una stanza. Mi dico, se posso dormire un po' magari il cervello mi aiuterà a proseguire un po' la mia fuga. Presi la chiave col numero 8 sulla targhetta e raggiunsi la stanza. Le tende erano chiuse per non far entrare il sole e mi sedetti sul letto chiedendomi se c'era qualcosa che dovevo fare prima di mettermi a dormire. Be', non mi veniva in mente una cosa che fosse una, allora mi svesto e mi infilo nudo in mezzo alle lenzuola fresche e mi addormento, mica male no?

Mi svegliai che era notte. Feci una doccia ma prima di entrare mi tolsi la fasciatura dalla mano. La ferita aveva fatto la crosta intorno ai punti e la benda non era più molto pulita e la buttai nel cestino. Usai la minisaponetta che si trova sempre in questo genere di posti e la bustina di shampoo e poi mi asciugai e mi sentivo meglio e riposato e pulito, e a quel punto avevo di nuovo fame, per cui il passo successivo del mio piano era cenare e magari poi pensare un altro po'. Mi chiesi cosa aveva combinato Wendell Richard Aymes dopo esser arrivato a Denver e aver scoperto che l'indirizzo di Lakewood era una balla. Molto probabilmente avrà parcheggiato la Honda da qualche parte e se ne sarà andato, che a quel punto la squadra intercettazioni dell'FBI si sarà chiesta perché la cimice ha smesso di muoversi, allora si mettono a fare le investigazioni, magari cercano di capire di fronte a quale casa è stata mollata la macchina. Mi venne da ridere a immaginarmeli che sprecavano il loro tempo a Denver.

Uscii e feci una gran cena, poi mentre tornavo al motel mi fermai al negozio di alcolici e mi presi una bella bottiglia maxi del Capitano Morgan e una confezione da sei di Budweiser per mandarlo giù meglio e un paio di Doritos come spuntino e tornai al motel a mettermi comodo davanti alla tv. Ancora non lo sanno che li ho fregati perché la mia faccia non è ancora comparsa al tg, per cui ho ancora tempo per tirar fuori un piano di fuga. Guardai due serie di Sbirri e una serie di Avvocati e una serie di Dottori. E tutti parlavano molto in fretta e non guardavano mai fissa una parete o il cielo cercando di capire cosa dovevano dire o fare, ed erano tutti intelligenti e affascinanti e sapevano da che parte andare perché la storia continuasse a scorrere come si deve. Poi cambiai canale per vedere il film in diffusione del canale del motel e mi venne da ridere: era *Donnie Darko*. Lo guardai dall'inizio alla fine, è questa storia di un ragazzino mezzo matto con dei motori che cadono dal cielo e c'è questo tipo che va in giro vestito da coniglio e non ci ho capito una mazza, ma magari sono Bud e il Capitano che mi gettano in confusione. L'attore che faceva Donnie Darko non somigliava per niente a Donnie D e non capivo perché si faceva chiamare così.

Quando finì il film era ormai tardi ed ero pronto per rimettermi a letto. Ma poi mentre mi svestivo accadde una cosa un po' triste. Mi stavo levando la camicia che mi ha dato il detective sergente Vine e sentii dei piccoli bottoni all'interno della camicia, in fondo, sul davanti. Li conoscete anche voi, sono quei bottoni d'emergenza per quando ne perdi uno, solo che di solito ce ne sono solo due, mentre questa camicia ne aveva tre, solo che il terzo non era come gli altri due, era un po' più grande ed era cucito in modo diverso.

Studiai a lungo quel terzo bottone, provavo una sensazione molto brutta e molto triste. Mi ero convinto che avevano messo una cimice nella Honda e l'avevo spedita a ovest pensando che ero un vero dritto, ma questo bottone nella camicia che mi hanno dato per fuggire, questo bottone non dovrebbe stare qui. Spiegai a me stesso di cosa si trattava ma non volevo crederci uguale, allora mi ripetei cos'era e stavolta accettai il fatto che in fin dei conti erano stati più dritti di me a parte il fatto che loro credevano che li stavo portando alla cellula terrorista di cui Dean è il terrorista in capo, che è sbagliato che lo pensano. Non li stavo portando da nessuna parte, e adesso non sapevo dove andare, per cui dovevo mettere fine a questa cosa. Strappai il bottone dalla camicia e lo calpestai ripetutamente con la suola della mia scarpa da ginnastica che però era di gomma per cui non serviva a niente. Avrei potuto portarlo fuori e cercare una roccia o un mattone o qualcos'altro per sfasciarla, ma mi sembrava uno spreco di energia, per cui alla fine la buttai nel cesso e tirai lo sciacquone. Poi mi sedetti e mi misi ad aspettare.

Ne discussero per sei sette minuti, poi bussarono alla porta. Mi aspettavo che la facessero saltare dai cardini e assaltassero la stanza, una squadra speciale SWAT tutta in nero con mitra e maschere protettive eccetera, e invece erano solo Kraus e Deedle con un gruppetto di sbirri in uniforme appena dietro a loro, senza pistole in vista né niente.

«Salve, Odell» fa Kraus.

«Ciao.»

«Insomma l'hai trovata.»

«Già.»

«L'hai distrutta?»

«Sciacquone.»

«Perché l'hai fatto? Queste cose costano sui cinquecento dollari, sai?»

«Mi dispiace».

«Mi dispiace non ci basta più» fa Deedle.

sedici

Mi fecero sedere tra loro due sul sedile di dietro di un grosso SUV che ci portò via dal Motel 6. Non parlarono granché. Mi sembrava di averli delusi. Forse avrei dovuto lanciare la camicia sul retro di un camion in corsa e correre nella direzione opposta, ma con meno di quattrocento dollari dove potevo andare? Non volevo più giocare al fuggitivo. Tutti credono che sono un importante terrorista e invece non ho fatto niente, per cui mi metterò a sedere e gli spiegherò ogni cosa il numero delle volte che vorranno finché non capiscono. È stato tutto un enorme malinteso e voglio che finisca qui, e così dissi a Kraus.

«Non sei più affar nostro, Odell» mi spiega.

«Ti stiamo consegnando» fa Deedle con una specie di risolino.

Kraus mi pareva stanco.

«A chi?»

«A gente di un altro ordine.»

«Loro non si occupano di terrorismi?»

«Si occupano di terrorismi, ma in modo diverso.»

«Diverso come?» volevo sapere.

«Lo scoprirai da te» fa Deedle, che ancora sorride. Gli sto proprio antipatico.

Mi aspettavo un lungo viaggio fino in Kansas, e invece mi portarono in un aeroporto e mi misero in uno di quei jet modello piccolo con cui Donald Tramp se ne vola avanti e indietro con però dei braccioli speciali per le manette. Ho scordato di dire che adesso avevo le manette ma non erano tanto strette, non mi facevano male, era tanto per avercele, e me le agganciarono ai braccioli del sedile su cui mi avevano piazzato. A parte che non potevo muovere le mani, era una sedia molto confortevole. Si accesero i motori, che fecero una specie di gemito acuto.

«Ci si vede, Odell» mi fece Kraus, ma si capiva che non pensava che ci saremmo più visti, era solo per educazione. Kraus un po' mi stava simpatico mentre Deedle no, lui neanche mi salutò, mi fece questo sguardo che significa che non gli fregava più di me. Poi se ne andarono e un tipo con il taglio da marine venne da me e chiuse lo sportello, che fece diminuire di molto il gemito del motore.

«Tutto a posto?» mi chiese.

«Sì. Non sono mai stato su un aereo.»

«Ma davvero. Be', allora sarà un'esperienza nuovissima quella che ti faremo fare. Se ti viene il mal d'aereo dimmelo e ti apro un sacchetto per il vomito.»

«Va bene. Grazie.»

«Non c'è di che.»

Si mise a sedere di fronte a me ma senza le chiusure speciali per le manette, dopodiché ci mettemmo in movimento. Dal finestrino vedevo gli altri aerei e i palazzi fuori dalla finestra, ma niente di grosso, niente jumbo o simili per cui è un aeroporto piccolo.

«Quanto ci vorrà per Callisto?» gli chiesi. «Non sarà molto.»

«Callisto? Lascia perdere Callisto.»

«Andiamo da un'altra parte?»

«Sì, da un'altra parte.»

«E dove?»

«È una grossa sorpresa, figliolo. Se te lo dico in anticipo ti rovino il divertimento.»

«Ok.»

«Rilassati e pensa a cose piacevoli, e poi continua a pensarci.»

«Ok.»

Mi osservò mentre scorrevamo lenti accanto agli altri piccoli aeroplani, ma la sua faccia non comunicava niente. Non era in giacca e cravatta come l'FBI, aveva una polo e pantaloni larghi e scarpe molto comode a vedersi. Di spalle era grosso quasi quanto me ma non altrettanto alto, e aveva in viso piccole cicatrici che gli davano un'aria cagnesca, tipo pitbull, e anche se lo guardavo a lungo non batteva mai le palpebre, per cui dopo un po' lasciai perdere e mi misi a guardar fuori dal finestrino, che era piccolo e rotondo come l'oblò di una nave. Ora non c'erano più palazzi intorno, solo l'erba e i lampioni dove finiva l'asfalto.

Poi l'aereo ruotò su se stesso e si fermò. Dissi all'uomo, «Ha volato spesso in aereo?» Fece sì con la testa ma non disse nulla. Non mi levava mai gli occhi di dosso, come fossi una cosa molto interessante da vedere. I motori all'improvviso si misero a urlare e noi ci rimettemmo in moto solo molto più veloce, così veloce che le piccole luci di fuori cominciarono a lampeggiare con un *flicflicflic* e mi sentii tutto vibrare fino a dentro anche se non c'entrava niente con il letto a vibrazione che avevo provato una volta, è completamente diverso. Poi la vibrazione finì e sentii lo stomaco affondare verso il basso mentre decollavamo. Era la cosa più eccitante che avevo mai fatto a parte il sesso, che ho fatto ormai tre volte ma non di recente.

«Wow!» dissi al tipo. Mi fece un minuscolo sorriso.

La terra precipitò via e si inclinò da un lato. Era come stare sull'ottovolante però più lento ed era valsa la pena farsi catturare solo per provare il brivido del volo, che mi piacerebbe ripetere prima o poi. L'aereo poi si rimise orizzontale e le luci di Kansas City erano vaste e lontane sotto di me, ma poco dopo là sotto già c'erano solo nuvole perché eravamo saliti ancora più in alto, e sopra c'erano le stelle, molto belle anche se dopo un po' mi faceva male il collo a guardare tutto il tempo fuori dal finestrino, per cui decisi di mettermi a fare conversazione con il tipo.

«Secondo me è Washington» dissi. «È lì che andiamo.»

«Sei tu che vai.»

«E poi al quartier generale dell'FBI.»

«Figliolo» disse, «sei grande e grosso per cui presumo che da qualche parte in quel corpaccione un cervello ce l'hai. Ti sei lasciato alle spalle l'FBI appena le ruote hanno staccato da terra.»

«Davvero?»

«Adesso sei con noi.»

«Chi è "noi"?»

«Noi.»

«Eh?»

«Basta parlare» disse, «Stai zitto e seduto.»

«Ok.»

Era difficile capire che significava quel suo sguardo, una cosa a metà tra il dispiaciuto per me e lo scocciato che si vuole scrollare di dosso questa nullità. Fu allora che mi venne la sensazione che le cose si erano messe molto peggio di prima per me, lo sguardo sul viso di quell'uomo e l'ordine di non parlare. Allora mi misi a guardare le nuvole e così mi addormentai. Dopotutto avevo in corpo molto alcol. Quando l'aereo atterrò era ancora buio, ma all'orizzonte stava nascendo l'alba. Era strano pensare che solo ventiquattro ore prima me ne stavo sul camion di Gene a guardare il sole sorgere mentre adesso ero in tutto un altro posto. Sotto di me vedevo l'acqua, e poi la terra e le palme, e poi una pista d'atterraggio con una lunga recinzione di metallo, è tutto ciò che riuscii a vedere prima che il pilota ci facesse atterrare. Stavo scoppiando per la pipì ma l'uomo aveva detto di aspettare che ci fermavamo, ma ci volle poco e alla fine aprì lo sportello. A quel punto sentii che il calore e l'umidità irrompevano nell'aereo, era un posto col clima tropicale, ma non la Florida, non ci avremmo messo così tanto ad arrivare in Florida.

Mi slacciò la cintura ma tenne le manette. Scesi la scaletta a scomparsa fino a terra ed ecco che arrivano due soldati in un Humvee che mi aspettavano davanti a un piccolo edificio di lamiera. Il tipo con la polo consegnò un portablocco con dei fogli e uno dei due mise una firma. L'uomo con la polo ritornò sull'aereo ma non chiuse lo sportello, mi sa che dovevano fare il pieno di carburante prima di ripartire. Il cielo ora era più chiaro ma tutto intorno alla pista d'atterraggio era buio, per cui non mi avevano portato in una città.

«Chiedo scusa» dissi, «devo fare pipì.»

«E allora falla» rispose uno dei soldati.

Mi guardai intorno ma quella costruzione di lamiera non sembrava proprio una toilette, e poi l'unica finestra che aveva era scura.

«E dove?»

«Due posti possibili. Per terra o nei pantaloni.»

Be', era facile scegliere. Avevo i polsi ammanettati proprio di fronte a me per cui la lampo me la potevo aprire. Pisciai per terra mentre mi guardavano tenendo le mani sulle pistole. Quando ebbi fatto mi dissero di salire sull'Humvee. Mi ammanettarono le manette a una barra di metallo così non potevo uscire finché non me lo permettevano. Uno di loro si sedette accanto a me mentre l'altro guidava con i fari accesi, era ancora buio.

«Questo posto, dov'è che è?»

«Indovina.»

«Hawaii?»

Risero, poi quello vicino a me fa «È un campeggio estivo speciale».

«Ah sì?»

«Sì, Campo Haiwintounalegnatah.»

Il soldato al volante rise a crepapelle. Erano due soldati allegri, non come l'uomo con la polo. Per la strada vidi altre palme sotto la luce dei fari. Chiesi ai soldati, «Le canoe ce le avete?» Era ancora più divertente, mi sa, perché si risero di brutto. Quello accanto a me puzzava di fumo, allora gli chiesi «Che, avete fumato ganja?» L'avevo chiesto solo per fare amicizia, ma non avrei dovuto farlo perché li feci arrabbiare, fermarono perfino l'Humvee ma col motore ancora acceso.

Quello che stava davanti si sporse indietro, mi fa, «Dillo in giro e hai i giorni contati, e il numero è meno di due, mi hai capito?»

L'altro mi diede un pugno in testa, il che mi sorprese perché non gli avevo fatto niente. Non mi fece granché male, ma mi sorprese.

«Rispondigli!» mi urla.

«Mh, ok» dissi. Non mi veniva in mente altro. Questi due non erano più tanto simpatici.

«Lo spero bene che è ok, brutto coglione!» mi urla.

Era chiaro che non erano tipi giocosi come avevo pensato all'inizio, allora decisi di non dire niente se non me lo chiedevano espressamente. Erano grossi ma mica grossi come me. Se non ero ammanettato gli potevo sbattere la testa uno contro l'altro per sistemare la faccenda ma ho questa situazione di svantaggio tipo handicap per cui la cosa migliore è che sto zitto e seduto tranquillo, che era il consiglio sensato che mi aveva dato il tipo sull'aereo per cui lo seguii.

Viaggiavamo accanto a una recinzione, alla fine l'Humvee arrivò a un edificio a un piano solo fatto di mattoni di calcestruzzo e scarti vari, si fermò lì e mi fecero scendere.

Il primo soldato fa «La tua nuova casa, testa di cazzo».

«È una casa speciale per i nemici degli Stati Uniti» dice il secondo.

«Io mica lo sono» gli dico. Grosso errore. Mi diede uno schiaffone in faccia. Be', era troppo e non lo sopportavo più. Mi si alzò la gamba come quando il dottore ti colpisce il ginocchio col suo piccolo martello di gomma e il mio piede si infilò tra le ginocchia del soldato e su fino al pacco più forte che poteva. Lui gridò fortissimo e cadde a terra e l'altro tira fuori la pistola e me la punta alla testa gridando con più voce che può «Non ti muovere! Non ti muovere! Muovi un solo cazzo di muscolo e ti faccio esplodere il cervello!».

Il casino che avevamo alzato fece arrivare altri soldati dall'edificio e anche loro tirarono fuori le pistole, accerchiandomi e puntandole addosso a me. Il soldato che stava per terra era tutto accucciato come una palla, e si lamentava un po'. Poi arrivò un ufficiale e voleva sapere cosa stava succedendo, che l'autista dell'Humvee gli risponde «Signore, il prigioniero ha tentato la fuga!» che era una grossa bugia. L'ufficiale guardò prima me e poi il tipo per terra.

«Mulholland» gli fa, «alzati e porta questo inutile pezzo di merda dentro senza farti dare altri calci, sei in grado di farlo?».

Il tipo che era per terra si alzò senza fare storie e tutti quanti insieme mi portarono dentro. C'era una scrivania e dei portadocumenti e una macchinetta della Coca Cola in una lunga stanza con due ventilatori elettrici per far girare l'aria. «Numero tre» fa l'ufficiale, e mi spinsero per un corridoio fino a una cella con un muro di sbarre come nei film western. C'era un letto a castello e un lavandino e un water con sotto una busta di plastica, un bagno chimico che si sentiva l'odore di chimico. Mi tolsero le manette e mi spinsero dentro e chiusero la porta.

«Sgommate» fa l'ufficiale, che non è il modo in cui gli ufficiali dovrebbero parlare ai soldati, almeno non nei film lì non lo fanno.

Se ne andarono e lui rimase qui, a fissarmi come un animale dello zoo, e non del genere che ammiri tipo le tigri, più come uno scimpanzè divorato dalle pulci. Aveva una trentina d'anni e un taglio corto da marine come ce l'hanno tutti qui a meno che non sono rasati a zero, e ha i baffi.

«Dunque sei tu» mi fa.

«Chi sono?»

«Quello che ha messo la bomba in Kansas.»

«No, io sono quello saltato in aria.»

«Ah sì? Hai un taglio in testa, vedo. Era una bomba molto grossa, come quella di Oklahoma City. Io avevo una cugina che ci è morta a Oklahoma City. È morta nell'asilo nido che avevano nel palazzo. Un minuto c'era un asilo nido e il minuto dopo c'era una tomba con tanti piccoli corpicini fatti a pezzi da un codardo rancoroso. Qual era il tuo obiettivo, un palazzo governativo?»

«Non era mia la bomba…»

«Giusto, la stavi conservando per qualcun altro.»

«No, l'hanno messa nel mio furgone.»

«Allora è stato il tuo furgone bomba.»

«No, il furgone è di Dean.»

«Il tuo amico Dean Lowry che vuole uccidere il senatore Ketchum.»

«No… Dean è morto.»

«Le informazioni che ho a disposizione dicono il contrario. Cos'è successo, ti ha lasciato da solo in mezzo ai guai appena la bomba è scoppiata per sbaglio?»

«No, niente del genere…»

«Il motivo per cui sei qui è per avere da te informazioni che il sistema a livello statale non è in grado di ottenere. In una situazione normale verresti spedito in un paese straniero anonimo a farti interrogare, ma quel sistema è stato sputtanato oltre ogni misura dai media, per cui adesso coi terroristi facciamo quello che avremmo dovuto fare fin dall'inizio: ce ne occupiamo noi sotto il livello dei radar. Per questo sei qui. Lo capisci?»

«Ma è un errore…»

«I servizi di sicurezza degli Stati Uniti non fanno errori. Ti chiami davvero Odell Deefus, o è un nome di cellula?»

«È il mio nome. Cos'è un nome di cellula?»

«Odell Deefus è un nome da negro. Sei negro?»

Non mi stava simpatico. Mi aveva frainteso completamente e non voleva darmi retta. Lo vedeva da sé che non sono nero eppure mi faceva quella domanda tipo seriamente, per cui ho capito che è una specie di scenetta per mettermi paura. Da quando sono sceso dall'aereo vogliono tutti che ho paura e io paura ce l'avevo, più o meno, ma lì decisi di far vedere che non ce l'avevo.

«Ripeto» mi fa, «sei mica negro?»

«Sì, lo sono.»

«Che genere di negro sei, Deefus? Sei un negro dalla pelle chiara o un negro pelle marrone o un negro nero come il nero del tuo buco del culo?»

«È una domanda stupida» dissi. Lo odiavo perché faceva lo stupido per finta.

«Prego?»

«Di che colore sono lo vede da solo.»

«Affermazione non corretta. Il tuo colore non ha niente a che vedere con la tua razza. Il colore che hai è determinato da quanto sei uno stronzo. Vuoi che ti dica che razza di stronzo sei, Deefus? Sei il peggior genere di stronzo. Sei il genere di stronzo che fa saltare in aria donne e bambini e vecchi in sedia a rotelle perché non adorano il tuo stesso Dio, che è la tua miserabile scusa del cazzo per ucciderli, non è così, Deefus?»

«No.»

«Mi sorprende sentirtelo dire. Spiegami per cortesia il motivo per cui ti piace uccidere donne e bambini e vecchi in sedia a rotelle.»

«Non lo faccio.»

«Perché hai costruito una bomba difettosa che è esplosa prematuramente ed è una bomba sprecata, o mi sbaglio, Deefus?»

«No...»

«E non è forse vero che dalla tua boccaccia lurida escono solo menzogne e propaganda musulmana?»

«No.»

«Tu sei di due colori, Deefus. Sei verde musulmano e giallo codardo. Sai che colore si forma quando si mischiano il verde musulmano e il giallo codardo, Deefus?»

«Non so... arancione?»

«Quando si mischiano il verde musulmano e il giallo codardo il colore che viene fuori è il blu. Che è il colore di una faccia bianca quando viene privata completamente di ossigeno. Non diventa blu finché non si avvicina la morte. Ed è questo il colore che vedresti nello specchio se te ne fornissero uno. È questo il colore che avrà presto la tua faccia perché intendo privarti dell'ossigeno. La tua faccia diventerà sempre più blu finché non raggiunge una sfumatura di blu molto intenso, quello che amo definire blu negro. Mi prendevi in giro, Deefus, quando mi hai detto che sei negro, ma credimi io non ti ci prendo in giro quando dico che raggiungerai quella sfumatura di blu negro e non dovrai aspettar molto per arrivarci.»

Le parole gli uscivano di bocca a un ritmo regolare come la barra delle notizie in basso alla tv, tutte alla stessa velocità e con lo stesso tono come se leggesse da un libro invisibile. «Ti faccio una solenne promessa. Giuro sulla fede dei nostri Padri Fondatori che ti tirerò fuori la verità e se non ci riesco mi umilierò di fronte a Dio e gli dirò a chiare parole che ho fallito la mia missione, e se c'è una cosa che odio fare, Deefus, è fallire la mia missione e umiliarmi davanti a Dio ammettendo il mio fallimento. Fallire di fronte a Dio è una cosa imperdonabile e anche tu sarai coinvolto, Deefus. Il tuo rifiuto di collaborare finirà a sua volta in un fallimento e cederai e anche il tuo spirito fallirà cedendo di schianto e poi cominceranno a fallire e a cederti i polmoni e il cuore finché il fallimento che sei non sarà completo. Io, tenente William Harding, fedele servitore degli Stati Uniti e del Signore Onnipotente, faccio solenne promessa.»

Non aspettò una mia replica, si voltò e se ne andò per il corridoio con quei tacchi tipici delle scarpe degli ufficiali che colpivano il pavimento di cemento facendo un suono secco e forte, il suono di qualcosa che viene colpito ripetutamente e svanisce all'orizzonte. Quando tornò il silenzio un pensiero mi entrò in testa zitto zitto e in punta di piedi, quasi non ci voleva stare proprio nella mia testa, e il pensiero era questo: sono nelle mani di un pazzo che vuole uccidermi. Il pensiero si ripeté con le stesse parole e io cominciai a comprenderle meglio, come fosse un'importantissima lezione che mi stavo dando da solo, una parte del mio cervello parlava all'altra, la spingeva a comprendere quel fatto chiaro e semplice della persona che voleva uccidermi. E mi venne paura.

Tornò da me un soldato con una tuta arancione intera. Mi disse di spogliarmi e passargli i vestiti, disse di mettermi la tuta, e aveva pure queste pantofoline per me perché le mie nuove scarpe da ginnastica e i calzini avevo consegnato anche quelli, e lui poi se li portò via. La tuta non aveva tasche. Venne poi un altro soldato e rimase a fissarmi per un po'. Nella mia cella non c'erano finestre e nemmeno nel corridoio che portava qui, ma fuori ormai era pieno giorno per cui chiesi al soldato, «Che ora è?»

«Non ti serve saperlo.»

«Chiedevo.»

«Il tempo per te non significa più niente. Quella luce là sopra, per quanto ti riguarda quello è il tuo sole, ma è un sole speciale che non sorge e non tramonta mai. Le uniche volte che ti allontanerai da quel sole sono quelle in cui andrai nella stanza dei giochi.»

«Cos'è?»

«Una sala per esercizi e giochi vari, lo vedrai da te.»

«Com'è il cibo qui, buono?» gli chiesi, cercavo di fare amicizia.

«È buono quasi sempre, ma intendo il nostro, non il tuo. Il tuo è una merda. Spero ti piaccia mangiare merda perché abbiamo tutto il cibo di merda che vuoi.»

Con questa persona non si poteva fare amicizia, ma da quando ero qui avevo contato in tutto una dozzina minimo di soldati per cui tra tutti ce ne sarà almeno uno che non sia uno stronzo totale come il resto di loro, ufficiale compreso. Comunque mi toccava essere gentile anche se non contraccambiavano, e non farli infastidire facendogli notare quando non capivano. Se ero gentile prima o poi si rendevano conto di come stavano le cose in materia di terrorismo e di me, insomma voglio dire, non c'è il minimo legame, ma mi rendevo conto che ci voleva tempo per convincerli. Se solo il corpo di Dean non l'avessero portato via da dove l'avevo lasciato non c'era il problema che non mi credono, e ancora non riuscivo a capire chi poteva averlo fatto e perché. Mi avevano messo in un casino che più enorme non ce n'era chiunque essi siano.

«Grazie» dissi al soldato. Era la mia prima mossa della mia politica ufficiale di gentilezza.

«Vaffanculo» mi fa.

Allora se ne andò e me ne restai solo sdraiato sul letto, che era duro ma meno di una roccia. Dovevo aspettare la fine di questa brutta situazione, prima o poi mi avrebbero liberato. Non avevo fatto niente di così tremendo per cui essere condannato a morte. Era tutto un errore che non andava commesso e invece lo si era commesso.

La luce del soffitto mi bruciava gli occhi tanto era forte, duecentocinquanta watt come minimo, allora mi buttai il braccio davanti agli occhi per farla smettere. Funzionò per un minuto ma poi tornò il soldato di prima e mi dice che devo levarmi il braccio dalla faccia o mi ritrovavo nella merda fino al collo.

«Perché?» domandai, lui mi fa «Sono le regole».

«Ti vediamo sempre» mi fa, indicandomi un angolo alto della cella, dove vidi questa telecamerina minuscola appesa lì come un ragno. «Quella non la spegniamo mai» mi fa. «Ti guardiamo giorno e notte, che mangi il tuo cibo di merda e lo cachi, che dormi e non dormi, che ti spari le seghe, cammini in tondo, qualunque cosa fai noi ti vediamo. Ti vediamo se cerchi di rompere la luce o la telecamera e siamo da te così in un lampo che manco te ne accorgi. Non ti piacerà quello che facciamo ai prigionieri che non prendono le regole sul serio. Quando te ne stai sul letto tieni le braccia lungo i fianchi o se preferisci sul petto, ma non sulla faccia come hai fatto adesso. La luce qua dentro è molto forte, i conti dell'elettricità li paghiamo una follia, per cui vi dovete godere tutta la luce che c'è per tutto il tempo che c'è, capito?»

«Capito.»

«Col cazzo che hai capito, fai solo finta, ma alla fine capirai.»

Se ne andò. Chiusi gli occhi ma la luce mi entrava dalle palpebre come il sole da una tendina avvolgibile da due soldi. Mi girai su un fianco ma mi aspettavo che il soldato tornasse a dirmi che anche quello era contro le regole, però invece non tornò e quindi nonostante tutto quello che era successo e i pensieri orribili che mi salivano al cervello come merda lungo una fogna mi addormentai.

Più tardi quando mi risveglio mi portano la colazione. Non era merda come aveva detto il soldato, solo latte e Cornflakes, la colazione era ok, e mentre mangiavo ecco che arriva un altro soldato che sembra uguale agli altri ma non lo è, è un cappellano, si vede la differenza dalle piccole croci cromate che ha sui risvolti dell'uniforme. Mi dice che si chiama cappellano Turner e che mi può procurare una Bibbia o se preferisco il Corano, può rimediare anche quello, sono le regole del posto, libertà di religione. Dice che il Corano lo danno insieme a una minicinghia con cui appenderlo per non fargli toccare terra, che è contro la religione musulmana che la vieta questa cosa, come un insulto molto grande alle parole di Maometto. «Ma sono sicuro che lo sapevi da te» conclude, però io non lo sapevo, e come potevo saperlo?

«Prendo una Bibbia» gli faccio, per essere gentile come prevede Il Piano. Mi sembrava di ordinare il Big Mac invece del Whopper, per quanto poco mi fregava, ma volevo che il cappellano mi considerasse un vero cristiano così la smettevano di pensare che sono un terrorista.

«Te la porto domani» mi fa, e poi, «Sei davvero cristiano?»

«Lo sarò presto.»

«Ti stai convertendo?»

«Diciamo che sto recuperando quello che mi sono perso.»

«Un po' tardiva, come conversione» mi fa, con l'aria di uno che non vuol far vedere che non si fida.

«Io sono fatto così, sempre in ritardo, e sempre nel posto sbagliato.»

Io risi mentre il cappellano no. Mi fa, «C'è nessuno fuori di qui a cui vorresti spedire un messaggio?»

«Un messaggio? Tipo a un avvocato?»

Allora mi dico che se Johnnie Cochrane ha salvato OJ Simpson da un'accusa di omicidio fa proprio al caso mio, ma poi mi ricordai che era morto anni fa, non poteva andare, ma mi sa che su quel caso c'era un altro avvocato che magari è ancora vivo.

«Effley Bailey» gli dico. «Mandategli un messaggio, per favore, che dice che ho un bisogno disperato del suo aiuto perché sono innocente, con lui sarà più facile. Effley Bailey è proprio la persona per me.»

«Intendevo a un familiare o un amico, un messaggio personale.»

«Ok. Be'. Al momento non vado così d'accordo col mio vecchio per cui andrebbe sprecato. Non mi viene in mente nessun altro... Se me lo chiede domani magari mi è venuto in mente.»

«Non hai amici o colleghi che ti andrebbe di contattare?»

Ora capivo finalmente dove andava a parare. Vuole che gli dia i nomi di quei pazzi terroristi musulmani che secondo tutti io frequento, tipo che io sono una specie di mezzo idiota che non capisce che lui porterà quei nomi direttamente all'FBI, però invece una persona o due che veramente mi possono aiutare io ce li ho.

«Ok, dite ai miei amici Bob il Predicatore e il suo braccio destro Chet Marchand che un po' d'aiuto al momento mi tornerebbe comodo, magari loro possono metterci una buona parola, ok?»

Strabuzzò gli occhi. Mi fa, «Bob il Predicatore? Robert Jerome della Fondazione Cristiani Rinati? Quel Bob il Predicatore?»

Unii i miei due indici stretti come un pretzel e glieli mostrai. «Siamo così io e lui. Mi ha anche comprato un cellulare nuovissimo per quanto gli sto simpatico, chiedeteglielo. Sì, Bob e Chet mi hanno pure invitato al grosso raduno di Topeka per il quattro luglio, ero una specie di ospite speciale, diciamo così. Ci manca poco, peccato che probabilmente me lo perderò perché sono bloccato qui e solamente per un grosso errore. Bob se la prenderà parecchio, che non vengo, be', ma potete dirgli di come sono stato sviato da altre cose e vedrete che capirà.»

Mi guardò come se scherzavo, per cui gli faccio, «Non sto scherzando, sono amico loro. Chiedete all'FBI se non hanno intercettato le mie telefonate in entrata e in uscita a quei due, be', soprattutto a Chet, le chiamate che ho fatto con quel telefono che mi hanno regalato e con cui mi hanno invitato a Topeka. Parlate con l'agente Kraus e l'agente Deedle, ve lo diranno, ok?»

«Ok» mi fa, ma con la voce di chi accetta indicazioni stradali da un ubriaco.

«Magari riescono a tirarmi fuori di qui» gli faccio.

«Avrai la tua Bibbia per domani» mi fa. «Ci sono altre opere di genere religioso che ti piacerebbe ricevere?»

«Be', un libro religioso che ho letto dall'inizio alla fine c'è, si chiama *Così fan le suore*, ma non credo che è famoso come la Bibbia. O magari rimediatemi il mio libro di lettura preferito, che è *Il cucciolo*. L'ha mai letto? Ha vinto il Pulitzer. Ma non la versione accorciata per bambini, quella lunga che c'è dentro tutto come l'ha scritto l'autore, voglio quella.»

«Non gestisco una biblioteca pubblica» mi fa.

«Ok, allora solo la Bibbia.»

Se ne andò e io camminai un po' in tondo nella cella, pensavo che era il massimo di allenamento fisico che potevo fare qui, camminare in tondo nella cella, almeno finché non mi portano nella sala dei giochi, quella è fatta proprio per gli allenamenti, l'ha detto il soldato. E proprio mentre penso a lui eccolo che torna, e stavolta gli leggo la targhetta col nome sulla camicia, peraltro è complicato perché la scritta è marrone su sfondo nero, comunque il nome di questo soldato è Fogler ed è un soldato semplice, l'ho capito perché non ha i galloni sulle maniche.

«Piantala!» mi abbaia.

«Eh?»

«Piantala di camminare in tondo! Puoi camminare avanti e indietro, oppure avanti, lungo il muro, e poi fin qui alle sbarre, ma non in tondo. Riassumo, o avanti e indietro diretto, o tipo a quadrato, ma la camminata circolare è vietata, chiaro?»

«Ok. Non lo sapevo.»

«E impara!» mi fa, e se ne va per il corridoio battendo i piedi.

Terrà gli occhi incollati a quella tv ogni secondo di ogni minuto. Sarà imbarazzante la prima volta che devo cacare e ci sarà lui o qualcun altro che mi guardano. C'è qualcosa di molto poco decoroso in tutta la faccenda, mi dico.

Per pranzo c'era pasticcio di carne e patatine, davvero niente male. Quando aveva detto del cibo di merda Fogler scherzava. Poi ricevetti un'altra visita, di un tizio pelato questa volta, e aveva pure gli occhiali. Mi disse che si chiamava tenente Beamis e che era qui per farmi alcune domande, del genere, mi fa, impariamo-a-conoscerti-meglio, ma in sostanza mi sta solo mostrando una manciata di schede di cartone con degli scarabocchi in inchiostro nero sopra.

«Probabilmente questa cosa l'hai vista già nei film» mi fa. «Mi devi dire la prima cosa che ti viene in mente quando te li mostro.»

«L'ho visto, è per mostrare che genere di persona sono.»

«Puoi anche metterla così, certo. Cosa ti suggerisce questa qui, proprio la prima cosa che ti viene in mente senza pensarci?»

«Che qualcuno ha rovesciato la boccetta dell'inchiostro.»

«E questa?»

«Cazzo, l'ha rifatto.»

«E questa?»

«Questa l'ha disegnata un goffissimo figlio di buona donna.»

Posò i suoi fogli di cartone. «Ti consiglierei ti prendere la cosa sul serio, Deefus. Non sembri renderti conto che sei nei guai peggiori in cui potessi trovarti. E io sono qui per aiutarti, se vuoi saperlo, per aggiustare il tiro del nostro approccio al tuo problema in modo da risolverlo.»

«Mi dispiace, pensavo che volevate solo le mie risposte, tipo dove si nasconde Dean Lowry.»

«Certo, fornire quelle informazioni si rivelerebbe decisamente utile nella circostanza presente, ma seguimi un momento così posso finire di mostrarti queste immagini. Questa cosa va fatta a questa maniera.» E ricomincia a mostrarmi le sue tavole di cartoncino.

«Ok, questa qui sono due zebre con i caschi da football.

«Una farfalla con ali tatuate.

«Una faccia con occhi e senza naso. Quella forse è la bocca.

«Elefanti che si allontanano tra loro. Forse hanno litigato.

«Una pianta tropicale senza fiori, ci volano intorno dei maggiolini.

«Questa invece... non lo so... Un cappello piumato da signora? Che esplode?»

Ripose i suoi cartoncini con le macchie di inchiostro e aprì un libro di appunti, cliccò sulla biro, e si mise a farmi domande sulla mia vita, dai ricordi di infanzia in poi, quello lo feci volentieri, poi a un certo punto c'era una cosa che voleva sapere, «Dove e quando hai cominciato a pensare che per te questa società non era all'altezza?»

«Non era all'altezza? Cioè?»

«Non ti dava abbastanza. Non ti dava quello di cui hai bisogno. Non dava ai bisognosi quello di cui avevano bisogno.»

«Non ho niente contro la società. Per me la società va bene.»

«Ma non ci sono cose che vorresti fossero cambiate?»

«Certo, a tutti piacerebbe cambiare qualcosa.»

«Che genere di cambiamenti porresti in essere se, per dire, fossi presidente?»

«Be', come prima cosa organizzerei la mia liberazione.»

«E poi?»

«Andrei in tv a dire a tutti cosa è successo, di questo gran casino.»

«E che mi dici delle grandi questioni? I problemi religiosi, di giustizia sociale, questo genere di cose?»

«Ok, be', metterei fuori legge le pubblicità in tv. Ci dovrebbe essere solo un canale, il canale delle pubblicità, dove vai se vuoi vedere le pubblicità. Alla gente piacerebbe, secondo me.»

«Nient'altro?»

«A-ah. Farei in modo che le tv non possono mettere la risata finta sulle sit-comedy. Non voglio più risate finte, le odio. E vorrei che le star di Hollywood prendono meno soldi. Ho sentito che quelli più famosi prendono cinquanta milioni di dollari per un solo film. È veramente troppo.»

«E che mi dici della religione nelle scuole? Non hai un'opinione?»

Cominciavo a non fidarmi di quest'uomo. Le macchie di inchiostro significavano che è uno strizzacervelli, ma le sue domande non erano molto strizzacervellotiche. Doveva chiedermi delle robe personali, tipo cosa è successo quando ho perso mia mamma, cose così, e se ho superato lo choc e via dicendo, e invece non lo fa, mi fa tutte altre domande, per cui forse è solo l'ennesimo agente dell'FBI in borghese. Decisi di metterlo alla prova, per cui dissi, «E Kraus e Deedle stanno bene?»

«Chiedo scusa?»

«L'agente Kraus e l'agente Deedle. Quelli che mi hanno portato dentro.»

«La cosa non mi riguarda. A scuola ti trovavi bene?»

«A-ah, ero molto popolare, mi eleggevano sempre per tutti i ruoli, anzi era quasi una scocciatura dover conciliare tutti quei posti di rilievo nei vari comitati e consigli scolastici, ma sa, quando la gente ha così bisogno di te devi accettarlo.»

«Dalle informazioni che ho eri uno studente molto chiuso, l'opposto di quanto dici.»

«Be', le sue informazioni sono sbagliate. Vede, per questo sono arrivato qui, informazioni sbagliate, il che dimostra che non si può far conto su queste cose.»

«Prendo nota» mi fa. «Invece che mi dici dei rapporti sessuali?»

«Che devo dire?»

«Etero o omosessuali, prevalentemente?»

«Non sono gay. Dean era gay, l'ha detto sua sorella, ma io non lo conoscevo bene.»

«Non hai formato una coppia omosessuale con Dean Lowry?»

«No, non è il mio tipo.»

«E qual è il tuo tipo?»

«Di solito me le scelgo donne.»

«Di solito?»

«Be', intendo sempre. Non sono gay.»

«Hai avuto una relazione sessuale con Fenella Myers?»

«Chi?»

«Una compagna di scuola. Hai dato il suo nome quando hai chiesto all'autostoppista di portare a Denver la tua macchina.»

«Ah, intende Feenie. Il nome mi è venuto in mente sul

momento. Nemmeno ci vive a Denver, va al college a Durango.»

«Questo lo sappiamo. Allora non hai avuto relazioni sessuali o intime con la signorina Myers?»

«No, ma mi piaceva. Era intelligente.»

«E a te piacciono le donne intelligenti?»

«Non so. Può essere.»

«È per questo che hai una foto del segretario di Stato nel portafogli?»

«Condi per me è carina. Mi piace pure il suo stile, come si veste. C'è gente che dice che veste in modo un po' troppo conservatore, ma secondo me quello dipende dal mestiere che fa, non crede? Non ho mai visto nessuno che fa un mestiere politico mettersi i fusò o roba simile.»

«Per cui la tua donna ideale è la dottoressa Rice?.»

«È pure dottoressa? Sapevo che era pianista oltre che persona politica, ma non sapevo che oltre a tutto quanto è perfino dottore. Quando ha fatto gli studi medici?»

«Non è quel genere di dottore. Tu le hai scritto una lettera in cui confessavi, ma la confessione conteneva informazioni inesatte. Cosa credi che penserebbe se scoprisse che un suo ammiratore non le dice la verità?»

«Non ho detto bugie, solo che Dean non è più dove l'ho sepolto, ecco perché è successo tutto questo pasticcio. A Condi non direi mai bugie. E cosa ha detto del mio portafogli? C'erano dentro sui quattrocento dollari e me l'hanno tolto di mano. Mi piacerebbe riaverlo.»

«Avevi mai scritto lettere a personaggi pubblici, prima di questa?»

«Solo a Condi. E una volta a Marjorie Kinnan Rowlings.»

«Chi è?»

«È quella che ha scritto *Il cucciolo*. È il mio libro preferito. Ormai l'ho letto sedici volte. Le ho scritto che il libro era proprio bello.»

«Ti ha risposto?»

«Ho ricevuto una risposta dall'editore che dice che è morta.»

«Nessun altro? Personaggi politici, o religiosi?»

«No, ma scriverò presto a Bob il Predicatore per raccontargli tutta questa storia.»

«Bob il Predicatore televangelista?»

«È mio amico. Dovrebbe essere messo al corrente. È stato il telefonino di Bob il Predicatore a far scoppiare la bomba, per cui vorrà essere informato. Posso avere carta e penna?»

«Puoi fare queste richieste al tenente Harding. Quanto spesso vai a votare?»

«Mai votato. Se Condi si candida però voto per lei.»

Chiuse il suo quaderno e cliccò il tappo della penna. «Per ora basta così. Più avanti potrei aver bisogno di farti altre domande. Grazie per la collaborazione.»

«Non c'è problema. Sei uno strizzacervelli, vero?»

«Proprio così.»

«Lo capivo dallo stile delle domande sessuali.»

«Sei un buon osservatore» mi fa, e se ne va. Era stato bello avere visite da uno che non mi urlava addosso, ma magari tornerà davvero come ha detto.

Il tenente Beamis deve aver detto qualcosa al tenente Harding, infatti un minuto dopo comparve oltre le sbarre. «Hai una richiesta da fare, Deefus?»

«Ehilà, tenente. Sì, rivorrei i miei quattrocento dollari, ma mi sa che era più sui trecentocinquanta per la precisione. E carta e penna per raccontare tutto a Bob il Predicatore.»

«Qua dentro soldi non te ne servono, ti forniremo solo l'essenziale. Carta e penna sono fornite solo per scrivere una confessione sincera ed esaustiva.»

«Ma non ho fatto niente.»

«E allora non ti servono.»

«Be'... ma mi piacerebbe dire la mia versione dei fatti.»

«La cosa comprende il nascondiglio di Dean Lowry e dei suoi conniventi?»

«Cosa sono i conviventi?» Dal suono pareva tipo una fidanzata, che Dean mica ce l'aveva le fidanzate.

«Quell'informazione sarebbe compresa in una confessione scritta?» vuole sapere, e mi fulmina con quei suoi occhi tutti in fuori. È veramente un pazzo, non c'è che dire.

«No...»

«La prossima volta che mi fai venire qui in missione ed è una missione inutile, Deefus, tu verrai punito. Non sono un uomo che ama che si faccia quest'uso del suo tempo.»

Se ne andò a passo di marcia per il corridoio. Dunque niente lettera per Bob il Predicatore, una bella delusione. E i soldi erano belli che rubati a sentire il tenente.

Camminai un altro po' avanti e indietro ma non in circolo, poi torna Fogler e mi dico che forse non ero ben concentrato e ho fatto delle curve, e invece non è incavolato con me, mi fa un sorriso molto simpatico per cui forse non avevo capito bene che tipo è.

«Ok, Defi» mi fa, «è l'ora degli esercizi.»

«Mi chiamo Deefus con due e.»

«Non insegnarmi le pronuncie, sacco di merda, fai quello che dico. Girati e unisci le mani.»

Obbedii e a quel punto lui infilò le mani oltre le sbarre per mettermi le manette, poi aprì la porta. «Esci fuori e procedi per il corridoio finché non ti dico fermati.»

Esco e mi metto in marcia ma eccolo che urla.

«Fermo! Ho detto da quella parte!? Da quell'altra parte lurida merda!»

Allora presi il corridoio nell'altro verso, e anche lì niente finestre, e infine arrivammo a una porta aperta e lui mi fa, «Gira a destra!»

Entrai e nella stanza c'era tavolo e sedie di metallo, del tipo sottile, e poi tutta sola da una parte una sedia più robusta. «Siediti» abbaia Fogler, allora andai al tavolo, ma a quel punto urla, «Non lì, pezzo di cazzo! Quella sedia là!»

Intende l'altra sedia, allora mi ci andai a sedere, e mi dicevo che volevo tanto prendergli il collo e stritolarglielo molto a lungo, quanto mi piacerebbe, ma portai avanti la conversazione per essere gentile.

«Facciamo allenamenti?» chiesi. «È la stanza dei giochi?»

«Proprio così.»

«Quindi ora ci alleniamo.»

«Credici, fratello.»

Poi entrarono altri due tizi in t-shirt e pantaloni della mimetica con i guantoni da boxe, saranno gli sparring partner solo che non c'è il ring. Poi entrò il tipo dell'aereo con la faccia da mastino, quindi alla fine non era tornato indietro assieme all'aereo, o anzi magari l'aereo era ancora qui. Gli feci un cenno perché si può dire che ci conosciamo, ma non ricambiò. Avevo notato da subito che qui sono tutti scortesi, e secondo me i militari non dovrebbero comportarsi così. Prima volevo entrare nell'Esercito ma adesso mi dicevo che forse non mi sarebbe piaciuto. Nelle pubblicità ti mostrano uomini giovani e affascinanti che saltano dagli elicotteri e fanno il saluto alla bandiera eccetera ma nessuno che fa il maleducato.

«Benone» fa Fogler con quel suo ghigno enorme in faccia. «Defi, lo sai perché siamo qui?»

«Un incontro di boxe?»

«Ci hai preso in pieno! Sei più furbo di quanto sembri, Defi. Lyden e Croft faranno un'esibizione di pugilato tutta per te, che te ne pare?»

«Ok.»

«Il nostro uomo ha detto ok! La sedia che hai sotto il culo, quella è la sedia per lo spettatore su cui l'ospite speciale dell'evento sportivo può sedersi e assistere all'evento. Metti le mani dietro la schiena.»

Obbedii e lui mi agganciò in qualche modo le manette alla sedia, per cui credevano che avrei provato a fuggire mentre tutti erano distratti dall'incontro di boxe, ma non sono così stupido da non accorgermi che era impossibile. Insomma, Lyden e Croft vengono da me e mi si parano davanti come quei gladiatori che dovevano tipo andare davanti a Cesare a presentarsi prima di cominciare a massacrarsi a vicenda.

«Morituri te salutant» ecco cosa dicevano. Sembrava tipo che aspettavano una parola da me prima di cominciare con le botte, io ero tipo Cesare, e non me l'aspettavo, allora dissi «Ok, cominciamo».

«Sentito cos'ha detto?» fa Fogler.

Mi resi conto del fraintendimento quando il primo colpo arrivò a me invece che a uno dei tipi coi guantoni. Mi colpì lungo la mascella e quasi mi fece cadere dalla sedia, e due gambe si alzarono da terra, vi giuro non scherzo, e poi riatterrarono, in tempo perché mi arrivasse un altro colpo dall'altro lato per cui la sedia si alzò di nuovo. Quando il terzo colpo mi colpì alla bocca dello stomaco e mi tolse tutta l'aria da dentro e non me ne entrò dell'altra fu lì che compresi che non era un incontro di boxe, ma una trappola con me come vittima. Bello scherzo da parte di Fogler. Praticamente è la scena in cui i nazisti provano a estorcere all'eroe a furia di botte i piani per l'invasione del D-Day, ma lui non rivela niente a parte il suo nome e grado e numero di matricola, per cui continuano a pestarlo. Il che significa che sono un eroe, anche se non ero proprio contento di esserlo.

Mi colpirono alla testa e in pancia, soprattutto, ma niente pugni ai reni perché il tipo di sedia lo impediva. Le orecchie mi ronzavano senza sosta e anzi sempre più forte a ogni colpo, come fossi immerso in un fiume nella corrente e rotolassi e ogni due secondi sbatto contro un altro masso. A un certo punto la smisero e quando aprii gli occhi c'era Pitbull in piedi avanti a me con la sigaretta fra le dita. Fa cadere la cenere sul pavimento perché sul tavolo non c'è il posacenere, poi mi fa «Dov'è Dean Lowry e chi sono i suoi amici?»

«Dean è morto... l'ho ucciso io... non volevo...»

La mia voce mi suonava strana, come quando ti senti registrato per la prima volta e non ci puoi credere che la gente ti sente così.

«E il corpo dov'è?»

«Non lo so... L'ho seppellito ma qualcuno l'ha portato via...»

«È la stessa storia che hai già raccontato.»

«Lo so...»

Si voltò mentre gli altri mi reimmersero in quel fiume di rapide e massi. Rotolai nella corrente per un bel po' e alla fine mi lasciarono riemergere di nuovo e avevo un fiotto di sangue nelle orecchie. Ed ecco di nuovo Pitbull che mi chiede di Dean esattamente come prima, per cui gli risposi nello stesso modo, che altro potevo fare? Lui fa la domanda io do la risposta, ma non è quella che vuole sentire, per cui mi ritrovo nella corrente di rapide e massi e mi arrivano pugni da destra e sinistra e penso che presto se non la smettono io affogo. E infatti smisero, come se mi avessero sentito. Ed ecco che torna Pitbull con un'altra sigaretta a ciccare cenere ovunque sul pavimento di cemento.

«Deefus, mi senti?»

«A-ah...»

«Dimmi quello che voglio sapere e tutto questo finirà, hai la mia parola.»

Be', non mi fidavo della parola di quest'uomo, ma non volevo più prendermi pugni con le mani legate dietro la schiena, allora dissi, «Ok...» Ero pronto a rivelargli i piani per l'invasione del D-Day, solo perché ormai sono piani superati, per cui che danno faccio?

«Dov'è Dean Lowry e chi sono i suoi amici?»

«Dean...» inghiottii dell'aria a fatica.

«Sì?»

«Dean...»

«Be'?»

«È morto…»

«Non mi prendere per il culo, Deefus.»

«E l'ho messo in un tubo di scolo sotto la interstatale 70.»

«Ok, è una risposta, ma l'autostrada è lunga.»

«Dall'altro lato di… Ogallah… il lato ovest. C'è un tubo di scolo. Dean è avvolto in buste di plastica da giardinaggio…»

«È vero? Se non lo è te ne pentirai.»

«È vero.»

Prese il telefono e si mise a raccontare a qualcuno quanto avevo appena detto. Sapevo di aver fatto un grosso errore e che l'avrei pagato carissimo una volta scoperto che Dean non era lì, ma era così bello non prendere altri pugni. Pitbull chiuse il telefono a scatto e fece un cenno a Fogler. Mi slegarono dalla sedia, poi mi fecero cadere per terra.

«Alzati!» mi urla Fogler. «Alzati dal pavimento, cazzo!»

Allora mi alzai e mi riportarono in cella. Mentre mi levava le manette Fogler mi disse «Sapevo che non ci voleva molto a farti crollare. Appena ti ho visto ho capito che eri una fichetta e che avresti fatto la spia contro i tuoi amici appena ti pizzicavamo un po'. Qualche colpetto con i guantoni e sei scoppiato in lacrime. Sei patetico. Non li rispetto gli uomini così».

A essere onesti, neanch'io. Ero crollato subito, per farli smettere di picchiarmi, ma il vero test su quanto sono duro lo faremo appena scoprono che ho mentito. E quando gli dico di nuovo la verità mi crederanno ancora meno di prima, il che vuol dire che mi picchieranno ancora più duro per quella prima balla a cui hanno creduto. Una grossa punizione mi aspettava dietro l'angolo come un enorme mostro nero in attesa di ordini per staccarmi la testa. Avevo fatto una cosa stupida e l'avrei pagata. E saperlo in anticipo mi metteva paura. Che eroe. Be', quando succedeva dovevo essere più forte che oggi, così mi dissi. Fogler ce l'avevo ancora di fronte di là delle sbarre, ancora con quel ghigno in faccia che mi guardava come si guarda la merda. Avrei potuto allungare le mani e afferrarlo e tirarlo contro le sbarre per mostrargli che non sono come pensa lui, ma ciò avrebbe voluto dire zero tempo per recuperare tra le botte di prima e quelle di quando scopriranno che ho mentito, e avevo bisogno di quel tempo in mezzo per recuperare le forze. Allora feci un'altra cosa, gli feci l'occhiolino, un lentissimo occhiolino, e un minuscolo sorriso. Questo lo fece infuriare perché non capiva che volevo dire.

«Ti piaccio, Defi, eh? Vuoi incularmi? È questo che vuoi?»

Continuai a sorridere finché non se ne andò, poi mi sdraiai sul letto e mi chiesi quante ore mi restavano prima che il grande mostro nero venisse qui nella mia cella a farsi il pasto della giornata. La testa e il busto mi facevano male, fremevano per tutti i colpi che avevo ricevuto, ma per lo meno non mi avevano picchiato con le sbarre di ferro. Quelle sarebbero venute dopo, probabilmente, e avrei dovuto essere pronto per il dolore e una sofferenza che in confronto il piccolo incontro di pugilato di oggi sembrerà baci e abbracci. Avevo smesso di illudermi di essere ancora in America. No, eravamo in un altro posto, un posto dove le cose che mostrano nei film, dove i buoni vincono sempre e i cattivi perdono sempre, quel tipo di vita era una barzelletta. Mentendo avevo preso appuntamento con la Vita Vera. Chiusi gli occhi e come mai prima sperai che ci fosse davvero un Dio per darmi forza, ma sapendo che questa cosa avrei dovuto affrontarla tutto da solo. Era un pensiero così terribile che mi addormentai, perché è così che faccio quando ho paura, un modo come un altro, no?

diciasette

Furono svelti a cercare Dean, gli sbirri del Kansas, o forse è che sotto l'interstatale a ovest di Ogallah troppi tubi di scolo non ce ne sono, e infatti già prima di cena ricevetti la visita di Pitbull. Rimase in piedi davanti alle sbarre e mi fissò per un'eternità. Anch'io lo guardai di rimando chiedendomi se mai la sua faccia aveva un'altra espressione, tipo se sorrideva alla festa di compleanno di suo figlio. La faccia di quell'uomo era scolpita nella roccia.

«Deefus» fa, «mi hai fatto fare una brutta figura. Mi hai detto una cosa falsa e io l'ho raccontata come fosse vera. Lo scriveranno nel mio profilo. Il mio profilo è una cosa molto preziosa per me e tu me l'hai Riempito Di Merda.»

Quasi mi dispiacque, poi mi dissi che questa però non era una persona buona che fa buone azioni, per cui che mi importa del suo profilo? Gli dissi «Quando vi ho detto la verità non mi credevate, per cui vi ho detto una bugia.»

«È proprio così.»

«Qualunque cosa vi racconto di diverso dalla prima cosa che

vi ho detto sarà una bugia. Voglio solo che lo sappiate. Mi picchierete talmente duro che dirò tutto quello che volete sentirvi dire, ma saranno tutte bugie perché già vi ho detto la verità e per averla detta voi mi avete picchiato. Tutto quello che so l'ho già detto sia a voi che a Kraus e Deedle, solo che nessuno di voi lo vuole ascoltare, volete ascoltare qualcos'altro, qualcosa tipo quello che vi ho detto oggi. Mi potete picchiare quanto volete, non cambia nulla. Questa è la verità sulla verità, datemi retta.»

Mi squadrò a lungo, così a lungo che pensavo che si stava rigirando le mie parole in testa e piano piano cominciava ad accettarla perché in fondo dire queste cose da parte mia in quel momento non avrebbe avuto nessun senso a meno che non era vero, e lo è. Poi mi fa, «Ti sei inventato tutto, eh? Hai fatto il tuo discorsetto sulla verità, molto sincero, molto diretto. Vuoi che ti creda perché mi stai proprio dicendo la vera verità, è questo che vuoi dirmi?»

«Sì.»

Mi sorrise. Dunque la sua faccia scolpita nella roccia dopo tutto può anche cambiare espressione. Ma era un sorriso terribile, come quando un coccodrillo spalanca la mascella.

«Non me la bevo» disse, e fu lì che mi resi conto che anche Pitbull era un pazzo come il tenente Harding. E mi resi conto che quello che mi aspettava, il grande mostro nero, sarebbe stato anche peggio di come me lo aspettavo. Fu una brutta sensazione accorgermi di tutto questo. Ma non gliela diedi a vedere, tanto a che sarebbe servito? Gli avevo già concesso di fargli sentire l'assoluta verità e lui se l'era scrollata dalla sua faccia di roccia come un cieco. La mia verità non era la sua verità. Direte, la verità è la verità, come una scopa è una scopa. Due uomini possono guardare una scopa da due punti diversi e accordarsi sul fatto che è una scopa perché eccola qua – è proprio una scopa. Ma la scopa che sto guardando io non è la stessa che vede Pitbull. Lui ci vede un secchio della spazzatura. E la cosa peggiore è che non ci posso fare niente.

Mi fa «Io aspetto che ti decidi.»

Se ne andò per il corridoio in direzione della stanza dei giochi. Mi toccò fare due lunghi respiri perché sapevo che entro breve il dolore me l'avrebbero spinto dentro per la gola come un pugno ed era meglio se stavo pronto, e non lo ero ancora, anche se per tutto il pomeriggio avevo provato con tutto me stesso a prepararmi. Quando arrivò Fogler con le manette e due soldati con le pistole automatiche fu quasi un sollievo che l'attesa era finita e cominciava il dolore.

Stavolta i due pugili mi aspettavano nella stanza assieme al Pitbull. Non li vidi passare per la mia cella per cui questo posto è più grande di quanto pensavo, ci sono altre entrate oltre quella che ho visto quando sono arrivato. Per me la grandezza non cambia niente. In questo palazzo, di due sole stanze mi importa: la mia cella e la sala dei giochi. Pensavo di sedermi di nuovo sulla sedia e invece Fogler mi fa «Stavolta è ancora più interessante. Stavolta ti puoi muovere e difendere. Sai come si fa, Defi?»

Quella notizia mi fece sentire meglio. Stavolta potevo rispondere, mi dissi, e anche se non sono un gran lottatore però sono grosso e magari riesco a recapitarglieli un paio di pugni fortunati prima che Lyden e Croft mi facciano a pezzi. Ma Fogler non intendeva questo. Mi lasciò i polsi ammanettati dietro la schiena, poi mi mise un cappuccio nero sulla testa. Come odio quel cappuccio nero quando me lo misero in testa e si spense la luce della stanza, la luce di tutto. Non c'è niente di peggio di un cappuccio nero sulla testa.

E si misero a picchiarmi. Mi potevano picchiare quanto volevano e come volevano. Si divertivano a darmi i pugni ai reni che stamattina non mi avevano potuto dare, ma si divertivano anche a calarci in mezzo un pugno in faccia o un pugno in pancia. Io barcollavo per la stanza dei giochi, non sapevo quale colpo mi aspettava ogni volta, o da quale direzione, sapevo solo che me ne aspettavano tanti ancora. A volte battevo il muro con la spalla per quanto barcollavo, e a un certo punto anche con la tempia, che poi quando è successo sono pure caduto e loro si sono allontanati e aspettavano che mi rialzavo. Dentro di me ero grato che si tiravano indietro e non mi prendevano a calci finché ero a terra, non è strano, ero proprio grato per quel minuscolo attimo di pietà che avevano prima di ricominciare.

In quei pugni ci mettevano tutta la forza, anche col cappuccio e anche in mezzo ai miei affanni e ai miei sbuffi sentivo i loro affanni e i loro sbuffi. Dentro al cappuccio si respira male, e una volta sono svenuto credo per la mancanza di ossigeno. Come prima anche stavolta si tirarono indietro, ma stavolta non provavo gratitudine. Non provavo niente che si possa chiamare emozione, ero solo concentrato a come fare entrare aria nella bocca sotto il cappuccio per avere la forza di continuare a girare in tondo come un sacco da boxe con le gambe. Che è quello che sono al momento, non sono più un uomo, non ai loro occhi, sono solo una cosa da colpire a ripetizione finché non mi spezzo.

Quando caddi per la terza volta mi parve di affogare perché non riuscivo a trovare aria abbastanza per restare vivo. Poi sento questa voce nell'orecchio, si è piegato fino al pavimento per parlarmi, mi fa «Possiamo fermare tutto. Dimmi la verità. Metti fine a questa cosa». Sentii il suo alito di sigaretta attraverso il cappuccio, tanto gli puzzava. E non potevo dirgli niente perché avevo già detto tutto quello che c'era da dire sull'argomento che gli stava a cuore. Visto che ero sul pavimento in una pausa dai pugni cercai di inspirare più aria che potevo, approfittavo della situazione diciamo così, ma fingevo pure di star pensando alla sua offerta, che non era un'offerta manco per niente a causa che lui era completamente folle. Non volevo rialzami e farmi dare altri pugni perciò rimasi là più a lungo che potevo finché Pitbull capì il mio gioco e mi fece sollevare a mano dai soldati, e fu qui che cominciò il pestaggio vero. Lyden e Croft, loro si erano rimessi in forze mentre ero a terra e adesso ce l'avevano a morte con me perché non parlavo. Lo capivo che erano infuriati infatti i pugni erano più forti di prima, nel senso che ci si impegnavano proprio a ogni colpo, ci mettevano tutta la loro forza per farmi dire la verità, e io non c'era niente che potevo dare tranne prendermi le botte perché so già che la verità non mi salverà proprio da niente.

L'unico e solo pensiero che avevo in testa era: prima o poi finirà. Dovevo solo continuare a prendere pugni finché a Lyden e Croft non rimanevano più pugni nelle mani e sperare che non ci fosse una seconda squadra di picchiatori ad aspettare fuori dalla porta tutti freschi e vigorati e pronti a sbattermi a terra e a calpestarmi per un po'. Se entrava una seconda squadra allora stavolta ero veramente molto vicino a desiderare la mia morte, perché a quel punto io proprio così male stavo.

Alla fine mi ritrovai a sbattere contro il muro mentre rinculavo da un pugno al collo, sbattei fortissimo con la fronte contro il muro e come si suol dire per un secondo vidi le stelle, poi eccomi tornato per terra, solo stavolta non mi rialzavo più. Se mi raccoglievano come prima io fingevo di aver perso coscienza e crollavo per terra. Ne avevo avuto abbastanza, abbastanza, abbastanza. «Mettetelo a letto» fa Pitbull, ed ecco di nuovo provai quella gratitudine. Avrei dovuto odiarlo per tutto il dolore che mi procurava, ma il mio vero sentimento qui è che sono grato perché ha detto basta. È un sentimento così stronzo che quasi non ci credo nemmeno io.

Mi raccolsero e mi portarono in cella. Mi mollarono sul letto, tolsero le manette e andarono via. Quando sentii allontanarsi i passi mi portai le mani alla testa, che era ancora nel cappuccio, e mi toccai la faccia, era tutta gonfia e tra poche ore sarà enorme, funziona così quando le contusioni sono così grosse. Poi mi sfilai il cappuccio lentissimamente perché ogni movimento mi faceva male, anche un movimento semplice come levarsi un cappuccio. L'aria era buona, era fresca. Lasciai cadere il cappuccio per terra e guardai per un pezzo il soffitto che era verniciato di bianco. Poi spostai la testa un poco e vidi Pitbull in piedi oltre le sbarre. Era rimasto lì da quando mi avevano riportato qui in cella, a guardarmi senza dire niente.

«Sapevo che facevi il finto morto» mi fa. «Ti ho dato una pausa.»

Sembrava tipo che voleva sentirsi dire grazie. Lo guardai poi levai lo sguardo perché non sopportavo di guardare quell'uomo.

«Tu pensi che sono un pezzo di merda» mi fa, «ma devo farlo. La gente deve essere protetta da quelli come te. È il mio lavoro: proteggere. Se faccio bene il mio lavoro la gente poi non salta in aria per colpa di qualche folle. E devi sapere che andrò avanti col mio lavoro finché non ti spezzi. La prima volta sei stato una fichetta, la seconda non te la sei cavata male. Stai imparando a essere un duro. Il che mi rattrista, perché non importa quanto sei duro, ti spezzerò comunque. Ci sono passato mille volte, qui e altrove. Il risultato finale è sempre lo stesso: il duro si spezza e ci racconta quello che ci serve sapere. E se non sa niente, e non è il tuo caso, si spezza comunque, e una volta spezzato rimane spezzato. Lo so per certo. Un uomo spezzato è triste da vedere, soprattutto se non sapeva niente. Ciononostante dobbiamo farlo, per essere sicuri. Una volta sicuri, com'è andata è andata, ci fermiamo. Ma il nostro uomo spezzato è e spezzato resta. E ci resta per sempre. Non è più se stesso, è solo un uomo spezzato che vuole solo trovare un buco nella terra e rotolarci dentro e lì morire. È così che va. Non puoi farlo andare in un altro modo. Nessuno può farlo. Domani ricominciamo. Tu riposati e fai la tua cena, tra poco arriva. C'è anche la torta per dessert, alla crema. A me piace. Piace a tutti. Ma domani la torta non la vorrai, ma solo la crema, perché domani i denti non ce li avrai.»

Se ne andò ma le sue parole restarono a mulinare nella cella per un attimo prima di colarmi nelle orecchie come gocce d'acqua gelida. Gli credevo. Credevo a ogni sua parola.

Mi portarono la cena ossia una pizza presa allo spaccio del

«campo principale sulla collina» così mi spiega la guardia, e sempre da lì viene la torta che aveva promesso Pitbull, e per portarmi cibi del genere vuol dire che lassù c'è un grosso campo base. Pizza in prigione, mica cazzi. E c'è perfino la scatola di cartone per non farla freddare, come a casa, solo che non c'è scritto Pizza Hut o Domino. C'è un sacco di carne, c'è un sacco di formaggio. Pizza Carcere, ecco cosa ci dovrebbe star scritto sopra, consegna alla cella in cinque minuti o vi rimborsiamo. E c'era pure la Coca Cola, e la torta era alla mela con crema come promesso. Mentre masticavo tutto quanto lentamente perché la faccia mi faceva male mi chiesi con che occhi avrei guardato questo pasto domani, senza denti. Magari Pitbull voleva solo mettermi paura. Be', ci era riuscito. Ho paura.

Finito di mangiare mi sedetti sul letto e sentivo il dolore delle contusioni su tutto il corpo, stavo troppo male per alzarmi e camminare avanti e indietro in linea retta, avrei barcollato e fatto curve e mi sarei messo nei casini, per cui rimasi a sedere assaporando l'ultimo morso di torta.

Poi mi rivengono a prendere e mi portarono di peso nella sala dei giochi, ci rimasi troppo male perché Pitbull mi aveva detto che si ricominciava domani, non stasera, per cui era una bugia detta per farmi illudere che avevo tempo per prepararmi al dolore, e invece così non ce l'ho, brutto bugiardo di un pezzo di merda. Lo odio. C'era anche lui e si fumava un'altra sigaretta senza posacenere, come prima, e lo vidi solo per un secondo poi mi misero di nuovo il cappuccio ed ecco che ricominciano i pugni, *bam bam bambambam...*

Poi uno di loro mi diede un pugno veramente forte nello stomaco, e quel buon cibo se ne tornò su e io vomitai nel cappuccio, vomitai tutta la cena. L'odore era così disgustoso che vomitai di nuovo finché non c'era più niente da vomitare. Per tutta l'operazione loro continuarono a colpirmi, per cui alla fine crollai sulle ginocchia piegandomi in due per farli fermare almeno un minuto e riprendere aria. Ma quel minuto erano poco inclini a concedermelo, e nemmeno cinque secondi. Appena fui a terra si misero a battermi la schiena e i reni più forte che potevano. L'interno del cappuccio era ricoperto di un vomito fetente che mi vergognavo a pensare che veniva dal mio corpo, faceva schifo quasi come la merda.

Mi colpirono e continuarono a colpirmi e io ho in mente solo una cosa, respirare dalla bocca per non sentire quell'odore tremendo, poi caddi a terra del tutto e allora smisero di picchiarmi. Pitbull si accucciò per parlarmi. Mi fa, «Dov'è Dean Lowry e chi sono i suoi amici?» Non potevo rispondergli, gli avevo già risposto, per cui forse non si aspettava una risposta nemmeno lui. Poi all'improvviso si mettono a picchiarmi mentre sono ancora a terra, ma stavolta sono stivali invece che pugni, stivali da combattimento mica scarpette da ballo, e mi sfondano le costole e la schiena e le gambe e le braccia. «La testa no» li avvisa Pitbull, e di nuovo sento per lui quell'orribile gratitudine, e siccome sapevo che era ingiusto quello che provavo mi sentivo ancora peggio.

Giusto per fare qualcosa, o forse per non pensare, mi misi a contare il numero dei calci, diciamo come distrazione. Quando il numero superò i venti, trenta, quaranta, provai una specie di stupore perché potevano fare una cosa simile, prendere a calci un uomo ammanettato e incappucciato per quarantatré, quarantaquattro, quarantacinque volte senza fermarsi. Questa gente era votata con tutta se stessa a farmi dire la verità, proprio così. Al calcio numero cinquantasei Pitbull dice «Basta così», solo che stavolta sono così scosso che non riesco a sentirmi grato. A malapena sento qualcosa.

Mi raccolsero e mi riportarono in cella e mi mollarono là, ma stavolta mi lasciarono le manette e anche il cappuccio, per cui non avevo le mani libere per levarmelo. Quell'orrenda puzza di vomito mi entrava dentro ogni respiro che facevo, e ne feci molti visto che quando prendi così tante botte dopo sei esausto. Scommetto che Pitbull questo lo sa. Scommetto che conosce tutti i modi in cui si può far star male qualcuno e ne usa uno, poi ne usa un altro, poi un altro ancora, tipo quando scegli quale aggeggio inserire nel tuo apparecchietto multiuso da cucina: taglia, affetta, sminuzza, miscela. Pitbull qui è il Cuoco Superstar del Dolore. È il Dr. Feelbad.

Prima di lasciarmi Pitbull mi fa «Vedo che sei depresso, Deefus, perciò ti ho organizzato una telefonatina per dopo. Ti va di sentire la voce della tua fidanzata, vero? Te lo faccio come favore personale. La ami tanto? Certo che la ami, per cui sentire la sua voce ti tirerà su, te lo garantisco». Sentii i suoi passi allontanarsi e la porta della cella che si chiudeva. Pensai alla conversazione con Lorraine e non sapevo cosa dirle, o lei a me, non dopo che aveva organizzato quella finta fuga e dopo che fin dall'inizio si era trombata Cole Connors. Se è vero quello che dice Pitbull e possiamo sentirci per telefono, le dirò per filo e per segno cosa penso di tutto questo. Aveva bisogno di un bel discorsetto, quella donna.

Passai credo un'ora a respirare il tanfo del mio vomito, poi qualcuno entrò in cella e mi levò le manette. Mi sfilai il cappuccio e ispirai aria fresca per qualche minuto. In corridoio preparavano qualcosa su un tavolino ma non volevo sapere cos'era finché non veniva il momento, perché ero sicuro che era qualcosa per farmi sentire ancora di merda. Alla fine guardai e in pratica avevano sistemato un computer portatile e un registratore accanto, il che non aveva molto senso. Come possono farmi star male con questi due oggetti?

Be', mi mostrarono come dopo averli accesi. Lo schermo del laptop mostrava me seduto su una sedia con degli affari incollati al petto e una di quelle fasce per misurare la pressione avvolta al braccio e dei fili incollati al palmo di una mano. Ero io nella stazione di Polizia di Callisto mentre mi facevano il test della verità! Mi chiesi se in qualche modo l'agente Larry Dayton aveva venduto il suo nastro al governo come voleva venderlo a me. Non era il filmato completo, avevano tolto la parte in cui Andy Webb mandava tutto a monte immischiandosi. Qui c'era solo la parte in cui gli incasinavo la lettura della macchina pensando a Jody che doveva abbattere il suo cucciolo adorato. Lo mandavano in loop, per cui si vedeva tutto il tempo me che piagnucolavo come un idiota, ecco come sembravo perfino ai miei occhi.

Ma le cose si misero ancora peggio quando accesero il registratore. Da lì uscirono pezzi di conversazione presi dalla cimice che l'FBI aveva messo nel telefono di Lorraine. Non parlava con me, parlava di me a Cole Connors. Questa parte, be', mi fa molto soffrire, perché c'è lei che dice che io sono un deficiente mentecatto ma come guardia carceraria posso andare. Poi si mettono a dire cose zozze, descrivono le cose che si sono fatti l'ultima volta e cosa si faranno la prossima, compreso il Lato oscuro qualunque cosa sia, ma Cole lo sa cos'è e infatti urla, «Uuuuuuuuuh, fammelo vedere!» Anche questo nastro era in loop e ricominciava sempre. La cosa curiosa è che sembra che nello schermo del computer ci sono io che ascolto quel nastro e mi dispero, e piagnucolo come un neonato mentre Lorraine dice le cose zozze. So che Pitbull ha messo su questa roba per farmi soffrire, ma stavolta ha fatto una cazzata perché vedermi nello schermo che piango per Lorraine non era neanche la metà del dolore di quei calci e pugni di prima. Ossia faceva male, ma in modo diverso. Credo che si tratta di una tortura mentale, non del tipo fisico, e se devo dire la preferisco mille volte a quello che mi fanno nella stanza dei giochi, per cui non aveva funzionato come voleva Pitbull, perciò ero contento. Ah!

Dopo un po' nemmeno sentivo più i miei pianti o le cose zozze, stavo lì a fissare la telecamera appesa al muro in alto e vagavo nei pensieri, pensavo a come avevo fatto ad arrivare qui e a quanto ero sfortunato che mi ritrovavo in tutta questa storia senza averlo voluto, e domani mi aspettavano altre cose orribili, altre cose come questa. Poi Fogler ci raggiunge e ha con sé un manganello tipo quelli della Polizia e lo sbatte con violenza sulle sbarre e mi fa «Defi, mi stai facendo incazzare. Ogni volta che torno a guardare il monitor ti vedo che mi fissi con quella faccia. Leva gli occhi dalla telecamera, che cazzo! E subito. Ce l'hai la tua piattaforma svaghi tv qui e allora perché guardi la telecamera? Defi!».

Lo ignorai completamente e continuai a fissare la telecamera. Be', Fogler sì che si incazzò. Non entrerà, mi dico, è solo chiacchiere. E invece apre la porta e mi viene incontro oscillando il manganello per farmelo assaggiare. Mi sembra accadere tutto lentissimamente, ma è il mio cervello che va a mille. Fogler, deve aver dimenticato che non ho le manette, per cui appena si avvicinò gli saltai addosso e presi il suo manganello e lo girai con tanta forza finché non lo lasciò. Non se l'aspettava proprio. Si fece tutto rosso in faccia e aprì la bocca per urlare ma non doveva farlo altrimenti i soldati sarebbero corsi dentro per picchiarmi ancora un po' solo perché questo stronzo voleva infliggermi del dolore extra fuori dall'orario di lavoro per darsi una botta di vita. Allora lo colpii forte al mento e sentii lo scatto dei denti che si sbarravano, poi mentre era ancora un po' stravolto dalla sorpresa lo colpii di nuovo ma in pancia e l'aria gli uscì dal petto con un lungo shhhhhhh.

Che gioia sentire quel suono, che gioia immensa. Se non fossi sicuro che ha i polmoni svuotati lo colpirei di nuovo per sentirlo ancora. E invece gli misi le braccia dietro la schiena e lo spinsi verso il cesso chimico in cui avevo già cacato una volta più un paio di pisciate da quando ero lì e gli spinsi dentro la testa a forza finché non ci stava immerso fino al collo e si dimenava per liberarsi, ma non ero dell'umore di lasciar andare quella testa di cazzo, nossignore, gli tenni la faccia nella merda per un altro mezzo minuto o giù di lì e poi lo tirai fuori e lo trascinai per la cella fino a sbatterlo contro il muro prima che potesse riprendere fiato. Prese una botta enorme e cadde come un sacco di cemento. Fu una sensazione meravigliosa, vederlo cadere così. Volevo ucciderlo. Volevo prenderlo a calci e poi a pugni e cavargli gli occhi, non sto scherzando, so che è un comportamento da matti ma è quello che ti succede se ti portano oltre il tuo limite come hanno fatto oggi con me. Ma se volevo impedirmi di uccidere Fogler dovevo prendermela con qualcos'altro, allora ecco che feci, uscii in corridoio e presi in mano il computer portatile e lo scagliai in fondo al corridoio, volò fino alla porta e andò in molti pezzi, e in un modo che mi diede molta soddisfazione. Fine del Deefus piagnucolone. Poi presi il registratore e lo scagliai per terra con violenza. Fine delle parole zozze di Lorraine.

Poi si aprì la porta dove c'erano i pezzi del computer ed ecco tre soldati con le pistole. Tornai in cella e chiusi sbattendo la porta, poi andai da Fogler e raccolsi il suo manganello. Quando i soldati arrivarono alla porta io avevo il manganello ben stretto sotto il collo di Fogler, e lui me lo tenevo davanti come uno scudo. Quando lo videro si fermarono. Gli dissi, «Se entrate gli stacco la testa!»

«Lascialo andare e andrà tutto bene…» fa uno di loro.

«No che non ci andrà» risposi, «non andrà bene no. Se lo lascio andare voi mi riempite di botte. Be', mi avete già riempito abbastanza, quindi andatevene affanculo!»

«Senti, amico, stai peggiorando la tua situazione…»

«Lo so! Lo so che la sto peggiorando! Non mi importa!»

Strinsi il manganello ancora di più e Fogler fece una specie di gorgoglio. I soldati erano ancora più confusi di me. Ci guardavamo chiedendoci, E adesso? Avevo il naso sulla testa di Fogler che puzzava di merda e robe chimiche.

Dopodiché arriva il tenente Harding e non crede a quello che vede. «Lascia andare quell'uomo!» mi urla, ma non obbedii. Lo urlò ancora, poi urla ai soldati di entrare e darmi una lezione, ma non volevano farlo, si rendevano conto che ero pazzo e che volevo fare del male a tutti loro, forse perfino a me stesso.

Harding allora tentò un'altra strada. Lo guardai mentre si riaggiustava i connotati e il tono di voce e tutto lusinghe e false cortesie mi fa, «Ascoltami, Deefus, non puoi trattare i miei uomini a quel modo. Lascialo andare e ce ne andiamo via, ok?»

«Mente!»

«Non mento. Ascoltami bene, ti do la mia parola. Lascialo andare e non ci saranno punizioni, dico sul serio...»

«Non so niente e non ho fatto niente!»

«Certo, capisco. Non sono i miei uomini quelli che ti fanno le domande, è tutta un'altra squadra, quella. Mentre l'uomo lì con te è uno dei miei, per cui ti chiedo di lasciarlo andare e ti prometto che non ti si avvicinerà più. Pensaci. Hai la mia parola di ufficiale. Se per te significa qualcosa allora capirai che è la cosa da fare, la cosa sensata da fare. Lascialo andare e sparirà dalla tua vita per sempre, ok?»

«E niente punizioni.»

«E niente punizioni.»

«E niente più telefonate.»

«Niente più telefonate.»

«E una tv.»

«Come?»

«Voglio una tv. Mi piace guardare la tv.»

«Ok, una tv, ma nient'altro. Lascialo andare e tutto questo non è mai successo, e in più avrai una tv dentro la cella.»

«E dell'acqua calda e del sapone e altri vestiti. Puzzo da far schifo!»

«Un viaggio al settore docce e vestiti nuovi, va bene. Altro?»

«Un'altra cena. L'altra l'ho vomitata.»

«Un'altra cena, non è un problema. A posto così?»

«Mi dà la sua parola di ufficiale?»

«Te l'ho già data. Non perdiamo altro tempo, quell'uomo non sta bene.»

«Ok. La sua parola di ufficiale.»

«Stai facendo la cosa più sensata, Deefus.»

«Via cavo e satellite ce li avete?»

«Abbiamo tutto quello che hanno in continente.»

Lasciai andare Fogler, che crollò a terra tossendo e ansimando di brutto. Che musica per le mie orecchie. Strisciò verso la porta. Pensavo mi prendessero appena Fogler fu nel corridoio e invece no. Lo aiutarono a rialzarsi e due di loro lo portarono via a braccia. Gli altri chiusero la porta e restarono lì.

«Il manganello» fa Harding.

Me la rischiai e avvicinandomi a lui glielo passai per le sbarre.

«Grazie» mi fa, e se ne andarono.

Aspettai. Non avevano chiuso la porta, vuol dire che torneranno con la tv come ha promesso Harding. Magari è per quello. Magari invece mi porteranno dell'altro. Mi ha dato la sua parola ma non significa un fico secco. Qua dentro sono tutti degli stronzi bugiardi e non mi posso fidare. Ho lasciato andare Fogler perché tanto quanto a lungo potevo tenerli lontani prima che mi tirassero addosso un lacrimogeno o altro, perciò l'ho lasciato andare e adesso sto a vedere se sono bravi a mantenere la parola o no. Secondo me No.

Eccoli che tornano per il corridoio, sono un gruppetto con Harding in testa. Stanno fuori della cella e non portano pistole, che è un buon segno. Uno di loro ha una tv portatile in mano, altro buon segno, magari mi ero sbagliato. Mi sistemano la tv sul tavolino dove prima stava il computer. Dev'essere a batteria perché in giro non vedo prese. Poi uno di loro passa una mano attraverso le sbarre e tiene qualcosa, assomiglia a un vecchio rasoio elettrico, tipo che me lo sta dando, ma poi preme un pulsante e da quell'affare parte un qualcosa che mi colpisce sul fianco come due piccole punte di coltello. Dall'aggeggio partivano due fili fino al mio costato e mi sto proprio chiedendo che cos'è... poi qualcuno mi spegne. Fu quella la sensazione. Caddi contorcendomi e non riuscivo a controllare nessuna parte del corpo. Lo fecero ancora, mi mandarono una scossa, dev'essere una di quelle pistole con i cavi a scarica elettrica con cui la Polizia mette ko gli ubriachi che non si vogliono far arrestare.

Il secondo choc mi fece smettere le contorsioni, prese possesso di me che ero sdraiato per terra come un morto.

Eccomi di nuovo sul pavimento, non mi si muove niente tranne il cervello. Entrarono nella cella e rimasero in piedi davanti a me. Alzai gli occhi e li guardai, li odiavo perché ormai possono fare quello che gli pare, anche uccidermi. Non vedevo manganelli né guantoni ma tutti portavano gli stivali per dare calci.

Harding si inginocchiò accanto a me, mi fa «Ecco cosa ti succede quando non ci dai quello che vogliamo. Sono questioni importanti queste, e tu devi cooperare, e invece non lo stai facendo». Mi staccò i cavi del Taser e si alzò in piedi. «Spegnetelo con gli idranti.» Idranti non ne vedevo in giro per cui che strana frase, ma poi tirarono fuori l'uccello e mi pisciarono addosso, tutti e tre i soldati ma Harding no, mi sa che gli ufficiali queste cose non le fanno. La cosa peggiore fu quello dei tre che mi mirò in faccia. Per l'insulto extra lo volevo uccidere. Poi esaurirono il piscio e Harding gli ordinò di andarsene, e loro obbedirono.

Guardandomi dall'alto mi fa «Penserai che non ci si comporta così, e ti capisco, ma una cosa che devi tenere presente è questa: tu non sei un essere umano. Tu sei un terrorista, ossia una cosa che ha la forma di un essere umano ma non è un essere umano. Tu non pensi come noi. Per questo fai le cose che fai. Sono cose brutte e bisogna fermarti. Io sono qui per fermarti. Siamo tutti qui per questo. Non c'è la minima possibilità, te lo posso confermare, che tu ottenga quello che vuoi. Vuoi vedere l'America messa in ginocchio dalle bombe, ma non accadrà. L'America è la più grande nazione che il mondo abbia mai conosciuto e mai conoscerà. Niente fermerà l'America. Sei come una formica che agita il pugno contro un elefante. Se non ti odiassi proverei compassione. La cosa peggiore è che sei nato americano. Se tu fossi uno di quei coglioni col turbante proverei compassione per te perché vieni da una parte del mondo dove tutto è una merda. Ma tu non vieni da lì. Tu vieni dal Wyoming. Ti devono proprio odiare in Wyoming, Deefus. Non tornerai mai a casa. Dopo che ti avremo spezzato ti terranno in un carcere federale da qualche parte per proteggerti. E anche lì dovranno tenerti in isolamento perché gli altri carcerati sono americani, americani veri, e ti odieranno tanto da volerti uccidere. Fosse per me ti porterei tra la popolazione carceraria normale e ti guarderei morire in ventiquattr'ore, ma noi americani abbiamo il cuore troppo tenero e allora potrai vivere. Se quello lo chiami vivere. Dacci quello che vogliamo, Deefus, e puoi lasciare questo posto e ricominciare in una cella su in America dove il clima è più mite e il trattamento anche. Cooperare per te è la cosa migliore, credimi». Si alzò in piedi. «Sono un uomo di parola perciò avrai la tua tv.»

Mi lasciò lì zuppo di piscio e incapace di muovere un muscolo. Lo sentii chiudere la porta e girare la chiave. Accese la tv del corridoio e se ne andò. Sentivo una voce che diceva qualcosa ma non riuscivo a capire le parole. Mi sa che era il momento in assoluto peggiore della mia vita, a terra in mezzo al piscio di tre uomini, a fissare il soffitto. Niente doccia né cambio di vestiti e pure niente cena, ma queste tre cose me le potevo aspettare. Ma farmi pisciare addosso, questa non me l'aspettavo. La vergogna che provavo era terribile, e avrei pianto ma ero così sconvolto da tutte le altre cose che mi avevano fatto. Me ne avevano fatte così tante che non potevo nemmeno piangere ma solo starmene sdraiato a pensare che è tutto un incubo e che sto dormendo. E invece non è un incubo.

Dopo un po' riuscii a muovermi abbastanza da mettermi seduto, e dopo ancora un po' di tempo fui in grado di alzarmi in piedi. Mi tolsi la tuta arancione che puzzava da far schifo e la tirai in un angolo, poi rimasi seduto là tutto nudo a guardare la replica di una sit-comedy con gli occhi sì ma non col cervello, se capite cosa voglio dire. Poi finì la sitcomedy ed ecco il telegiornale della notte. Dopo tre servizi c'è una cosa su di me, con anche le immagini prese dall'intervista con Sharon Ziegler per Channel 12, ma non era proprio su di me, ma su Feenie Myers. Quando l'FBI aveva organizzato la finta fuga devono aver seguito la macchina fino a Denver oltre che me a Kansas City, infatti avevano intervistato Feenie dopo aver preso l'autostoppista, Wendell Aymes, che aveva detto a chi doveva consegnare la macchina, cioè a Feenie. Eccoti Feenie intervistata, e sta dicendo che si ricorda di me alla Kit Carson High School ma non siamo mai stati amici e «Odell Deefus non sa nemmeno come si scrive la parola terrorista, figuriamoci essere un terrorista, è una cosa ridicola», il che era molto carino da parte sua, cioè grazie, Feenie. Era molto diversa da come me la ricordavo a scuola, aveva i capelli tutti sconvolti e l'anello al naso, il classico tipo da college. Continuarono dicendo che sto aiutando l'FBI nelle indagini, cosa non vera, l'FBI è stato messo alla porta quando sono salito sull'aereo con Pitbull, ma mi sa che a quelli del tg questa cosa non gliel'hanno detta.

Alla seconda cosa mi prende un colpo, era una ripresa di mio padre che si allontanava a passo svelto dalle telecamere e dai giornalisti che gli chiedevano un commento sul suo figlio terrorista, ma lui non voleva, e allora senza voltarsi diceva solo «Non so niente di lui, non so niente di lui», dichiarazione probabilmente veritiera che avrebbe potuto fare anche anni fa. Basta, su di me non c'era altro, nient'altro che un minuto scarso e per lo più di stronzate.

Per il resto del tg vagai con la mente, poi mi ripresi quando mandarono in onda Bob il Predicatore e il suo programma del venerdì notte. Stasera era bello agitato, sventolava i suoi occhiali a destra e a manca e a un certo punto ha dato un calcio al piedistallo della Bibbia per quanto era su di giri, ed ecco perché lo era. «Amici miei» fa, «chi di voi ci ha visti la settimana scorsa mi ha sentito dire parole di lode per il senatore Leighton Ketchum, parole che gran parte di voi che ci ascoltate avrete senz'altro condiviso. La sua idoneità alla carica di presidente è ciò di cui vi voglio parlare oggi. Esprimo la mia opinione personale sulla questione e non cerco di nascondervi i miei veri sentimenti. A quanto mi dicono si chiama libertà di parola, ed è qualcosa a cui abbiamo diritto tutti in questa nostra grande patria. Libertà di parola, sta nella Carta dei Diritti. Ma sapete cosa ho scoperto, amici miei? Ho scoperto che ci sono nella società delle forze che operano per ridurre questo diritto. Avrete di certo sentito l'odiosissima frase «separazione di Stato e Chiesa», e avrete pensato, come ho fatto io, che ciò non significa che io non possa esprimere la mia opinione quando mi trovo nella mia chiesa. E invece è esattamente ciò che queste forze maligne mi mandano a dire tramite il mio avvocato. Oh, sì, ce l'ho un avvocato. Ho Gesù Cristo sempre al mio fianco, ma per determinati problemi terreni è meglio affidarsi al proprio rappresentante legale.»

Con questa cosa si guadagnò una bella risata della congregazione. Fece roteare gli occhiali e li lasciò cadere sul petto, sempre appesi alla catenella, poi afferrò la sua Bibbia. «Le sole leggi che vale la pena ascoltare e seguire si trovano fra queste pagine! Ce ne sono altre di leggi che dobbiamo rispettare, certamente, assieme a quelle che Dio attraverso Mosè ci ha consegnato. Leggi buone, ben fatte, sensate, per la maggior parte. Ma amici miei, tutte queste leggi opera dell'uomo sono aperte... all'interpretazione. Altroché. E la stessa legge un uomo la interpreta così e un altro uomo la interpreta cosà. E così i semi della discordia vengono piantati in mezzo a noi senza far rumore.

Camminò per il palco con aria pensosa. Bob il Predicatore questa cosa la faceva proprio bene, quasi gli vedevi i pensieri piovergli in testa da quella ruga sulla fronte. Poi all'improvviso alza lo sguardo da terra e dice, «Le leggi secolari dicono che io non posso dire quella cosa sul senatore Ketchum perché è un'opinione politica, e per le opinioni politiche non c'è posto nella casa di Dio. Sapete una cosa, amici? Io obietto contro quella interpretazione, proprio così. Io obietto perché il mio cuore sa – e il mio cuore appartiene al Signore mio Dio – che ci sono alcune questioni politiche che trascendono l'etichetta "politiche" e sono l'essenza stessa dell'opera di Dio. Siamo circondati da nemici dello Stato, amici miei, e siamo alla loro mercé quando fanno esplodere bombe in mezzo a noi senza preavviso. Queste bombe sono dichiarazioni politiche nella testa dei terroristi, ma il male che si nasconde dietro di loro è per natura religioso, visto come è stato ispirato da una certa religione che non è la nostra. Ma ovviamente, non posso dire come si fa chiamare quella specifica religione. La settimana scorsa ne ho fatto il nome ed è anche per questo che mi sono cacciato in una brutta situazione. Stasera sarò diplomatico e non dirò come si chiama. Non posso dire il suo nome apertamente e a chiare parole perché se lo facessi, amici, ovunque nel mondo si farebbero stragi. Lo sapete di cosa parlo, certo che lo sapete. Lo sanno tutti di cosa parlo... ma non possiamo parlarne! Un bell'enigma, che ne dite, amici miei? Sappiamo che c'è una brutta cosa che sta infestando il pianeta ma non osiamo dire il suo nome perché se lo facciamo cominceranno gli scontri, gli attacchi per vendetta e una violenza che spargerà sangue innocente. Perché il male non ama che si parli di lui con disprezzo. Il male questa cosa lo offende. Il male, così chi pratica quell'altra religione vorrebbe farci credere, è sensibile, e i suoi più elevati sentimenti verrebbero offesi da una fiera affermazione della verità!»

Su questo furono tutti d'accordo e fecero a Bob il Predicatore un bell'applauso d'incoraggiamento a continuare. Li lasciò sfogare, poi disse «Dunque, le potenze del mondo, sia nazionali che internazionali, amici miei, mi stanno dicendo – lo stanno dicendo a voi – che non dobbiamo dire quello che pensiamo per paura che sfoci nel sangue, per paura di un incidente – di molti incidenti – fatti di sangue che potremmo evitare solo tenendo la bocca chiusa. Allora vi chiedo questo: c'è forse una differenza sostanziale tra le voci che vengono da oltreoceano e queste voci qui a casa, in patria, che mi dicono la stessa cosa? Ci vedete una differenza?». La congregazione non ci vedeva nessuna differenza, altroché, allora Bob proseguì. «Per cui questa cosa che chiamiamo libertà di parola, questa cosa santificata dalla Carta dei Diritti, è nei fatti un fuoco fatuo, una cosa che non esiste mica sul serio, oppure a volte c'è ma non c'è costantemente, a quanto dicono i vostri politici. Proprio oggi, amici miei, proprio oggi alcuni membri del Congresso mi hanno informato che ciò che ho fatto la scorsa settimana non era consentito dalle leggi vigenti sul nostro suolo. Che non posso e mai potrò sostenere un candidato alla più alta carica pubblica dall'etere perché così facendo io violo la separazione di Stato e Chiesa. Sono stato avvertito, amici miei, che se persisto nel mio comportamento verrò indagato dall'Ufficio delle imposte! Dicono che in quel caso il regime di esenzione fiscale cui è sottoposta la mia impresa – che è anche, vi ricordo, l'impresa di Dio – verrà rimosso! Rimosso! Credono di poter dare ordini a un uomo di saldi principi solo perché sono stati eletti alla loro carica dalla brava gente d'America. Be', ho da dargli brutte notizie. La brava gente d'America non prenderà di buon grado la notizia che l'Ufficio delle imposte si impiccia delle loro chiese! Toglierci l'esenzione fiscale? Voglio proprio vedere se ci provano!»

«Gli americani non si lasciano intimorire dalle minacce, nemmeno dalle esplosioni capitate proprio dalle nostre parti, qui in Kansas quattro giorni fa. Quella bomba è esplosa per errore, questo credo sia ovvio. Chissà per quale obiettivo era stata costruita. Io, amici miei, posso solo dirvi questo. Se quella bomba fosse esplosa secondo i piani, sarebbero morti americani a centinaia se non migliaia. Ce l'hanno ancora con noi, quei terroristi. La bomba del Kansas è la prova. Quella bomba, amici miei, è stata l'ultimo campanello d'allarme. E ai rappresentanti da noi eletti su a Washington io faccio la seguente dichiarazione, e che sia il loro campanello d'allarme. Io dico loro: non sconfiggeremo questo nemico implacabile dividendoci al nostro interno! A questo attacco senza quartiere sopravvivremo solo eleggendo uomini risoluti, uomini coraggiosi e determinati! Non sopravvivremo grazie a chiacchiere infinite né piegandoci e concedendo terreno ai nostri nemici! L'America deve rendersi conto, una volta per tutte, dove sta il suo destino!»

Il pubblico era entusiasta per le parole di Bob il Predicatore, e anche a me suonavano giuste, solo non riuscii a sentire più di quelle perché uno dei soldati a un certo punto arriva e spegne la tv e la solleva e se la porta via. Gli dissi «Il tenente ha detto che potevo guardarla» e lui mi risponde «Il tenente mi ha appena detto Vai a riprendere la tv, ne hai vista abbastanza». E se ne andò, lui e la televisione. Tutto qui, meno di un'ora. Ad ascoltare Bob il Predicatore mi era tornata la voglia di entrare nell'Esercito per difendere l'America contro tutti quei pazzi sciroccati che vogliono uccidere e farci diventare islamitici, ma ora che la tv non ce l'avevo più mi venne in mente che schifo sarebbe stare agli ordini di uno come Harding. La ricreazione era finita, sono di nuovo un prigioniero.

Non sapevo che ora era, ma Bob il Predicatore va in onda tardi per cui adesso sarà quasi mezzanotte. Ero arrivato poco prima dell'alba e già mi ero beccato una bella vagonata di merda. Non mi ero meritato tutta questa cosa tranne perché ero stupido, ma cattivo no, e però non mi crederà nessuno. Essere punito perché sei stupido è ingiusto, be', e allora, tanto è così che si sono messe le cose per cui meglio farsi forza e sperare che qualcuno riesca a dire a Bob il Predicatore e a Chet della mia situazione. Quei due mi tireranno fuori di qui anche se a nessun altro gli frega niente di me. Fossi stato uno che prega avrei pregato di farli correre qui a tirarmi fuori da questo cesso prima che questi mi abbattono mi riducono a una macchia sporca sul pavimento. Scommetto che Bob mi direbbe che devo avere fede, e ce l'ho, io fede ce l'ho in Bob e Chet. Loro sono veri uomini che sanno chi sono e che sono stati buoni con me. Non potrei pregare Dio invece che loro, perché se esiste Dio è troppo impegnato con i lavori grossi tipo impedire ai pianeti e alle stelle di andare a sbattere in mezzo allo spazio. Per cui nella mia squadra posso contare solo su quei due, ma è già abbastanza per riuscire a sdraiarmi tutto fetido e nudo e spostare gli occhi lontano dalla luce e scivolare finalmente nel sonno.

diciotto

Venne a svegliarmi il tenente Harding allora pensai è già mattina. Mi fa «Oggi abbiamo in programma attività all'aperto, Deefus. Che ne dici di uscire per un po' da questo posto?».

«Non sarebbe male» risposi.

«Non fare previsioni» fa lui, ma sorride, per cui magari andrà tutto bene, con uno come lui non puoi mai saperlo, lui mi considera suo nemico.

Mi diede una tuta nuova e io me la misi, poi mi fece ammanettare e bendare da due soldati che mi portarono per il corridoio tenendomi per le braccia. Sentii aprirsi una porta e il calore dell'aria mi colpì, era come entrare in un forno. Colazione non me l'avevano data eppure doveva essere mattino inoltrato visto quanto era caldo, per cui in fin dei conti è anche questa una punizione, questa attività all'aperto senza cibo in corpo. Ma me l'aspettavo per cui non ero deluso. Se avessi creduto al sorriso di Harding adesso mi sentirei due volte peggio.

Sentivo la terra grezza sotto le suole delle mie pantofole che erano un sacco sottili. I soldati mi portarono in un punto e mi dissero di inginocchiarmi, e io mi inginocchiai e sentivo la ghiaia che mi scavava le ginocchia attraverso la tuta. Avevo le mani dietro la schiena e dal cappuccio vedevo solo nero, però sentivo pure la terra sotto di me e il cielo sopra la testa. Lì ai tropici hanno proprio un bell'attrezzo di sole, non è come il sole che abbiamo noi. Questo qua è come un martello che qualcuno ha arroventato in una fornace e poi l'ha appeso al cielo così i raggi cadono giù duri e bollenti sulla mia schiena e sulle spalle e sulla testa che non ho il cappello, solo il cappuccio nero, ma magari un po' di protezione me la dà. Le dita dei piedi hanno i crampi per come sono infasciate in queste pantofole sottili, e le ginocchia mi implorano di alzarmi dalla ghiaia che è dura.

«Questa è la fase riposo» mi fa uno dei soldati, «quindi stattene buono qui e riposati. Se ti muovi, vuol dire che non stai riposando, che è contro le regole, per cui non farlo.»

«Ok» dissi.

Mi diede un calcio. «E non parlare se non ti facciamo una domanda, coglione.»

«Ok.»

Mi diede un altro calcio poi l'altro soldato fa «Questo tizio è un cerebroleso».

«Vero? Ehi, cerebro, dov'è che c'è scritto nel Corano che far esplodere donne e bambini si può fare? Forza, rispondi.»

«Non l'ho mai letto.»

«No? Forse non sai leggere.»

«Ho letto *Il cucciolo* sedici volte...»

Mi diede un altro calcio. «Non ti ho fatto nessuna domanda!»

«Eccoti una domanda» fa l'altro. «Com'è che un americano si mette in testa di farsi musulmano? Come mai l'avete fatto, tu e Dean Lowry?»

«Io non l'ho fatto, e Dean neppure, non sul serio almeno, faceva solo finta così sua zia se la prendeva a morte.»

«Bel sacco di merda di risposta. Credi che se non eri un terrorista di Allah adesso eri qui? E che cazzo eri qui a fare se non lo sei? E Lowry, come mai lui è al tg perché vuole uccidere il senatore se non è musulmano?»

«Non lo so.»

«Non lo sai? Che cazzo, sei tipo il terrorista più stupido che abbiamo qui.»

«Quanti ne avete?»

L'altro mi diede un calcio. «Non ti abbiamo fatto una domanda!»

Mi misi il lucchetto alla bocca e restai lì in ginocchio, avrei tanto voluto bermi un mega sorso d'acqua dal mio lavandino prima di uscire qui che il sole è troppo forte, ma non mi avevano detto che sarei stato in ginocchio sotto un sole così per cui non ho bevuto. Avrebbero dovuto dirmelo ma a loro che gli importa, io sono solo un matto bombarolo musulmano che minaccia di far esplodere donne e bambini.

«Ehi, Deefus, quella fichetta del tg, da come parla sembra che non le hai fatto una grossa impressione.»

Non dissi niente.

«Che cazzo, Deefus, sei sordo?»

«No, ma non mi avete fatto una domanda.»

«Ti ho chiesto se sei sordo, cazzo di mongospastico. Non hai sentito la mia domanda?»

«Non ora, quella prima...»

«Sì, cazzo, quella prima... che ti ho chiesto. Adesso però voglio sapere com'è che la fichetta della tv dice che non sai nemmeno come si scrive e invece tu ci hai detto che sai leggere, vero? Com'è?»

Il secondo mi fa, «A scuola te la scopavi, Deefus? Dalla faccia sembra una che ha inghiottito merda a palate quanto te. Allora, te la scopavi?»

Non mi piaceva che parlavano male di Feenie. Feenie aveva detto al mondo che non pensa che sono un terrorista, per cui non è giusto parlare così male di lei.

Il primo mi urla nell'orecchio, «Ehi, Deefus! Mi diventi di nuovo sordo?»

«No.»

«E allora che mi dici della fichetta? Ti diceva cose zozze per telefono come la tua "promessa sposa", eh? Ti faceva venire per telefono, eh? Com'è che la tua 'promessa sposa' dice cose zozze ad altri uomini, Deefus? Con te grossi cazzi non se ne vedono, eh? Eh? Rispondimi, brutto mostro!»

«Ma vaffanculo.»

Be', non era la risposta giusta. Mi diedero un calcio che mi rovesciò sul fianco poi continuarono coi calci, ma mi pareva che non ci si impegnavano più di tanto. Forse mi sto abituando alle punizioni per cui non mi sembra così male, o forse è così caldo che gli manca la forza. Dopo una decina di calci lasciarono perdere.

«Dammi una sigaretta.»

«Filtro o senza?» fa l'altro, dopodiché sghignazzano e poi il primo fa «Normale, amico.»

Li sentii accendere e soffiare fumo. Io, stare sdraiato sul fianco a riposare le ginocchia e le dita dei piedi mi andava benissimo. Questi due tonti mi hanno fatto un favore ma sono troppo stupidi per rendersene conto.

«Gesù, lo odio questo posto di merda.»

«Già, idem per me.»

«Dovremmo ammazzarli tutti e tornarcene a casa.»

«L'hai detto!»

Fumarono, poi uno fa «Ok, Deefus, in piedi».

Mi alzai, l'altro disse «Il riposo è finito, adesso ti toccano gli allenamenti. Saranno esercizi del tipo cantare e ballare. Sai cantare e ballare, Deefus?»

«No.»

«Be', cazzo, meglio che impari alla svelta, amico mio. Non ci importa che ci suoni e che ci canti ma devi farlo, per cui fallo.»

«Fallo» mi ordina l'altro, «o ti facciamo stare in ginocchio sull'asfalto tutto il cazzo di giorno mentre noi ci mettiamo all'ombra e ci facciamo una bella birretta ghiacciata.»

«Comincia subito» fa il primo.

Non volevo stare in ginocchio sull'asfalto bollente per tutta la giornata, per cui provai un po' tipo a strisciare i piedi e cantare. Cosa cantavo, «Sono una piccola teiera tonda e bella, Ecco la mia maniglia, Ecco la mia cannella...» La parte della maniglia e della cannella non la potevo fare perché avevo le manette e allora continuai a cantare all'infinito le stesse parole e a strisciare i piedi. Si piegarono dal ridere e mi dissero che cazzo sei un gran ballerino e canti anche da paura e continua a cantare altrimenti, e io continuai, cantai senza fermarmi finché non sono inciampato e sono caduto. Questa cosa li fece ridere ancora e intanto si accesero altre sigarette, mi lasciavano sdraiato lì come prima, che era meglio che cantare e ballare.

Poi uno di loro fa «Merda, arriva il cazzone».

Sentii il rumore dei passi che si avvicinavano. Poi sento la voce del tenente Harding che fa «Quest'uomo doveva stare sulle ginocchia, mica riposare sul fianco».

«È appena caduto, signore.»

«Deefus, alzati in piedi, c'è una telefonata per te.»

Mi dico, Certo, come no, un altro nastro con Lorraine che dice cose zozze, magari.

«Alzati e vai a rispondere!»

Mi alzai e lui dice di levarmi le manette, loro obbediscono, poi mi mettono in mano questo piccolo telefono già aperto. Mi dico, È una telefonata vera. Chi diavolo mi cerca, qui? Mi avvicinai il telefonino alla testa incappucciata.

«Pronto?»

«Odell, sono l'agente Kraus. Come te la passi da quelle parti?»

«Tutto ok. Fa caldo.»

«Eh già. Be', adesso avrai un po' meno caldo. Abbiamo individuato il cadavere di Dean.»

«Dove vi avevo detto io?»

«No, a Hays City.»

«Come ci è arrivato?»

«La tua casa era sotto sorveglianza, Odell. Il pomeriggio in cui hai tolto Dean dalla buca e l'hai risistemato da un'altra parte ti stavano osservando con il binocolo. Donnie D e il suo compagno di spaccio Marcus Andrew Markham, alias Marky Mark. Mai sentito nominare?»

«No.»

«Si erano incuriositi a vederti, per cui quella notte mentre eri fuori con Donnie e Lorraine a ritirare dal bancomat giù in città, Markham ha tirato fuori Dean e l'ha portato da un'altra parte. Pensavano che tu avessi ucciso Dean e volevano prenderti e portarti alla Polizia per prendersi la ricompensa negando però ogni legame personale con Dean. Donnie ha ceduto dopo che gli abbiamo mostrato la foto del bancomat. Tu verrai portato qui e verrai interrogato per l'omicidio. Confermi che hai ucciso tu Dean e l'hai seppellito?»

«È stato un incidente.»

«La scientifica ha confermato che è morto per il colpo alla testa, ma il suo cranio è sottile in modo anormale.»

«Ve l'avevo detto. Ehi, questo tizio, Marky, l'ha visto chi ha messo il furgone nel vialetto? Dev'essere successo proprio mentre lui tirava fuori Dean.»

«No, lui è salito con la macchina fino alla casa, è andato sul retro a prendere il corpo ed è uscito dalla stessa parte. Il furgone è stato riportato dopo, forse solo pochi minuti dopo. C'è dell'altro. Le telefonate che dici di aver ricevuto da un certo agente Jim Ricker, me la confermi anche questa?»

«Mi ha chiamato, ve l'ho detto.»

«Abbiamo riesaminato le nostre registrazioni, abbiamo scoperto diverse anomalie. Sai cosa significa?»

«È… una creatura marina con tanti braccini ondulati. Ma non un pesce.»

«Tracce di interferenza che non avevamo notato prima, forse un nuovo tipo di dispositivo di codifica. Di questo pure dovremo parlare. Come ti trattano lì?»

«Ok, diciamo.»

«Ottimo. Be', volevo solo informarti che la tua storia nel complesso è stata accettata e che verrai incriminato per omicidio. Congratulazioni.»

«Grazie.»

«Ripassami l'ufficiale.»

«Agente Kraus? Lorraine, sono state ritirate le accuse di traffico di stupefacenti contro di lei per aver collaborato alla finta fuga? Se sì sono contento. Non le porto rancore. Ed è vero che lei faceva certe cose con il commissario Webb quando era, ehm, troppo giovane? Mi ha detto che è per questo che mi aiutava a scappare, per vendicarsi con lui di quella cosa, ma magari era una bugia per far sembrare tutto più vero. Non sono affari miei, ero solo curioso.»

«Queste accuse sono parte delle indagini ancora in corso, per cui non posso parlarne. Passami l'ufficiale.»

«Non porto rancore nemmeno a Donnie D. Era solo preoccupato per Dean secondo me.»

«Odell, passami subito l'ufficiale.»

«Ok, ciao.» Consegnai il telefono. «È per lei, tenente.»

Me lo tolse di mano e stette a sentire, poi fa «Subito».

Sentii il rumore del telefono che si chiudeva su se stesso. Harding fa «Portatelo dentro». Obbedirono, e quando fui in cella e mi avevano tolto il cappuccio mi dissero che potevo farmi una doccia, e mi feci la doccia, una sensazione meravigliosa. Poi mi ridanno i vestiti con cui ero arrivato qui e anche le scarpe da ginnastica, e perfino i soldi. Poi mi portarono la colazione, uova, pancetta, pane alle uvette e cialde, più il caffè. Tipo è come far salire uno da pezzo di cacca a vip in un attimo, che lo so che devo ringraziare l'agente Kraus per questa cosa.

A metà mattina arriva il cappellano Turner con la mia

Bibbia. Sembrava un sacco sorpreso a vedermi in panni normali senza la tuta arancione. Mi fa, «Il tenente mi ha detto che questa non ti servirà, ma non mi ha detto perché. È cambiato qualcosa?»

«Vado a casa.»

«Davvero, e come mai?»

«Hanno cambiato la condanna da terrorismo a omicidio.»

«Oh.»

«Ma penso che la cambieranno ancora in omicidio colposo perché è stato un incidente. Devo solo spiegargli bene com'è andata.»

«Capisco. Allora questa non ti serve più?» Mi fece vedere la Bibbia. Sembrava nuova.

«Non più. Ormai che non sono più un terrorista non pensano che sono musulmano.»

«È l'unico motivo per cui l'hai chiesta, per sembrare meno musulmano?»

«A-ah.»

Sembrava deluso. «Mi hai detto che eri un cristiano apostata.»

«Che tipo di cristiano è? Io sarei nella chiesa episcopata. Ci stava mia madre da piccola, ma mio padre l'ha convinta a uscire.»

«Non è mai troppo tardi» mi fa, e infilò la Bibbia tra le sbarre, che gliela presi per educazione e allora diedi un'occhiata per vedere se era del tipo con le figure. Una volta mi ricordo che ho visto una di quelle bibbie con le figure di Gesù con i capelli lunghi dorati e gli occhi azzurri come il cielo. Sembrava un vichingo in vestaglia. Questa però non ce le ha le figure.

«Grazie» gli dissi. Mi guarda il viso, ce l'ho tutto gonfio, e so che vuole farmi una domanda a proposito, ma non me la fa. Gli dissi, «Hai parlato di me a Bob il Predicatore?»

«Bob il Predicatore? No, pensavo stessi scherzando.»

«Be', ormai non importa più, torno a casa. Vuol dire che

posso andare a quel grosso programma che manderà in onda da Topeka per il quattro luglio.»

«Ne ho sentito parlare. Sarà una cosa spettacolare, mi sa. Be', stammi bene, e studia quel libro, farà grandi cose nella tua vita.»

Su questo probabilmente ha ragione. Il Corano di Dean ha fatto grandi cose nella mia vita e non ne avevo letto una sola parola, l'avevo preso in mano massimo due volte, questi libri religiosi sono dinamite. Il cappellano Turner mi strinse la mano con molta simpatia, io gli dissi «Uscendo può chiedere al tenente o a qualcun altro se mi possono far uscire da questa cella ora che non sono più un terrorista? Non mi hanno ancora detto tra quanto esco».

«Domanderò» risponde, e se ne va.

Dieci minuti dopo viene a trovarmi Harding. Mi fa «Non ti sarà consentito lasciare la cella fino all'ora della partenza. C'è un volo per il continente questa sera. Fino allora devi rimanere dove stai. È un edificio militare, è severamente vietato percorrerlo se non sei uno di noi».

«Solo due settimane fa pensavo di arruolarmi.»

«Ma non mi dire. Fossi in te me lo leverei dalla testa, Deefus, non sei adatto.»

«Eh? E perché?»

Mi studiò per un po' e alla fine mi fa «Sei un tipo troppo particolare. I tipi particolari li accettiamo solo di rado e gli stendiamo ogni risvolto per bene, ma con te... Non lo so, hai qualcosa che non quadra. Lascia perdere la carriera militare, trovati un lavoro in un consiglio comunale da qualche parte come svuotacestini, se vuoi un mio parere».

«Grazie. Ci penserò.»

«E stai lontano dai musulmani. È così che ti sei ficcato nei guai.»

«Certamente, lo farò.»

«Vuoi che ti riportiamo la tv? Ti farà passare il tempo fino al rilascio.»

«Ok.»

Se ne andò. Era molto più gentile dalla telefonata dell'agente Kraus. Quella lì, era come le telefonate di quelli che ti dicono che hai vinto tipo la lotteria. Cambiò tutta la situazione, e intendevo dire un enorme Grazie a Kraus la prossima volta che lo vedevo. Si può dire che la lotteria l'avevo vinta davvero, poter uscire di qui e senza gente che mi guarda e pensa che sono un terrorista ma solo un criminale.

La tv fu Fogler a riportarmela. Aveva un grosso livido rosso sulla gola per via del manganello. Aprì la serratura e mi lanciò addosso la tv portatile. La presi e lui mi fa «Non sei ancora fuori, non prima di stasera».

«Lo so.»

«Per cui c'è ancora tempo.»

«Per cosa?»

«Per avere paura» mi fa.

Intende paura di lui, glielo leggo in faccia. Non mi andava di ascoltare discorsi del genere da uno antipatico come Fogler per cui gli dissi «Bene, allora», e gli restituii uno sguardo cattivo a occhi stretti. Lui mi guardò più o meno allo stesso modo e se ne andò.

Accesi la tv ma non c'è che telenovele a quest'ora del giorno, allora la spensi e pensai che forse è arrivato il momento di dare un'occhiata alla Bibbia visto che a detta di tutti fa bene all'anima. La aprii a casaccio e mi misi a leggere. Ma non andai troppo lontano. Dev'essere un libro per veri geni, perché non riesco a seguire più di qualche parola senza perdermi e chiedermi, E questo cosa vuol dire? Per dieci minuti cercai di dare un senso a un passaggio minuscolo ma mi toccò rinunciare. Mi diede la sensazione che ero un idiota proprio come ogni tanto si dice di me, e questo fatto mi mise tristezza, ma non è mica colpa mia, sono fatto così, che mica l'ho scelto io di essere fatto così. Pensai ai cestini da svuotare e mi intristii ancora. Forse la cosa migliore era tornarmene al silo di grano quando si sistema tutto e mi lasciano libero. O forse non mi lasciano libero, e il mio prossimo lavoro sarà in prigione e rammenderò sacchi della posta o stamperò targhe, ho sentito dire che è questo che fanno là dentro. Pensarci mi rese ancora più triste di com'ero. Potevo sempre trovare lavoro come lavapiatti, chiunque ha due braccia lo può fare. Ci sarà qualcosa che so fare, certo non a Callisto. Lì non voglio più tornarci. Quel posto mi ha portato male. Più di tutto non voglio più incrociare Lorraine dopo quello che ho scoperto su lei e Cole, e su lei e il commissario Webb se anche quella parte è vera, ma soprattutto per lei e Cole. Dopo aver scoperto quello, io il mio cuore gliel'ho chiuso in faccia per sempre, non che a lei importa niente di quello che provo. Quella donna è stata una finta amica, proprio così.

Per pranzo un cestino di pollo fritto, molto gustoso e abbondante. Mi fece vedere le cose con meno tristezza, e mi misi a pensare se a cena sarei stato ancora lì o se mi davano da mangiare in aereo. Volevo tornare in America. Questo posto non mi piaceva. Mi avevano dato troppe botte per potermici trovare bene, anche se il cibo era buono. Finito il pranzo mi feci un bel sonnellino per recuperare il sonno perso ieri quando erano tutti troppo presi a torturarmi. Ecco di cosa si era trattato, tutte quelle cose lì. Avevo sempre pensato che tortura significa un tipo con una veste nera e un cappello a punta che infila delle mazze di ferro in un fuoco finché non si arroventano e poi te li infila negli occhi, o anche farsi strappare in due da due cavalli o altro. Ma quella è la tortura vecchia maniera, mi sa. Al giorno d'oggi non fanno nemmeno la fatica di far scaldare i carboni e poi in un clima del genere, troppo sudore, e lascerebbe segni. Picchiare duro uno ma con i guanti, ecco come si fa. Molto dolore e molti lividi ma dopo pochi giorni non si vede niente, è un'idea furba.

Che sonno mi feci, appena mi sveglio ecco che arriva la cena: bistecca! Forse l'avevano fatta apposta per me, per dirmi

Scusaci Per La Tortura, o forse è quello che mangiano di regola i soldati. Sia come sia, me la spazzolai, poi guardai un po' di tg ma non c'era niente su di me o sul corpo di Dean finalmente ritrovato e invece c'era un sacco di roba sulle elezioni, con le due fazioni che sparavano a zero l'una sull'altra come sempre. Io, mai votato manco una volta, ma se Bob il Predicatore mi dice che il senatore Ketchum è la persona giusta, credo che glielo devo a Bob per la sua gentilezza e tutto il resto, da obbedire se me lo chiede. Bob il Predicatore le saprà più cose di me sulla politica. Ora che ci penso, tutti ne sanno più di me. A volte non puoi far altro che fidarti del cervello di una persona più intelligente di te, come in questo caso, direi, per cui quasi sicuramente lo farò e parteciperò alla politica per la prima volta in vita mia, che tipo tutti lo dovrebbero fare quelli che possono. Ci sono paesi dove non puoi votare e rimani con gli stessi personaggi cattivi e tontoloni per sempre al potere, per cui da noi è meglio.

Verso le otto e mezza due soldati e il tenente Harding vennero ad accompagnarmi fuori di lì. Harding mi fa «Deefus, prima di oggi mai nessuno era restato con noi per un tempo così breve. Per essere certi che non ci sono state incomprensioni, sarei lieto se tu firmassi questa». Mi consegna un pezzo di carta che dice in modo molto semplice che non ho subìto trattamenti disumani mentre ero sotto la custodia dell'Esercito degli Stati Uniti e lo dichiaro pertanto in questa sede.

«Ma voi mi avete picchiato di brutto» gli dissi.

«È stato un errore basato su comunicazione erronea. Ci era stato detto che eri un terrorista. Sarai d'accordo sul fatto che se tu fossi stato un terrorista avresti meritato quello che hai subìto e molto molto di più. Come americano, non vuoi che le forze armate ti proteggano?»

«A-ah.»

«Ed è quello che stavamo facendo. Cattiva comunicazione, di questo si è trattato. Firma qui.»

Mi diede una penna. La guardai, poi guardai il foglio, poi Harding.

«Ma io non sono un terrorista, sono un omicida colposo.»

«E allora ritieniti fortunato se non hai subìto quello che subiscono altri, e se sei stato qui infinitamente meno. Rifletti sulla tua fortuna, Deefus. Un governo straniero che fosse partito dal presupposto errato che sei un terrorista ti avrebbe fatto cose terribili per estorcerti una confessione. Per fortuna sei capitato con noi. Firma qui e puoi andare.»

Presi la penna ma ancora non firmai. Non so perché, non mi sembrava la cosa da fare.

«C'è un aereo che ci aspetta, Deefus, un aereo preparato apposta per te. Lo sai quanto costa un viaggio da qui a Miami? Migliaia di dollari dei contribuenti, tanto spendiamo per portarti a casa. Con te abbiamo sprecato tempo ed energie che avremmo dovuto impiegare con individui che sono terroristi per davvero. Smettila di sprecare il nostro tempo prezioso, Deefus: firma.»

Allora firmai. Firmai in fondo al foglio, ma con uno sgorbio illeggibile per non farglielo capire. Scrissi Odouell Derfuse, così non era legale. Harding diede un'occhiata rapida e gli andò bene.

«Benda» fa.

Uno dei soldati mi bendò, poi mi portarono fuori e mi misero sul sedile di dietro di un Humvee accanto a un altro soldato e ce ne andammo, e allora ero felice anche se non vedevo nulla. Fu un viaggio più lungo di quello d'andata, devono avermi fatto fare un'altra strada stavolta, e alla fine cominciai a sentire l'odore, quell'odore di aeroporto, di benzina d'aviazione e sentivo un elicottero che atterrava.

L'Humvee si ferma.

Mi fecero scendere e mi scortarono per un pezzo sull'asfalto e un soldato mi fa «Adesso c'è una rampa». Il mio piede toccò il bordo di una cosa dura inclinata all'insù, ecco la rampa.

L'altro soldato mi fa all'orecchio «Addio, Defi» e mi tira un pugno così forte che mi si attorcigliò lo stomaco. Riconoscevo quella voce, era Fogler.

«Che succede là?» grida una voce.

«Il prigioniero è inciampato, signore.»

«Portatelo su.»

Mi accompagnarono per la rampa, non c'erano gradini come di solito sugli aeroplani, mi fecero sedere su una sedia ed ero ancora bendato e mi allacciarono un paio di manette di cuoio duro attorno a polsi e caviglie. «Misura di sicurezza» mi fa un'altra voce. «Vogliamo star sicuri che arrivi a destinazione senza un graffio. Non vogliamo che rimbalzi come una palla su e giù per l'aereo. La benda verrà tolta in volo.»

«Ok.»

Intorno a me sentivo altre voci, e poi un rumore di pressione idraulica perché la rampa si sta ritirando e poi quando si chiuse lo sportello i suoni fuori dell'aeroporto si fermarono di botto, per cui mi sa che sto dentro a un grosso trasportatore C-130. Adesso tutti i rumori che sento sono interni, e suonano vuoti, tipo che nell'aereo non c'è niente. Poi si accendono i motori, sono quattro, e quanto erano forti! Misero su una specie di rombo sibilante e l'aereo si mise a camminare. Sentivo delle voci ma poco, fa un rumore pazzesco qui. Poi accelerammo parecchio, poi ci fermammo e ruotammo da fermi, me ne accorsi senza vedere, poi i motori pomparono ancora più forte e a quel punto cominciammo a correre molto veloce e sentivo la vibrazione per tutto il corpo grazie al sedile a cui ero legato. Era un'esperienza completamente diversa da quell'altro viaggio in aereo nel jet piccolino ma anche questa era divertente. Poi l'aereo decollò e tutto smise di vibrare. Ci arrampicammo su nel cielo per una cosa come dieci minuti e poi ci rimettemmo orizzontali e i motori tolsero gas.

Venne qualcuno da me e mi levarono la benda. È un uomo

con una tuta da pilota e il casco. Mi fa, gridando per superare i motori, «Niente film a bordo! Niente pasti!»

«Ok!»

«Buon volo!»

«Potete levarmele queste?» Parlo delle manette di sicurezza.

«Non si può!» mi fa. «Regolamento!»

Se ne andò. A bordo non c'era nessun altro, o così mi pareva, c'ero solo io in mezzo a questo spazio enorme con luci fioche qua e là, è tipo stare in una caverna e c'è questo suono di fondo che romba dappertutto. Non ci sono finestrini da cui guardare per cui non so che fare, posso solo starmene seduto a sentire ogni pezzo dell'aereo che vibra che trema. Sentivo voci molto lontane là davanti dove stanno i piloti in un mezzo di linea, ma nessuno venne da me dopo tolta la benda. Vado a Miami, ha detto Harding. Non ci sono mai stato prima, per cui va bene.

Scommetto che Kraus e Deedle sono lì ad aspettarmi per prendermi sotto custodia. Ho ancora quel problema che ho ucciso Dean, per cui non va così tanto bene, ma adesso sanno che Dean aveva questo cranio tenerissimo che andava in pezzi facilmente. È ciò che chiamano circostanze attenenranti, un bel nome per definire qualcosa che non doveva accadere e che non si voleva di proposito far accadere. Magari per questo ci andranno piano con l'accusa di omicidio colposo, io ci spero. Magari posso chiamare Feenie Myers per farmi da teste visto che ha già detto al tg che non pensa che sono un terrorista. Se si leva l'anello al naso e si pettina meglio i capelli la corte di sicuro le crede. Non so a chi altro chiedere di parlare in mio favore. Non avere amici a volte è un bel problema. Non so dire da quanto siamo in volo quando ecco che torna lo stesso tipo con una cuffia con microfono e un cavo audio in mano.

«È per te» mi fa, e mi mette la cuffia sulla testa e infila il cavo audio in una presa sul muro dietro di me, poi se ne va. Appeso a una barretta c'è un microfono che mi arriva davanti alla bocca, serve per parlarci, ma al momento non sento altro che fruscio.

«Pronto?»

Mi dico sarà l'agente Kraus come stamattina, chiama per vedere se sto bene e forse ha altre notizie sugli sviluppi e il dietro le quinte, come si suol dire.

«Pronto?»

I rumori di fondo spariscono e mi arriva una voce molto chiara, solo non è Kraus.

«Odell?»

«A-ah...»

«Jim Ricker. Mi senti bene?»

«A-ah...»

«Ho sentito che ti hanno fatto passare un brutto quarto d'ora laggiù. Ti hanno fatto firmare un pezzo di carta che dice che non ti hanno torto un capello?»

«A-ah...»

«Fanno sempre così. Non ti preoccupare. Ormai sei fuori, amico mio.»

«Fuori?»

«Libero come un fringuello. Questa tra noi è una conversazione privata, Odell. Neanche i ragazzi in cabina ci possono sentire, ok? È strettamente fra me e te e l'uccellino sopra al filo. Hanno fatto cadere tutte le accuse contro di te. Non solo le accuse per terrorismo e cospirazione, non solo le accuse per coinvolgimento nel traffico di droga, intendo anche le accuse per omicidio colposo o meno che sia in relazione alla morte di Dean Lowry. Tutto ritirato. L'ho appena scoperto.»

«Ma... come mai?»

«Facciamo un passo indietro. La lettera che hai scritto a Condi Rice, be', è finita nelle mani dell'FBI grazie al tipo che ha rubato il furgone di Dean a favore di terzi. Ha preso la lettera per curiosità ma poi ha visto a chi era indirizzata. Questa persona, non c'è bisogno che ti dico il nome, è un ladro d'auto professionista. Quando ha consegnato il veicolo ai terzi che lo pagavano per il furto, si è tenuto la lettera. Avendo visto di cosa parlava l'ha offerta all'FBI in cambio di una ricompensa perché ha sentito al tg il nome tuo e quello di Dean. Così è cominciato tutto. Mi segui, Odell?»

«A-ah.»

«Quando il corpo di Dean non si è trovato dove avevi detto che stava, i ragazzi del Bureau se la sono molto presa con te. Da quel momento tutto quello che hai detto non è stato creduto. Hanno messo su una finta fuga ma tu l'hai capito e hai cambiato strada, solo che avevano previsto anche questa mossa e ti avevano coperto anche per una fuga senza la macchina e ti hanno seguito. A quel punto però cominciano a rendersi conto che non hai idea di dove andare, non hai amici terroristi a cui rivolgerti, sei solo un coniglietto spaventato che corre da una parte e dall'altra. Allora ti hanno preso di nuovo per tostarti per bene e farti sputare il rospo, il che come sappiamo bene entrambi era solo una perdita di tempo. Mi segui ancora?»

«A-ah.»

«Nel frattempo ci si gratta tutti la testa perché non si capisce niente, ma poi il tipo della lettera viene chiamato per un interrogatorio. Crolla, confessa, e mette gli investigatori sulle tracce del suo datore di lavoro, quello che gli ha chiesto di rubare il furgone. Indovina chi era?»

«Non... ho idea.»

«Fatti questa domanda. Come mai Chet Marchand ti ha detto di lasciare il telefono nel furgone il giorno del funerale?»

«Per... non farlo squillare a funerale iniziato.»

«Odell, che cavolo, per evitare che squilli basta spegnerlo. Voleva che tu lasciassi il telefono solo per usarlo per far esplodere la bomba che i suoi avevano messo nel furgone. E se per caso dei pezzi del telefonino fossero sopravvissuti all'esplosione avrebbero portato dritto fino a te, l'amico del terrorista musulmano Dean Lowry. Perché loro a quel punto pensavano che lui fosse un terrorista. Al momento invece in tutto il sistema della giustizia non c'è una persona che lo consideri tale. Dean Lowry lo spacciatore e idiota provetto, ecco come lo vedono.»

«Ma... e perché Chet voleva farmi saltare in aria?»

«Chet era andato a Callisto per cercare un pollo, qualcuno a cui dare la colpa per un attacco terroristico. Sapeva che Dean Lowry si stava interessando all'islam perché sua zia aveva scritto a Bob il Predicatore. L'obiettivo era Dean, lui volevano farsi amico per usare il suo furgone come bomba terrorista. Unico problema: Dean era già morto, grazie a te, ma Chet questo non lo sapeva e allora si mette a fare amicizia con te. Quando ha scoperto che Dean era scomparso ma al suo posto c'eri tu, ha sostituito Dean con te nel ruolo di pollo, pensando che tanto tu eri un signor nessuno di cui nessuno avrebbe sentito la mancanza.»

«Chet...»

«Esatto, Chet, l'amico devoto praticante certo-certosino di Bob il Predicatore. Metti insieme i pezzi, Odell. Bob Jerome voleva Leighton Ketchum alla Casa Bianca, ma l'agitazione per il casino dell'Iraq ha diviso la nazione. Cosa serve a Bob per aumentare le possibilità del senatore di vincere le elezioni? Gli serve un altro undici settembre per far impazzire la gente, per spingerli a votare l'uomo che sul terrorismo ha la linea più dura. Ricordi l'invito al gran raduno di Bob a Topeka, per il quattro luglio? È lì che la bomba doveva esplodere. Peccato che hai avuto l'idea geniale di telefonarti da solo per vedere se il telefono era ancora nel furgone. Buuum! Fine del piano di Bob per l'attacco terroristico. Probabilmente il piano era di lasciare il telefono spento finché tu non fossi andato a Topeka, poi qualcuno si sarebbe infilato sotto il furgone e lo avrebbe attivato per il gran finale. Hanno fatto una stronzata e lo hanno lasciato acceso. Hai salvato centinaia, forse migliaia di vite facendo detonare quella bomba in anticipo, Odell.»

«Io?»

«Sei l'eroe invisibile, amico mio. Bob il Predicatore e Chet Marchand hanno negato ogni conoscenza dei fatti, e non c'è modo di poterli incriminare perché le prove contro di loro sono solo prove indiziarie. Se il senatore Ketchum aveva partecipato al piano, e i registri delle telefonate tra Washington e Topeka dicono che è così, non c'è niente che possa fare adesso a parte correre alle elezioni senza più un attacco terroristico a fargli da spinta. Lui sa che noi sappiamo e ha paura. E l'hai fatto tu, Odell, hai sventato un piano che avrebbe fatto sembrare la bomba di Oklahoma City una prova generale. Mi inchino.»

«Io...»

«Ora sentimi bene. Tutto ciò è strettamente confidenziale, non è roba di uso pubblico. Nemmeno dovrei raccontarlo a *te*, ma mi assumo il rischio perché non mi piace vedere una persona perbene lasciata all'oscuro a questo modo. Questa telefonata non è mai avvenuta. Non è mai avvenuta perché nessuno su questo pianeta può intercettare e registrare queste parole che senti da me. Voglio che tu mi faccia una promessa, Odell. Voglio che mi prometti che non parlerai mai a nessuno di questa cosa. Che non dirai niente di Bob il Predicatore o di Chet Marchand o del senatore Ketchum. Mai. A nessuno. Fammi questa promessa, Odell. Fammela adesso.»

«Lo... prometto.»

«Parlare adesso servirebbe solo a metterti nella merda. Non sei più accusato della morte di Dean Lowry perché Dean Lowry è stato dichiarato ufficialmente disperso, non morto. È ancora un ricercato anche se il suo corpo è già stato distrutto. Donnie D e Marky Mark hanno ricevuto dei soldi e l'ordine di lasciare il Kansas. Se parlano di quello che sanno – e loro non sanno nemmeno una virgola di quello che sto dicendo a te, Odell – verranno eliminati. Loro questo lo sanno e ci credono. La tua ragazza e la guardia carceraria, il suo amichetto, sono stati prosciolti dalle accuse in modo da non sollevare polvere su nessuno degli aspetti di questa vicenda. Non ti avvicinare a nessuno di loro, mai più. Ecco il compromesso escogitato dai miei capi. Anche loro vogliono Ketchum alla Casa Bianca, ma Ketchum non può più usare la pista Bob Jerome. Bob il Predicatore si è andato a nascondere alla velocità della luce. Se la gente pensa che Dean sia ancora a piede libero, l'uomonero terrorista intestino musulmano, magari Ketchum una possibilità ce l'ha ancora. Per me è già spacciato. Il gran complotto si è ridotto a un piccolo complotto. Così va il mondo. Sei libero. Niente di tutto ciò è mai accaduto. Adesso non devi far altro che andartene da qualche parte e volare basso. Trovati un lavoro qualunque in una città qualunque e cuciti la bocca. Ti terremo d'occhio, ovunque andrai. C'è chi ha proposto di eliminarti, Odell, ma io mi sono detto contrario, voglio che tu lo sappia. Non deludermi.»

«Non... non la deluderò.»

«Bene allora. È la cosa sensata da fare. Domande?»

«Mh, no...»

«Manca solo un messaggio finale per te da parte del governo, dopodiché fine di tutto.»

«Un messaggio?»

«Addio, Odell. Hai lasciato il segno. Peccato che nessuno lo saprà mai.»

«Mh... Jim?»

«Sì?»

«Mh... tu per chi lavori? L'agente Deedle mi ha detto che non sei nella Sicurezza nazionale. Mentiva?»

«Odell, hai mai sentito l'espressione "ingranaggi negli ingranaggi"?»

«No.»

«Be', un giorno la sentirai e capirai, magari.»

«Ma... per chi lavori?»

«Per i buoni» mi fa.

C'è un clic e poi le orecchie mi si riempiono di nuovo di elettricità statica. L'uomo col casco torna un minuto più tardi a levarmi le cuffie. «Sei riuscito a parlare?» mi chiede. «Là davanti non sentivamo un cazzo.»

«No, è... ho sentito solo rumori.»

Portò via le cuffie. Restai seduto a guardare la parete di fronte, ripensavo a quello che mi aveva detto Jim Ricker, provavo a crederci. Se Jim Ricker diceva la verità allora tutto quello che mi era successo aveva senso, più o meno. Ero finito in Qualcosa di Grosso e Bruttissimo e non me n'ero reso conto. Tanto tempo fa vidi alla tv un vecchio film muto e c'è questo tizio che cammina per una città in mezzo a una tempesta di vento, ma mentre i palazzi gli crollavano a destra e sinistra lui non veniva mai sfiorato, e per pura fortuna. Era buffissimo. Io sono quel tizio, fortunato e stupido. Non sapevo cosa pensare di tutto ciò, provavo a mandare giù tutte le cose che avevo sentito da Jim Ricker. E qual era poi il messaggio finale che il governo aveva per me? Il tizio col casco non tornò più a portarmi cuffie e microfono, per cui forse il messaggio mi aspettava a Miami.

Stavo ancora valutando ogni cosa quando due uomini in tuta e casco mi vennero incontro dalla punta dell'aereo e si misero a sbullonare il mio sedile dal muro con un paio di grosse chiavi inglesi. Non dissero nulla, si diedero da fare coi bulloni. Alla fine chiesi «Che fate?».

«Ordini» risponde uno dei due.

Sollevarono il mio sedile via dal muro e lo portarono sul fondo dell'aereo proprio sulla rampa di carico e mi posarono là, poi trafficarono col retro del sedile, ma non potevo vedere cosa. Mi passarono una cintura molto larga attorno alla vita, da dietro, e la legarono stretta. Poi mi controllarono le manette ai polsi e alle caviglie.

«Che fate?» chiesi di nuovo, ma stavolta rimasero zitti.

Andarono al capo opposto della rampa e si misero un'imbracatura come quella dei paracadutisti, con cavi che li tenevano attaccati ai muri, poi uno di loro si avvicina a una scatola coi controlli appesa al muro e ci traffica un po'. Nonostante il rombo dei motori sentivo il suono di leve idrauliche, e così la rampa cominciò ad abbassarsi. Sapevo che la rampa poteva abbassarsi anche in volo perché avevo visto un film su una squadra della Marina in missione segreta che si paracadutava fuori da un C-130 da una rampa aperta.

Ci volle circa un minuto per farla aprire tutta, il vento che entrava da fuori era sempre più forte e rumoroso via via che si abbassava la rampa, fino al punto che potevo strillare ma nessuno mi avrebbe sentito tanto è il frastuono che viene da fuori, i motori rombano e il vento ulula. Io ho i capelli cortissimi ma li sento che si storcono tutti sulla testa mentre guardo fuori il cielo notturno luminoso di stelle e del chiaro di luna, è perfino splendido.

I due uomini tornano da me e tengono fermo il sedile, che ormai si dimenava come un pazzo per le frustate del vento. Uno dei due avvicina la bocca al mio orecchio e strilla. «Dobbiamo farlo! Non c'è niente di personale! Ok?»

Non sapevo cosa voleva dire. Strinsero forte il mio sedile, uno da una parte uno dall'altra, lo sollevarono, il che non era facile con il vento che sbatteva ogni cosa, poi mi avvicinarono al bordo della rampa, tipo che volevano farmi vedere ancora meglio il panorama, cosa carina da parte loro ma anche terrificante, ecco, perché a questo punto siamo proprio sopra la rampa e c'è il cielo sia a destra che a sinistra e il vento e il rumore sono tremendi. Ero grato per il brivido che mi facevano provare, come il giro della morte su delle montagne russe veramente velocissime, ma il cuore mi picchiava fortissimo il che vuol dire che ho anche paura, perché la sola cosa che impedisce al mio sedile di volare nel cielo sono questi due uomini che la tengono stretta con le loro imbracature di sicurezza agganciate ai muri.

«Ok!» urlai. «Riportatemi dentro!»

Ma non mi riportarono dentro l'aereo. Mi portarono ancora

più in fondo alla rampa! Proprio fino all'orlo! Di sotto vedevo l'oceano tutto increspato e d'argento come stagnola, e ormai il cuore mi galoppa come un branco di cavalli selvaggi. Mi sentivo come quelli catturati dai pirati e ora mi portano sulla tavola sospesa sul mare, solo che sono loro che camminano al posto mio perché io sono legato al sedile. Quando i pirati lo fanno ci sono sempre sotto gli squali ad aspettare... E alla fine mi resi conto che non mi stavano offrendo un'esperienza speciale da-una-volta-nella-vita... mi stavano buttando di sotto, solo che nemmeno mi dovevo preoccupare degli squali perché cadere da così in alto significa morire appena tocchi l'acqua... Un miglio o più per prendere velocità e colpirò l'oceano come un melone lanciato dalla cima di un grattacielo quando tocca il marciapiede... E questo è il messaggio del governo per me... e il messaggio è: Vaffanculo, bello, sai troppo!

E a quel punto mi buttarono di sotto...

Mi buttarono giù dall'aereo...

Il suono dei motori si fece più forte all'improvviso, poi cominciò a diminuire perché cadevo giù lontano dall'aereo, una forma nera contro le stelle. Precipitai a testa in giù, il cielo e l'oceano mi vorticavano intorno e in testa avevo un solo pensiero terribile che scalciava e si dimenava come un topo messo all'angolo: Sto per morire, sto per morire...

Poi ecco uno scossone della madonna che quasi mi strappa dal sedile. Continuai a girare ma non cadevo più. Ogni due secondi vedevo una cosa insinuarsi tra me e l'aereo, molto lontano da me, e anche un'altra cosa, tipo un cavo. Non vogliono uccidermi per l'impatto con l'oceano, vogliono uccidermi spaventandomi, o forse stanno solo tirando per le lunghe con la suspense e dopo qualche minuto sganceranno il cavo dov'è attaccato e io riprenderò a scendere, stavolta fino a giù. Non avevo mai provato tanta paura. La bocca mi si spalancò e ne uscì vomito in un lungo arco. Mi si spalancò anche il culo e i pantaloni si riempirono di merda. Mi pisciai addosso. Urlai come una ragazzina. Li implorai di tirarmi su, risparmiarmi la morte e che non avrei detto niente a nessuno di niente, ma salvatemi, vi prego salvatemi salvatemi...

Non saprei dire quanto a lungo rimasi appeso al cielo a vorticare su me stesso, ma dopo un po' notai che l'aereo ricominciava a diventare grande. Ero così frastornato che non potevo far altro che chiudere gli occhi per non vedere l'oceano e le stelle che giravano in cerchio all'infinito e cercare di ignorare il sangue che mi batteva come tuoni sulle orecchie. L'aereo si fece sempre più vicino, mi stavano tirando su con la carrucola, una croce nera che girava impazzita danzando col vortice della luna crescente. Quando vidi la rampa protesa in fuori ero così felice e grato che non avevano tagliato il cavo che piangevo e gemevo come un bambino che ha perso la mammina ed eccola ritrovata, grande e calda che mi salva da tutto ciò che è male e oscurità.

Il sedile fu preso in pieno dalla scia del motore e svolazzò come una creatura impazzita prima che riuscissero a sollevarmi oltre l'orlo della rampa e afferrassero i braccioli per immobilizzarmi. Quando il sedile toccò il pavimento provai l'emozione più dolce del mondo. Mi tirarono ancora più in dentro e mi bloccarono al suolo, poi la rampa si sollevò e in breve il cielo di fuori non lo vedevo più e la rampa era chiusa. Il mio sedile fu preso e portato verso il muro, poi lo imbullonarono dov'era prima, e tutto senza una parola dai due uomini, stavano facendo il loro lavoro come fosse uno qualsiasi dei compiti dell'equipaggio. Volevo odiarli ma non ci riuscivo. Riuscivo solo a starmene là nella mia merda contentissimo di essere vivo. Il messaggio del governo l'avevo sentito forte e chiaro e non mi lamenterò per il trattamento subìto, mai. Non sono stato prigioniero, sono stato ospite in una camera tutta per me con bagno annesso. Grazie. Non sono stato torturato, ho solo partecipato a minuzioso interrogatorio. Grazie. Mai stato tra i sospetti, solo persona informata sui fatti. Grazie ancora. Il mio governo mi ha portato su suolo straniero tutto spesato, e mi ha anche fatto dono di un eccitante viaggio di ritorno e anche qui, tutto gratis. Grazie grazie grazie.

Restai seduto come uno zombie nel mio sedile speciale, il mio sky-sedile, e feci come aveva detto il tenente Harding, mi misi a riflettere sulle mie fortune, poi riflettei un'altra volta, e ancora e ancora finché i motori non persero forza e l'aereo si inclinò su un fianco, allineandosi all'aeroporto per l'atterraggio. Il naso mi si riempì dell'odore di merda e di piscio. La mia mente è piena di gratitudine e di paura. Mi dispiace tanto tanto e prometto che non lo farò mai più. Voglio che tutto ciò finisca. Presto. Per sempre.

Le ruote toccarono l'asfalto e l'aereo rallentò. Ora mi dico che visto che sono di nuovo negli Stati Uniti le cose per me cominceranno a mettersi bene se rigo dritto. Non vedo l'ora che l'aereo si fermi così posso scendere dall'aereo, ma stavolta da una porta laterale, spero, e per toccare terra, terra ferma. E invece mentre l'aereo ancora corre per la pista un tizio mi si avvicina, è senza casco, è solo un soldato di corvée, e mi arrotola la manica. Ha con sé questo kit di primo soccorso e mi pulisce il braccio con un tampone e mi ci ficca dentro un ago.

«E questo a che serve?» gli domandai.

Mi fa «Iniezione contro le malattie tropicali».

Avrei dovuto capirlo che era una balla perché le punture con quelle robe te le prendi prima di andare nei posti pericolosi da malattia tropicale, non quando stai tornando a casa. Mi stavo dicendo questa cosa quando sentii tipo che il cappuccio nero mi scendeva un'altra volta sopra la testa.

diciannove

Mi svegliarono le campane della chiesa. Me ne restai sdraiato e mi chiedevo se ero mica in paradiso tanto ero calmo e al sicuro. Dopo un po' mi alzai a sedere per capire che aspetto aveva il paradiso. Il paradiso pare una stanza di un Motel 6. Mi guardai, ero nudo. Qualcuno mi aveva lavato, le lenzuola non erano macchiate. Sul tavolinetto c'è una valigia nuova che non ho mai visto e dentro ci sono dei vestiti.

Mi alzai dal letto. Le campane suonavano ancora, che suono riposante. Andai alla finestra e infilai l'occhio fra le tendine chiuse. C'era uno spiazzo di cemento e un vialetto che dava sulla strada. Un Posto Qualunque: Stati Uniti. Chi mi ci ha portato? Andai a vedere la valigia e presi i vestiti. I pantaloni erano bozzuti quindi cercai nelle tasche. C'erano due bei mucchietti di banconote arrotolate, una per tasca. Li contai, era un totale di diecimila, in pezzi nuovi di zecca da cento l'uno. Per farmi stare zitto. Mi misi una camicia e pescai le scarpe da tennis nuove ai piedi del letto. Era tutto della mia taglia.

Bussano alla porta, una voce di donna mi fa, «Resta oltre

mezzogiorno, signore? Se è così deve venire a registrarsi di nuovo. Signore?»

«No!»

Se ne andò. Chiusi la valigia e andai alla porta. Un qualche istinto profondo me la fece aprire lentamente, come quando ti aspetti una festa a sorpresa o una bomba che ti esplode in faccia, ma oltre la porta non c'era niente, un corridoio vuoto dipinto di rosa. Le campane della chiesa avevano smesso di suonare. Uscii in corridoio e mi chiusi la porta dietro. Mi sento in colpa, non so perché, tipo che sto fuggendo senza pagare.

Passai per lo spiazzo di cemento, la luce quasi mi accecava, entrai nell'ufficio. Una signora sui cinquanta alzò gli occhi su di me. Ha i capelli viola tutti impilati in cima alla testa.

«Cambiato idea?»

«No. Dove sono?»

«Sei qui, bellezza.»

«Voglio dire, in che città?»

«I tuoi amici ti hanno proprio fatto divertire ieri notte. Ti hanno mollato qui e sono scappati?»

«Già.»

«Be', siamo a Vero Beach.»

«Florida?»

«Wow, te la sei proprio spassata. Florida, sì.»

«Una fermata dei pullman c'è?»

«Proprio in fondo alla strada. Non ti tornano a prendere i tuoi amici?»

«Spero di no.»

«Torna a trovarci, e dillo ai tuoi amici. Be', non quelli che ti hanno mollato. Altri amici, ok?»

«Ok.»

Uscii in strada, tenevo gli occhi aperti a fatica per il sole. Prima cosa dovevo prendere un biglietto del pullman, tirai fuori un pezzo da cento, poi mi presi degli occhiali da sole. Continuai dritto per il marciapiede con in mano la mia valigia nuova, ogni tanto mi guardavo alle spalle per vedere se mi seguivano, e non mi seguivano. Ecco la stazione dei pullman, non è molto grande per una cittadina come questa. Entrai nella stazione e presi un biglietto per Atlanta. Il tizio mi dice che il pullman arriva qui entro mezz'ora. Dall'altra parte della strada c'è una stazione di servizio e un emporio. Entrai e mi presi una Coca grande con ghiaccio e un pretzel gigante e bello caldo più occhiali da sole e cappello da baseball per non farmi riconoscere. Comprai pure un mucchio di quaderni da scuola con i personaggi dei cartoni sulle copertine, e un paio di penne biro. C'è pure l'edicola qui, e i titoli schizzarono fuori dalle prime pagine e mi colpirono le palle degli occhi: IL SENATORE KETCHUM RITIRA LA CANDIDATURA. Lessi quello che c'era sotto ed ecco che diceva: il senatore ha deciso di passare più tempo con la famiglia per ragioni personali che il pezzo non diceva mai quali erano, ma non hanno a che vedere con le minacce fatte da Dean Lowry, e che la caccia a Dean va avanti comunque, così dice. Eccovi serviti.

Tornai in strada per sedermi sulla panchina ad aspettare il pullman. Non sono mai stato ad Atlanta, ma so che non mi fermerò a visitare la città. Diecimila dollari valgono un sacco di biglietti per arrivare dove mi sento al sicuro, ovunque sia. Mangiai il pretzel e mandai giù la Coca e mi sentii molto meglio.

C'è una domanda che mi ruzzola impazzita in mente come una gallina dalla testa mozzata: Jim Ricker mi ha detto la verità o no? Non potevo credere a quelle cose su Bob il Predicatore e su Chet. Non avrebbero mai fatto una cosa del genere, far saltare in aria un sacco di gente, pecorelle del gregge stesso di Bob e nel suo raduno gigante a Topeka sotto il suo tendone. In America cose così non succedono, le fanno solamente i pazzi tipo quello che ha messo la bomba in Oklahoma quando ero piccolo. Me lo ricordo e mi ricordo che nessuno riusciva a crederci che un americano potesse fare una cosa simile. Ma quel tipo provava un sacco di rancore come dissero dopo tutti quanti, ecco spiegato il fatto. Ma Bob il Predicatore non è quel genere di persona, per cui ora mi dico che a Jim Ricker qualcuno – magari il presidente – gli ha ordinato di dirmi bugie. Tanto non lo saprò mai. Provai a ficcarmelo bene in mente ma quella gallina con la testa mozzata continuava a correre in cerchio finché non mi venne un mal di testa allora smisi del tutto di pensarci, una cosa sensata da fare e infatti mi sentivo meglio complessivamente. Se sul cammino c'è una roccia troppo grossa e non la puoi spaccare, giraci intorno e tira dritto.

Ecco che arriva il pullman.

Ora, se avete letto la mia storia fino a qui vi sarete resi conto dai voi che non ho scritto questa storia in una sola corsa di pullman. Avrebbe dovuto essere una corsa lunga fino alla luna e ritorno. No, ho cominciato a scrivere giù in Florida e ho continuato fino in Georgia, poi lungo le strade del Mississippi, e su fino in Illinois. Da lì sono andato a ovest e ho continuato a viaggiare fino a che non sono approdato in Oregon e a quel punto avevo scritto solo tre capitoli e rotti. A quel punto ero stanco di viaggiare e mi presi una stanzetta in questa pensione in una piccola città che non dirò come si chiama a causa che voglio la privacy per la mia vita, e voi sapete perché.

Insomma ho continuato a scrivere, ma avvicinandomi alla fine mi sono chiesto E adesso? È troppo lunga per il *New York Times* in fin dei conti, molto più lunga di quanto pensavo all'inizio. Allora mi sa che la mando a un editore di libri, ma forse meglio di no perché nessuno ci crederà e Jim Ricker mi ha detto di non parlare di quello che è successo oppure sono Guai Seri, e io gli credo. E allora forse dopo tutta questa fatica fatta a mettere giù questa storia, finirà che la chiudo per sempre in un cassetto, o almeno finché vivo. In ogni caso, al momento nella mia vita ci sono anche altre cose oltre quelle che mi sono capitate prima. Ecco che è successo, sono andato dal barbiere a farmi i capelli e il tipo, be', mi dice che non trova nessuno che vuole prendersi il negozio dopo di lui perché i giovani di qui alla fine se ne vanno sempre per la grande città e non tornano più. Nel frattempo alla popolazione locale i capelli continuano a crescere per cui lui si dice che non può smettere, è come un servizio pubblico. Gli ho chiesto se è dura fare il barbiere e lui dice che può insegnarlo a chiunque in due settimane massimo tre. Allora gli ho detto Ok, insegnalo a me. Mi fa Davvero? Gli ho risposto Sì, e così ho cominciato.

Ho imparato in fretta e lui dice che ho un talento naturale nonostante i ditoni grossi. Pensavo che avrei avuto problemi a chiacchierare con tutti quei clienti come ci si aspetta sempre dai barbieri, e insomma io non sono un gran chiacchierone, ma Guido, così si chiama, Guido mi dice non ti preoccupare, lascia che sia il cliente a chiacchierare se gli va, tu devi solo essere d'accordo con tutto quello che dice e alla fine sono tutti contenti. Ci ho provato e funziona! Prima tagliavo l'erba e ora taglio i capelli, e tutt'e due le cose crescono senza fermarsi mai per cui ho una vita di lavoro che mi aspetta. Magari tipo ci muoio con le forbici in mano.

E poi c'è questa ragazza che lavora al Morning Glory Cafè in fondo alla strada. Ci vado a prendere il primo caffè della mattina e lei ha preso l'abitudine di rivolgermi la parola. Potrei sbagliarmi, ma credo che ci sia interesse anche da parte sua, per cui Fatemi In Bocca Al Lupo, come dice il detto.

C'è una cosa che mi scoccia, però. Le sere quando ho finito di cenare di solito mi faccio una passeggiata per la città per tenermi in esercizio. Ci vuole solo un quarto d'ora per farsela tutta, tanto è piccolo questo posto. E a volte mentre passo accanto alla sola cabina del telefono della città, che sta fuori dall'ufficio postale, il telefono si mette a squillare. So che non può essere per me, anche se suona proprio nel momento esatto in cui passo di là. Mi è successo tipo una dozzina di volte per cui non è una coincidenza. Dall'altro capo del telefono, io lo so chi è che non voglio che sia. Forse è il suo modo per farmi sapere che non ho fatto perdere le tracce come speravo e che ancora mi tengono d'occhio, non lo so, e di certo non andrò a rispondere al telefono per scoprirlo. Penso che fintantoché non tocco quel telefono mi andrà tutto bene. Non so perché la penso a questo modo ma è così.

Stasera è successo un'altra volta mentre andavo a casa di Donna, la ragazza del bar. Mi sono fermato e l'ho lasciato squillare, poi me ne sono andato. Ho cose migliori che telefoni del mistero a cui pensare, e il motivo è che Sono Innamorato.

In uscita

LA TRADUZIONE

Francesco Pacifico. È nato e vive a Roma. Ha tradotto Will Eisner, Ray Charles, James Brown e Dave Eggers. Ha pubblicato un romanzo da solo (minimum fax 2003), uno con la Babette Factory (Einaudi 2005), e un saggio sull'amore vittoriano (Fazi 2007). Scrive sul *Riformista*, *Rolling Stone* e *GQ*. Questa è la sua prima traduzione senza *consecutio temporum*.

Su *Callisto*. «Non mi assumo nessuna responsabilità per questo libro: il narratore della storia, il gran bifolco ventunenne Odell Deefus, non sa l'inglese. Purtroppo per me, ha vissuto una storia talmente incredibile – a causa dell'immaginazione pervertita post-televisiva, post *24*, post *Prison Break*, post *South Park*, post Patriot Act, del suo autore – che è costretto, davvero costretto, a raccontarla. La *consecutio temporum* praticamente non c'è; proverbi e modi di dire sono quasi sempre storpiati (non scrivete alla redazione per lamentarvi, è tutta colpa di Torsten Krol). Nella traduzione, per passare dalla lingua *white trash* a quella di Dante ho dovuto prendere molte decisioni arrischiate. Se non vi stanno bene i miei periodi ipotetici, le frasi senza congiunzioni, gli "a causa che", metteremo in rete una versione wiki del testo e la editerete voi. Perché per quanto mi riguarda, io ho chiuso con Odell Deefus e con i suoi imperfetti al posto dei congiuntivi. Siamo in Italia, qui. Se saremmo in America – ma siamo in Italia.» *fp*

Ristampa						Anno
1	2	3	4	5		2007 2008 2009 2010

Isbn Edizioni

Finito di stampare nel giugno 2007
presso Milanostampa / Albaprint, Farigliano (CN).